T5-APQ-568

Para comprender LA PARROQUIA

Casiano Floristán

EDITORIAL VERBO DIVINO
Avda. de Pamplona, 41
ESTELLA (Navarra)
2001

4ª edición

Cubierta: *José L. Zúñiga*
 Fotocomposición: Larraona, Pamplona (Navarra). Impresión: Gráficas Lizarra, S.L., Estella (Navarra). Depósito Legal: NA. 878-2001

ISBN 84-7151-978-X

Contenido

Introducción

La parroquia ha sido, a lo largo de la historia de la Iglesia, y lo es todavía hoy, el principal lugar institucional de identificación eclesial donde se desarrolla cuantitativamente la vida cristiana. Es, a su vez, el canal más importante de información y de comunicación en la Iglesia. No hay institución social y cultural en el occidente de tradición cristiana que reúna semanalmente a tantas personas. Abierta a todo el mundo, ahí encuentran los cristianos a la Iglesia y ahí ejercen la mayoría de los agentes pastorales su ministerio. A escala reducida, concreta y local, es el modelo oficial de afiliación religiosa. De una u otra manera, todos los bautizados son feligreses («filii gregis»), miembros de la grey de una parroquia. Por estas razones, la parroquia es una institución cristiana multitudinaria, la «ecclesia permixta» de san Agustín en la que caben todos, se adhieran total o parcialmente al evangelio. «La parroquia –dice la exhortación *Catechesi tradendae*– sigue siendo una referencia importante para el pueblo cristiano, incluso para los no practicantes» (n. 67). Debido a sus variados servicios, en la parroquia encuentran los feligreses que lo desean el estilo de grupo apropiado a sus intereses.

Sin un análisis del funcionamiento parroquial no cabe entender ni la práctica pastoral ni la estructura de la Iglesia. Por su visibilidad (campanario o fachada) y su fuente sacramental (pila bautismal), la parroquia es un lugar de culto público donde se reúnen periódicamente los fieles que habitan en un mismo territorio y donde se dan unos servicios pastorales de tipo sacramental, catequético, psicológico o asistencial.

Dada la heterogeneidad que presenta la parroquia por la diversa composición social, edad, nivel cultural, ideología política e interés religioso de sus feligreses, le cuesta desplegar finalidades pastorales múltiples. Ha heredado una neta vocación cultual, pero no desea quedarse anclada en el ámbito sacramental. Despliega un gran esfuerzo catequético con la infancia y adolescencia, pero con dificultad reinicia a los jóvenes y adultos. Intenta descubrir un proceso evangelizador, pero son escasas las conversiones obtenidas. Y al responder a las necesidades de su entorno, se le escapan ciertos ambientes humanos decisivos.

A pesar de haber sufrido múltiples transformaciones, la parroquia subsiste como lugar privilegiado del catolicismo popular. En la parroquia se celebran los sacramentos del bautismo, primera comunión, matrimonio y funerales. Ahí tienen los «católicos festivos» contacto con la Iglesia. Pero al mismo tiempo que la parroquia es insustituible, es a todas luces insuficiente. Los creyentes que buscan autenticidad personal de fe y compromiso social juzgan con severidad la pastoral parroquial por encontrarla evasiva, rutinaria y mortecina. Pero cuando la parroquia se renueva comunitariamente es capaz de movilizar algunas militancias y de atraer a feligreses alejados. Esta es la aspiración de muchos párrocos y feligreses. Mi propósito es ayudar a que la parroquia transforme sus estructuras y planteamientos de cristiandad para que se convierta en comunidad cristiana en estado de evangelización y de compromiso liberador.

I

LA INSTITUCION PARROQUIAL

1

Historia de la parroquia

La parroquia surgió para adaptar la acción pastoral de la primitiva comunidad urbana a las zonas rurales recién evangelizadas. Desde sus comienzos se concibió como Iglesia local en una comunidad «extra muros», a cargo de un presbítero, a diferencia de la diócesis, Iglesia local en una ciudad, a cargo de un obispo con su presbiterio y sus diáconos. A lo largo del tiempo se convirtió en institución jerárquica –fieles de un territorio en torno a un párroco– y en centro popular de servicios religiosos, desde el nacimiento de una persona hasta su muerte.

1. Origen de la parroquia

El término parroquia procede del latín *parochia*, o del griego *paroikia,* que significa avecindamiento; *paroikos* equivale a vecino y *paroikein* a residir. Por consiguiente forman la *paroikia* los que «viven junto a» o «habitan en vecindad»[1]. Así se entiende en el griego profano. El significado bíblico de la *paroikia* es otro. Según la traducción griega de los Setenta, *paroikein* equivale a ser extranjero o emigrante, peregrinar o vivir como forastero con domicilio en un país, con cierta garantía de protección por parte de la comunidad, pero sin derecho de ciudadanía. La Vulgata traduce dicho verbo por *peregrinari*. La *paroikia* es, pues, en el Antiguo Testamento, la comunidad del pueblo de Dios que vive en el extranjero sin derecho de ciudadanía[2]. En el Nuevo Testamento se encuentra el vocablo *paroikos* con el mismo significado que en los textos del Antiguo. Según este sentido bíblico, la Iglesia es *paroikia,* es decir, comunidad de creyentes que se consideran extranjeros (Ef 2, 19), de paso (1 Pe 1, 17), emigrantes (1 Pe 2, 11) o peregrinos (Heb 11, 13). La imagen de sedentarismo que ha tenido después la parroquia contrasta con el nomadismo primitivo. En todo caso, la *paroikia* tiene un doble significado: peregrinar en el extranjero y vivir en vecindad.

A finales del siglo I, escribe V. Bo, «tras la afirmación y consolidación progresiva del episcopado monárquico como forma organizativa, no cabe la hipótesis de una comunidad cristiana, por pequeña que sea, si no es congregada, dirigida y gobernada

[1] Cf. el término *parroquia* en J. Corominas, *Diccionario crítico etimológico de la lengua castellana,* Gredos, Madrid 1954, III, 675; J. de Prado Reyero, *Parroquia y sínodos medievales de León:* «Studium Legionense» 33 (1992) 151 y 170.

[2] K. L. y M. A. Schmidt, *Paroikos, paroikia, paroikein,* en G. Kittel, *Theologisches Wörterbuch zum NT,* 1954, vol. 5, 840-852, y en la traducción italiana: *Grande Lessico del Nuovo Testamento,* Paideia, Brescia 1974, vol. IX, c. 793-830.

por el obispo» [3]. En los siglos II y III, la unidad pastoral era la *civitas* (ciudad) [4]. Lo que hoy llamamos diócesis era prácticamente una parroquia, en la que los presbíteros ejercían colegialmente su ministerio junto al obispo, sin dividir en porciones el territorio, en tanto que el obispo, rodeado de su presbiterio o equipo sacerdotal, tenía la responsabilidad total. Cada una de estas comunidades cristianas episcopales tenía autonomía propia en lo litúrgico y en lo disciplinar, aunque todas ellas estuviesen unidas entre sí por la fraternidad cristiana o la *koinonia.* La figura del obispo era fundamental no sólo en lo religioso, sino en lo civil. A partir de Constantino el obispo ocupaba un puesto relevante en la sociedad civil, especialmente en la administración de la justicia. Al pueblo le resultaba más fácil y eficaz apelar al obispo que al emperador.

Por otra parte, debido al gran número de cristianos que hubo poco a poco en Roma, era insuficiente la basílica laterana del papa para a acoger a toda la asamblea cristiana en su celebración eucarística. Algunos historiadores sostienen que fue el papa san Dámaso (259-268) el que estableció por primera vez «parroquias circunscritas». Poco a poco, los diversos lugares de culto con diferentes títulos que el papa recorría en determinados días del año como estaciones itinerantes dieron origen a las parroquias. Con las estaciones se manifestaba la unidad de la Iglesia local. Los sacerdotes encargados de estas Iglesias titulares formaban parte del presbiterio del obispo. Desde el s. IV empezaron a tener liturgia propia. En este tiempo, el término *parroquia* forma parte del lenguaje administrativo de la Iglesia. Equivale a lo que hoy llamamos *diócesis,* vocablo poco empleado eclesialmente por su uso político como provincia del imperio. A partir del siglo V, la *parroquia* designa a la parroquia rural. En las ciudades aparecieron las parroquias mucho más tarde.

Fuera de las murallas de las ciudades se crearon iglesias parroquiales con una cierta independencia de la iglesia episcopal. Precisamente al extenderse la evangelización a las zonas rurales, los centros de misión y catecumenado se convirtieron en parroquias. En lugar de ramificarse el centro episcopal urbano por el campo como en Italia y Africa, en las Galias se multiplicaron desde el s. V los centros rurales cultuales con un oratorio «propter fatigationem familiae», de tal modo que los campesinos pudiesen frecuentar la iglesia. La parroquia surgió, pues, cuando un presbítero se hizo cargo pastoral de una zona del campo [5]. Naturalmente, estas comunidades cristianas parroquiales dependían totalmente de la comunidad urbana episcopal. El obispo se reservaba el bautismo a los catecúmenos, mientras que en la ciudad episcopal se celebraban las grandes fiestas. Sólo ahí se impartía el régimen penitencial. Los presbíteros predicaban y catequizaban con muchas limitaciones impuestas por el obispo. Sencillamente, «el verdadero responsable de la comunidad cristiana, aun de la que reside lejos de la iglesia episcopal –afirma V. Bo–, es el obispo, no el presbítero-párroco» [6].

Recordemos que desde los s. IV y V el vocablo parroquia perdió su sentido escatológico y significó la circunscripción menor a cargo de un presbítero. El término *diócesis,* sinónimo de provincia imperial, se entendió como circunscripción territorial mayor a cargo de un obispo. No obstante, tardó en generalizarse el término *parochia.* Ordinariamente se denominaba *ecclesia* a la circunscripción eclesiástica con sede episcopal que incluía la comunidad y la asamblea litúrgica.

2. Constitución del sistema parroquial

En realidad, la transformación de las comunidades primitivas en parroquias territoriales no se hizo repentinamente. A comienzos del s. V se erigieron en los diversos barrios de las grandes ciudades, co-

---

[3] V. Bo, *La parroquia, pasado y futuro,* Paulinas, Madrid 1978, 14.

[4] Cf. F. X. Arnold, *Hacia una teología de la parroquia,* en id., *Mensaje de fe y comunidad cristiana,* Verbo Divino, Estella 1962, 110-111.

[5] Cf. Cl. Gerest, *En los orígenes de la parroquia,* en M. Brion y otros, *Las parroquias. Perspectivas de renovación,* Marova, Madrid 1979, 95.

[6] V. Bo, *La parroquia...,* o. c., 20.

mo Roma, edificios para el culto (*tituli*) con objeto de facilitar a los fieles su participación en la liturgia [7]. Fruto de donaciones particulares, estos *títulos* constaban de una sala de reunión, un baptisterio, un almacén para las ayudas caritativas y una vivienda presbiteral. Así se aseguraba la acción pastoral, a saber, la celebración dominical, la catequesis bautismal, la formación de lectores, la disciplina penitencial, la regulación matrimonial, etc. De hecho, las parroquias fueron funcionales más que territoriales, con unas estrechas relaciones entre sí por medio de las estaciones papales o episcopales con el fin de mantener la unidad de la Iglesia diocesana. A lo largo del s. V también se multiplicaron los lugares de culto en el campo (en los *vici, pagi* o *villae*) por iniciativa de los obispos y bajo su supervisión. Apareció la parroquia como *conventus minor* rural, cristalización del *conventus maior* de la ciudad. De este modo se aseguraban la liturgia dominical, la catequesis, los escrutinios bautismales y el bautismo. Estos centros rurales se ocuparon pronto de los necesitados y de la educación del pueblo. En una palabra, las reuniones comunitarias cristianas surgieron por necesidades pastorales, exigencias espirituales y encarnaciones culturales populares [8].

Las masas campesinas fueron rápidamente bautizadas, con la consiguiente pérdida del catecumenado y la generalización del bautismo de infantes. También sufrió consecuencias pastorales el *ordo paenitentium*, ya que la penitencia –hasta entonces única en la vida como segundo bautismo– cayó en desuso y se comenzó a reiterar a partir del siglo VI sin demasiado vigor. Por falta de impulso creador cedió la espontaneidad litúrgica a la codificación. Disminuyó el dinamismo misionero y aumentó la preocupación sacral y sacramental. A los lugares domésticos de reunión cristiana sucedieron las basílicas, sobre todo en las grandes ciudades, con pretensiones de triunfo y esplendor, imitando un estilo civil imperial. El templo era lugar de reunión de la gran asamblea, cada vez más masiva, para terminar por convertirse en un lugar sagrado, cuyo centro sería el sagrario.

La pertenencia a la Iglesia no era ya fruto de una decisión personal y libre derivada de la actividad misionera y del catecumenado, sino consecuencia del nacimiento natural. Se nacía en la Iglesia de modo semejante a como se nacía en la familia o en el país. Del modelo fraternal de la comunidad cristiana se pasó al prototipo del conglomerado social formado por todos los ciudadanos de un lugar, en el que no se distinguía lo civil de lo cristiano, ya que las instituciones temporales se cristianizaron, al paso que se sacralizaron los ámbitos de la sociedad. De la *domus ecclesiae* se dio el salto a la *ecclesia paroecialis,* es decir, a la Iglesia de masas.

El origen de las iglesias rurales con una organización permanente comenzó en las Galias a comienzos del s. IV. La evolución se detuvo con la crisis arriana hasta la muerte de Constancio (año 361), pero más adelante cobró nuevo vigor, recibiendo un gran impulso en el s. VI. En las iglesias rurales se celebraba ya el culto, pero solamente la iglesia episcopal tenía baptisterio. Como el número de los fieles crecía, los obispos concedieron a sus sacerdotes rurales determinados privilegios. Incluso se llegó a organizar en estas iglesias un *presbyterium,* con diáconos, subdiáconos, lectores y porteros, semejante al del obispo. Aunque el nombramiento de los rectores de estas iglesias correspondía al obispo, poco a poco, por influencia de los señores, se hizo sin el consentimiento episcopal.

Con la nueva idea de la circunscripción eclesiástica y civil entró en juego el concepto de territorialidad. Se construyeron grandes templos, y adquirió enorme relieve la idea del beneficio. Los nuevos templos parroquiales, cada vez más amplios para atender a una pastoral de masas, fomentaron la oratoria sagrada, la ritualización solemne, la sacramentalización «in extremis», la administración beneficial, la debilidad progresiva de la acción profética y el deterioro de las relaciones interpersonales de la feligresía entre sí, e incluso con su párroco, lo cual provocaba indiferencias e insatisfacciones.

En la Iglesia española del s. IV ya existían parroquias rurales, según se desprende del concilio de Elvira. Eran lugares de culto dependientes de la

---

[7] Cf. Ch. Pietri, *Roma christiana. Recherches sur l'Église de Rome, son organisation, sa politique, son idéologie, de Miltiade à Sixte III (311-440),* Roma 1976.

[8] Cf. A. Houssiau, *Paroisse,* en *Catholicisme,* vol. 10, 1985, 672-688.

Iglesia principal episcopal [9]. Sabemos que, al entrar en España los pueblos germánicos a partir del otoño del 409, había iglesias en el campo. Ciertamente había ya parroquias cuando se celebró en el 447 el primer concilio de Toledo. En este tiempo se intercambiaban también entre nosotros los términos parroquia y diócesis. En muchos documentos antiguos, iglesia equivale a parroquia, y presbítero a rector o párroco. Del s. V al s. VIII se configuró definitivamente en todas partes el sistema parroquial desde el punto de vista financiero, administrativo y cultual. A partir de los s. V y VI se crearon en España y Francia muchas iglesias rurales denominadas *parochiae*, con un sacerdote propio. De este modo creció velozmente el sistema parroquial, especialmente entre los pueblos germanos, cuya cultura era típicamente rural. Gracias a los sínodos se establecieron los derechos diocesanos y parroquiales. Deber de los obispos era visitar las parroquias y celebrar sínodos, mientras que los párrocos estaban obligados a predicar y bautizar, visitar enfermos, enterrar y administrar privadamente la penitencia, aunque no la reconciliación pública.

3. La reforma parroquial carolingia

La reforma carolingia de los siglos VIII y IX pretendió situar a las parroquias bajo la jurisdicción del obispo. En todo caso, las «iglesias propias», erigidas por los señores feudales en sus grandes dominios como parte de su patrimonio, gozaron desde el s. VIII de un derecho parroquial. A partir de entonces adquirió el sistema parroquial un tinte beneficial. Algunos conventos tentados por el *beneficium* pretendieron incorporar parroquias, con lo cual se originó una aguda lucha entre organismos parroquiales y conventuales. En la época carolingia existía en la Iglesia una gran red de parroquias en el interior de las diócesis [10]. La parroquia era el *conventus legitimus* de la población, ya totalmente bautizada; la aldea se había convertido en parroquia. Esto sucedió sobre todo entre los germanos, tanto católicos como arrianos. En una palabra, a partir del s. VIII se da un cambio en la Iglesia hacia lo territorial, de acuerdo a la estructura feudal por las reformas de Carlomagno, quien divide su imperio en *diócesis* y *parroquias*, obligando a obispos y sacerdotes a residencia local. Anteriormente predominaba la función misionera itinerante. Ahora cobra relieve la función cultual y administrativa. Es el denominado sistema beneficial de los carolingios.

En el s. IX se erigieron muchas parroquias, debido al crecimiento de la población y a la expansión de la cultura en el pueblo. Junto a la *ecclesia baptismalis* había en la parroquia otros lugares sagrados: *oratoria, basilicae, capellae*, etc., para facilitar a los fieles la asistencia al culto y fomentar sus devociones. «Los servicios que los presbíteros prestan en estas Iglesias –escribe A. M. Rouco Varela–, sobre todo los sacramentales, se consideran como actividades económicamente lucrativas para el dueño» [11]. A partir de este tiempo, el párroco tuvo dos tareas principales: administrar el beneficio en virtud de la justicia y atender a la *cura animarum* sacramentalizada en virtud del deber. Poco a poco se establecieron obligaciones y derechos parroquiales. Los fieles no quedaban ligados a una comunidad libremente elegida, sino a un párroco que se reservaba casi todas las funciones pastorales: bautismo, comunión pascual, confesión anual, bendición del consentimiento conyugal, viático, unción y funerales [12].

A partir del s. X se usó ampliamente el término parroquia o *ecclesia parochialis*. Los habitantes del territorio serán denominados *parroquianos*. Al decaer el espíritu cristiano, se impuso a los fieles una serie de obligaciones: cumplimiento dominical y pascual, pago de los diezmos y primicias, bautismo «quam primum», funerales en tierra sagrada, mandamientos de la Iglesia y rechazo de herejías relacionadas con la brujería, la magia y la hechicería.

---

[9] J. Fernández Alonso, *La cura pastoral de la España romano-visigótica*, Roma 1955, 192.

[10] Cf. A. Aubry, *Aux sources historiques de la paroisse urbaine:* «Parole et Mission» 20 (1963) 25-38, traducido con este título: *La parroquia urbana en la Iglesia antigua:* «Selecciones de Teología» n. 11 (1964) 177-181.

[11] A. M. Rouco Varela, *La parroquia en la Iglesia. Evolución histórica, momento actual, perspectivas de futuro*, en J. Manzanares (ed.), *La parroquia desde el nuevo derecho canónico* (X Jornadas de la Asociación Española de Canonistas), Universidad Pontificia, Salamanca 1991, 21.

[12] Cf. G. Le Bras, *Institutions ecclésiastiques de la chrétienté médiévale*, París 1964, I, 404-423.

Según el derecho germánico parroquial (*Pfarrzwang* y *Pfarrbann*), los bautizados tenían la obligación de recibir los sacramentos en su parroquia. Este monopolio parroquial fue quebrado con fuertes tensiones por los mendicantes, al conseguir un estatuto de libre predicación y de administración sacramental en sus propias iglesias. Existía, además, un antiguo derecho de patronato sobre algunas parroquias confiadas a monasterios, cabildos o cofradías como simple y puro beneficio.

Las parroquias de la Edad Media no eran iguales; se diferenciaban por su origen, ubicación, cultura popular y estilo sacerdotal. Por supuesto, no se podían erigir nuevas parroquias sin el consentimiento del obispo. Todas tenían unos límites precisos y un santo titular como patrón. Pero en general necesitaban una seria reforma. Los sínodos medievales reflejan defectos comunes a muchos párrocos: «barraganía», ignorancia, lejanía residencial, afición desmesurada a la caza, participación en fiestas lascivas, proclividad a los negocios lucrativos, etc [13]. También les exigían santidad, vida de oración y dedicación ministerial. Los concilios generales de los s. XII y XIII denunciaron los abusos que había originado el «beneficio parroquial», a saber, «el derecho a percibir las rentas anejas por la dote del oficio» [14]. Recordemos que en los s. XII y XIII las cofradías y asociaciones con carácter evangélico rivalizaron con la parroquia, acostumbrada a ser hegemónica en el cometido pastoral [15]. De otra parte, los *seniores* laicos medievales intentaron dominar el patrimonio de las iglesias parroquiales, sus dotaciones y diezmos, reduciendo la potestad del obispo. La reforma gregoriana salió al paso de estos abusos y prescribió, sin demasiado éxito, que los diezmos, primicias y ofrendas donadas por los laicos fueran administradas por el obispo para conservar los lugares de culto, sostener al clero y ayudar a los pobres [16]. No obstante, las parroquias en los siglos XIV y XV tenían un escaso nivel espiritual.

4. La reforma parroquial tridentina

Mediante el decreto *De reformatione*, correspondiente a la sesión XIV de 1563, el concilio de Trento sancionó el estatuto jurídico de la parroquia considerada el órgano principal de la pastoral [17]. Decidió que cada *populus* constituyese una parroquia y que tuviese su propio pastor. El pastor, que debería conocer a sus ovejas, residiría en el territorio y cuidaría del ministerio de la palabra (predicación e instrucción religiosa) y del ministerio de los sacramentos. Decidió asimismo crear seminarios para que se asegurase una sólida formación a los párrocos. El *populus* fue entendido por unos como el conjunto de personas sitas en un lugar y por otros como el mero territorio. Entonces apenas se distinguía la parroquia urbana de la rural. Desde entonces, la parroquia tridentina se basó en la autoridad sagrada del párroco, en la celebración de la misa y de los sacramentos, en la predicación y catequesis y en la participación del pueblo por medio de las ofrendas. En cambio, en la Iglesia reformada protestante la característica más notable de la parroquia, según G. Alberigo, se puso «en su sentido comunitario, fundado sobre la teología del sacerdocio universal y alimentado por la participación en el cáliz y la ausencia de una jerarquía visiblemente estructurada» [18]. Justo es recordar que en el s. XVI algunos protestantes distinguieron en la parroquia entre la *societas religiosa*, es decir, el pueblo bautizado masificado o Iglesia popular (*Volkskirche*) y el *collegium pietatis* o comunidad doméstica *(Hausgemeinde)*, a saber, la comunidad creyente.

Trento justificó la división de las grandes parroquias con la doble razón de favorecer la práctica sacramental y la comunicación de los feligreses con su párroco. Si la parroquia no podía dividirse, se añadían al párroco uno o más coadjutores como ayudantes, con el deber de residencia. Se impuso la línea conservadora (nombrar ayudantes al párroco) sobre la progresista (creación de parroquias peque-

---

[13] Cf. P. Adam, *La vie paroissiale en France au XIVe siècle*, París 1964, 140-163.

[14] CIC antiguo, c. 1409.

[15] Cf. Cahiers de Fanjeaux, *La paroisse en Languedoc (XIIIe-XIVe s.)*, Privat, Toulouse 1990.

[16] Cf. A. Dumas, *Les Églises paroissiales*, en Fliche y Martin, *Histoire de l'Église*, París 1942, VII, 265-290.

[17] Cf. Concilio de Trento, sess. XIV, decreto *De reformatione*, c. 13 (G. Alberigo, *Conciliorum Oecumenicorum Decreta*, Bolonia [3]1973, 768).

[18] G. Alberigo, *L'Église locale du seizième siècle à Vatican II:* «La Maison-Dieu» 165 (1986) 58.

ñas), representada por Z. van Espen. Naturalmente, era difícil crear en las ciudades nuevas parroquias a causa de los intereses económicos existentes. Se carecía de la idea de comunidad, y apenas contaban los seglares. Deberes, obligaciones y responsabilidades eran del cura. Según las decisiones de Trento, se entendió el *populus* más como personas que habitan en un mismo territorio que como feligreses que deciden libre y personalmente una afiliación comunitaria. De este modo, la parroquia se tornó en algo masivo e impersonal, con consecuencias evidentes para el mantenimiento de la cristiandad. Así se plasmó el sentido jurídico de la parroquia [19]. El problema de fondo planteado en tiempos de Trento no era el número de feligreses por parroquia, sino la concepción beneficial y territorial de la Iglesia dividida en parcelas. No obstante, Trento intentó que la parroquia fuese el medio más idóneo de instruir religiosamente al pueblo y el lugar más adecuado de celebración y de contacto pastoral con los bautizados. Se pretendió, en suma, que prevaleciese el aspecto servicial del párroco sobre el beneficial [20]. Por decisión de Trento pasó la sustentación del clero parroquial del sistema del *diezmo* al de la *portio congrua*. De este modo, el clero se independizó a causa del beneficio eclesiástico, derivado en gran parte de los «derechos de estola» que nacieron en este tiempo.

5. Configuración canónica de la parroquia

A finales del s. XVII, la parroquia sufrió los influjos y controles de los poderes políticos. En los s. XVIII y XIX, a consecuencia del *regalismo* político y del *josefinismo* eclesiástico, el párroco se convirtió en maestro primario o pedagogo popular. De este modo intentaba el Estado utilizar con provecho político a la parroquia. La parroquia en este tiempo fue más sensible a un cierto código moral basado en la ética de la sexualidad, de la propiedad privada y de la resignación, que al mensaje cristiano.

En la primera parte del s. XX, con la toma de conciencia paulatina de los laicos y la renovación espiritual del clero, decreció la intromisión de los poderes civiles en la parroquia, que cobró plena autonomía. Pero seguía siendo totalmente idéntica en todas las diócesis católicas. La configuración canónica de la parroquia territorial cristalizó definitivamente en el Código de Derecho Canónico de 1917, bajo el pontificado de Benedicto XV [21]. Ahí se dice que la parroquia «es una parte territorial de la diócesis con su iglesia propia y población determinada, asignadas a un rector especial como pastor propio de la misma para la necesaria cura de almas» (c. 216) [22]. En esta descripción se encuentran sus elementos fundamentales: dependencia de la diócesis (*pars dioeceseos*), territorio determinado (*distincta pars*), templo propio (*peculiaris ecclesia*), feligresía concreta (*populus determinatus*) y responsable adecuado (*pastor proprius*). Esta concepción de la parroquia resume la tradición tridentina e influye notablemente en la pastoral previa al Vaticano II. Se basa en una concepción canónica de la pastoral, sin dinamismo misionero, con carácter beneficial, donde prevalecen las asociaciones piadosas más que la asamblea cristiana y con una fuerte autonomía respecto de cualquier otra instancia pastoral diocesana.

Conocida es la rivalidad que la parroquia ha sostenido desde la Edad Media con ciertas órdenes y congregaciones religiosas, y recientemente con los movimientos apostólicos extraparroquiales. La raíz de estos conflictos reside, unas veces, en el sistema monolítico parroquial y, otras, en la concepción de algunos movimientos pastorales supraparroquiales escasamente afines a la Iglesia local. En todo caso, la pastoral ha de ser siempre diocesana y ha de tener presente la comunidad cristiana, de tipo funcional, en lugar de ser estrictamente territorial.

Hasta la década de los años veinte, la parroquia

[19] Cf. P. Broutin, *La réforme pastorale en France au XVIIe siècle,* 2 vol., Tournai 1958.

[20] W. Croce, *Historia de la parroquia,* en *La parroquia,* Dinor, San Sebastián 1961, 33-36.

[21] El Código de 1917 trata la parroquia en los cánones 216, 451-458, 1409-1488.

[22] Según algunos analistas, este canon se basa en el concilio de Trento, sess. XIV, decreto *De ref.,* c. 9 y c. 13.

era posesión pacífica e indiscutible de los canonistas de acuerdo al derecho parroquial [23]. Así, la visita pastoral del obispo a la parroquia se llevaba a cabo con ocasión de las confirmaciones masivas, según un ritual jurídico basado en varias exigencias canónicas: verificar la exactitud de los registros o libros parroquiales, comprobar la dignidad y solidez de los sagrarios, examinar las cuentas económicas de la «fábrica» y velar por la conservación de la doctrina ortodoxa y del ordenamiento moral. Hasta casi las vísperas del Vaticano II hubo canonistas firmemente defensores de la parroquia como realidad únicamente jurídica [24]. De este modo, la parroquia era un templo con pila bautismal para infantes, origen de toda la sacramentalidad, donde un cura párroco atendía las demandas religiosas de sus feligreses en un triple sentido: caritativo, catequético y sacramental. Cuatro han sido durante mucho tiempo los lugares clásicos del cometido parroquial: el templo (para lo sacramental y devocional), el despacho (para la atención de las demandas), la sacristía o una sala (para la catequesis) y las casas de los feligreses (para la visita de enfermos). La concepción jurídica de la parroquia se advierte todavía en las disposiciones que deben observar los párrocos.

En los años que siguen a la primera guerra mundial llegan a la parroquia los movimientos cristianos de renovación y se produjo una efervescencia en su interior. Aparece la renovación de la parroquia desde distintos frentes y con diversos objetivos. Al mismo tiempo aparece otro contraste netamente involucionista: al paso que disminuye la práctica religiosa y se debilitan las convicciones de fe, se mantienen las estructuras típicas de una cristiandad a pesar de la descristianización manifiesta: hay resistencias a renovar profundamente la parroquia. Ya no hay coincidencia entre el pueblo de los bautizados y los cristianos creyentes y practicantes, ni entre la parroquia y el municipio o el sector de la ciudad. Pero oficialmente nos movemos como si la persistencia de una práctica sacramental que sacraliza los momentos más importantes de la existencia o ciertas fiestas anuales fuese claro indicio de que todavía tiene una gran vigencia pastoral nuestra parroquia actual.

[23] Cf. E. Fernández Regatillo, *Derecho parroquial,* Sal Terrae, Santander 1951.

[24] Cf. diversas opiniones en D. Grasso, *Osservazioni sulla teologia della parrocchia:* «Gregorianum» 40 (1959) 297-314.

2

La institución parroquial heredada

Las encuestas sociológicas llevadas a cabo en el ámbito de la parroquia señalan estas evidencias: cada vez hay más feligreses indiferentes o increyentes, sobre todo jóvenes; muchas personas que se consideran creyentes no practicantes se encuentran alejadas del código moral sexual de la Iglesia; disminuyen los feligreses cristianos en edad activa que se identifican con la tarea parroquial; ciertas categorías sociales se hallan lejos de la institución parroquial, cuyos miembros pertenecen mayoritariamente a las clases medias, al sexo femenino, a la edad superadulta y a los votantes de partidos conservadores. Evidentemente, estos síntomas pertenecen a la parroquia de cristiandad, a saber, a la institución parroquial heredada. Durante siglos, la parroquia ha permanecido como institución pastoral inalterada. Hasta la llegada de los modernos movimientos de renovación, la parroquia poseía algunos rasgos típicos que pueden ser observados hoy, sobre todo en las parroquias no renovadas.

1. La parroquia desarrolla una acción pastoral tradicional: es institución de cristiandad

En cuanto estructura milenaria de tipo rural, la parroquia ha heredado una pastoral de cristiandad en detrimento de una pastoral misionera. En la parroquia ha prevalecido el atavismo de la fe, la preocupación sacral, la transmisión familiar, el influjo clerical y la masificación bajo el signo de la unanimidad. La preocupación máxima era la de mantener, proteger y conservar. La parroquia se administraba, no se construía. Se dirigía con rigor dogmático, normas canónicas, inmovilismo moral y costumbrismo pastoral. Las tareas administrativas y burocráticas dejaban poco tiempo al párroco para la educación cristiana y la misión.

Algunas parroquias actuales están lejos de abrirse a la evangelización y a la reiniciación cristiana de adultos convertidos. No tienen en cuenta suficientemente las instituciones civiles del contorno, apenas promueven una presencia responsable laical y se encuentran lejos de aceptar una pastoral de conjunto diocesana. Al considerarse la parroquia como *ecclesiola,* microiglesia u obispado en pequeño, pretende poseer el monopolio de toda la pastoral. Su ruralismo le hace sentirse incómoda en la gran ciudad. De ahí su tendencia sinagogal hacia el *ghetto.*

A pesar de su origen agrario correspondiente a una época preindustrial, la parroquia es un modelo estructural de tipo estadístico en el que importa la adición de unidades en serie, es decir, el número o la cantidad. A la parroquia se pertenece por razones institucionales (lugar de residencia y registro bautismal), no por razones personales (identificación con la comunidad, interacción mutua, necesidad de comunicación, participación responsable, compromiso). Fundamentalmente la parroquia responde a un modelo rural en el que predominan la familia y el vecindario, la dirección autocrática (concentración de poder en el párroco), el tradicionalismo (recelo al cambio), la mentalidad primaria (no reflexiva), etc. Por su coherencia con los viejos patrones de la sociedad rural, la parroquia heredada corresponde a un modelo tradicional conservador. Goza de reconocimiento oficial por su tendencia a la verticalidad autoritaria, por sentirse salvaguardadora de la cohesión moral y del orden, por sus competencias administrativas y su docilidad gregaria, rasgos todos ellos de la pastoral de cristiandad.

La acción pastoral de la parroquia está limitada por un doble motivo. En primer lugar, no pueden llegar sus servicios a ciertos ambientes de tipo profesional (sanitarios o enseñantes), ideológico (clase obrera), psicosociológico (medios independientes) o simplemente de edad (juventud, edad madura), sectores necesitados de evangelización, pero difíciles para la parroquia. La parroquia es en la sociedad una institución minoritaria y secundaria con toda clase de competidores: clubes, asociaciones, etc. En segundo lugar, tampoco puede responder a todo el ministerio de la Iglesia. Atiende al pueblo a la vuelta del trabajo, en la vida familiar y en la esfera privada personal.

2. La parroquia es un agregado social: es institución masiva

Las misas de muchas parroquias son un ejemplo claro de agregado o conglomerado social: los feligreses se reúnen con proximidad física, pero sin comunicación entre sí; no hay relaciones interpersonales. A lo sumo se da un lazo de unión individual con el párroco y a través de él con los demás. En general, la parroquia no es grupo social o comunidad. Es asociación de tipo secundario que desarrolla unas actividades catequéticas, cultuales y caritativas periódicas.

Por ser la parroquia agregado social, es un cuerpo débil. Ha perdido la antigua fuerza que procedía de la coherencia e incluso fusión entre lo religioso y lo civil. Hoy vivimos un marcado proceso de secularización y de tendencia generalizada a la segmentación y diferenciación de planos. Por otra parte, en nuestra sociedad actual el vínculo social apenas depende de la vivienda. El domingo no es tiempo fuerte de vida colectiva, mientras lo religioso queda en la zona de lo opcional. Los esfuerzos para transformar la parroquia urbana de tipo secundario en parroquia rural de tipo primario fracasan siempre.

La parroquia es ajena al mundo y a la sociedad, no posee capacidad de diálogo, no transforma los valores, mantiene una fe sociológica inmadura, repite sin creatividad ritos cultuales, etc. En la medida que los feligreses buscan fuera de la parroquia necesidades religiosas fundamentales, la parroquia no sirve suficientemente. De ahí cierta frustración o irritación. Es amplia la historia de las agresividades parroquiales frente a todo intento de renovación moderna no parroquial.

Si se elige el templo parroquial es por comodidad. Muchos no van a la parroquia a participar con los demás feligreses, sino a cumplir el precepto o a oír misa, ya que entre los parroquianos no se dan relaciones horizontales. Sólo una minoría de feligreses interesados se identifica con los grupos de amistad y con el clan parroquial. La vida cristiana más genuina se da muchas veces fuera del recinto parroquial.

3. La parroquia está determinada por el espacio: es institución territorial

La parcelación territorial de la diócesis en parroquias ha sido y es una exigencia derivada de la dimensión pequeña que facilita el conocimiento de unos con otros, la celebración de lo sacramental, la aceptación de los mismos valores y normas, el gobierno administrativo y el control religioso. «El territorio, en definitiva –afirma la segunda ponencia del congreso *Parroquia evangelizadora*–, es el modo de situar la presencia primera de la Iglesia, previo al desarrollo asociativo y matriz del mismo» [1]. «La

[1] Congreso *Parroquia evangelizadora,* Edice, Madrid 1989, 117.

territorialidad –afirma el congreso *Evangelización y hombre de hoy*– favorece la visibilidad de la Iglesia, su carácter público, la continuidad de la misma, la apertura a todos y a todas las situaciones humano-religiosas» [2].

Sin embargo, el factor territorial, propio del régimen de cristiandad, ha favorecido el sistema beneficial y la autosuficiencia parroquial. De hecho, al someterse la parroquia a su carácter geográfico, se hace ajena a los ambientes sociales, se inmoviliza y se la confunde con lo exterior inamovible: el edificio, la casa parroquial o la oficina del cura. Reducida a un *ghetto* sacral y administrativo, la parroquia se convierte a menudo en un inmueble en que se imparten servicios que provienen de una demanda religiosa tradicional.

4. La parroquia se centra en la dimensión cultual: es institución sacral

La función principal de la parroquia reside en el culto. A lo largo de su historia, desde sus inicios en los s. IV y V, la parroquia ha mantenido el privilegio de lo sacramental. De ahí que responda a un modelo de tipo sacral. Su vocación litúrgica es evidente por sus lugares de culto: el templo para las celebraciones, el baptisterio para los bautismos y el cementerio para enterrar a los muertos en tierra sagrada, vinculada tradicionalmente a la parroquia. En la parroquia se celebran también los sacramentos puntuales o concretos [3].

En el nivel de las creencias, la parroquia representa un universo religioso en el que prevalecen el rito, la obligación y el cumplimiento. De ahí el fomento de valores tradicionales y de actitudes pasivas: obediencia, sumisión, resignación, etc. El factor religioso tradicional posee unas funciones de cohesión y de integración social dentro del orden y de la legalidad, basadas en un Dios protector al servicio de las necesidades inmediatas individuales.

Sin embargo, no todos los feligreses demandan a la parroquia ritos, sacramentos o devociones. Hay quienes piden autenticidad, tanto en la liturgia como en otros aspectos de la vida cristiana, de un modo libre, lúcido y responsable, con opciones precisas de cara al compromiso personal y social. El culto masificado, aunque sea con pocos fieles, insatisface por su falta de valores.

Por último, el tiempo social de la parroquia se estructura en torno al binomio domingo/semana y a la alternancia tiempos fuertes (navidad, semana santa)/tiempos débiles (verano, vacaciones). Con todo, el domingo no es en general día de reunión comunitaria, sino día de reunión selectiva, en privado o en familia, a causa de los fines de semana y de otros contactos sociales entre semana. Al no ser el domingo un tiempo fuerte de vida colectiva, lo religioso queda en la esfera de lo privado. Además, al desaparecer el juridicismo, desaparece la obligación dominical. Pero aunque la parroquia tiene una práctica dominical débil, según lo indicó F. Boulard, su práctica festiva y ceremonial tradicional es todavía unánime. Puede decirse que la mayor parte de nuestros feligreses vive un «catolicismo popular» de tipo sacramental mediante la vía familiar.

5. La parroquia pretende dar unidad religiosa a la diversidad: es institución uniformadora

La parroquia responde a un contexto social tradicional en el que se da una simbólica unitaria y una integración de base espacial. Este contexto social está caracterizado por unas relaciones en términos de armonía dentro de un orden. Lo importante en la parroquia no es el proyecto grupal (no suele haber ni grupo o comunidad, ni proyecto), sino el interés individual o la suma de intereses religiosos. En realidad, todos tienen ahí una visión parecida, dentro de una relativa unidad ideológica. La pretensión de ser la parroquia reunión de todos, a pesar de la diversidad e incluso de la igualdad, descansa en el territorio.

Al pertenecer a la parroquia toda clase de gente, con distintas tendencias o visiones, sólo es posible la unidad a base de someterse a una misma ideología, que de ordinario es la ideología dominante, co-

[2] Congreso *Evangelización y hombre de hoy*, Edice, Madrid 1986, 182.

[3] Cf. J. Passicos, *La paroisse vue par le canoniste:* «Revue Théologique de Louvain» 13 (1982) 18-30.

rrespondiente a las clases medias y burguesas, o derivada de algo abstracto e insignificante. En las parroquias de barrios acomodados resulta imposible la opción preferencial por los pobres. Se pretende que la opción sea por todos, lo cual significa a veces que es por los ricos. De este modo se llegan a legitimar las desigualdades reales, a veces escandalosas, con armonía falsa o interclasista, que pretenden ignorar las diferencias o proclamar que todos somos, en el fondo, hermanos. Al ser conocidas hoy mejor que ayer las diferencias, hay en un sector recelos a la integración porque se la considera falsa. Con frecuencia la exaltación del ideal de unidad en la parroquia ha servido para escamotear las diferencias y negar los conflictos [4].

6. La parroquia está dirigida y dominada por los sacerdotes: es institución clerical

De ordinario, los sacerdotes encargados de la parroquia están liberados para la gestión parroquial. Por eso la parroquia es una cuestión del cura, que se convierte en correa de transmisión del poder episcopal. El párroco ejerce una función religiosa, cultural y administrativa. Durante mucho tiempo, los sacerdotes han acaparado estas tres funciones bajo el manto de la sacralidad.

Hoy asistimos a una cierta desacralización de la autoridad. No se admite fácilmente a un personaje sacral. Se acepta mejor que Dios se hace presente de una manera más discreta, más variada, más misteriosa. Somos más sensibles al pueblo sacerdotal o al pueblo de Dios. De ahí que se den comunidades parroquiales con intentos de autogestión ministerial o coparticipación en los ministerios de acuerdo con el presbítero. Surgen nuevos responsables laicos en las parroquias.

Algunos sacerdotes se sienten incómodos con el exclusivo trabajo parroquial, sobre todo si apenas se ha renovado. Por otra parte, las religiosas se integran cada vez más en el ministerio parroquial. La escasez de sacerdotes puede ser, incluso, beneficiosa para que el pueblo de Dios tome mayor conciencia de sí mismo. No olvidemos, sin embargo, que la parroquia es, como la diócesis, institución jerárquica. La autoridad sacerdotal es la clave de la institución parroquial. Hoy se necesita poner mayor énfasis en lo comunitario y en las funciones pastorales.

7. La parroquia posee un sistema financiero: es institución económica

La mayor parte de la financiación de la Iglesia pasa por la economía parroquial. Los registros de la Iglesia son diocesanos y parroquiales. Su aspecto burocrático es evidente. Como la Iglesia vive en gran medida un régimen institucional, y las instituciones necesitan dinero para sostenerse, las colectas parroquiales son incesantes. Con el dinero de las parroquias se financian hoy numerosas instituciones y casi todo el personal liberado. Pero el actual sistema financiero de la Iglesia es, en general, endogámico, centralizado y dominado por el clero. Los fieles ignoran a menudo el campo administrativo de la Iglesia, aunque a veces participen como trabajadores a título personal y profesional.

Hemos olvidado algo esencial del cristianismo primitivo: el dinero de la Iglesia es de los pobres, sus bienes son instrumentos de su misión, y las finanzas deben ser claras y públicas. La Iglesia primitiva se sentía administradora de los bienes de los pobres, considerados por san Ireneo «tesoro de Dios». Los seglares deben participar plenamente en la administración de los bienes de la parroquia e incluso de la diócesis. De hecho, el dinero sigue ligado excesivamente al altar y a los sacramentos más que a la comunidad. En gran medida es para la institución eclesiástica y para el clero. Hay personas que darían a la Iglesia más dinero si se hiciesen las colectas con mayor sentido evangélico. El dinero debe servir para abrir nuevas vías diaconales; no debe emplearse tanto en la edificación material. Por supuesto ha de haber siempre transparencia en la economía, cuentas públicas ante el pueblo de Dios a todos los niveles, y ética en los procedimientos de obtención de bienes.

[4] Cf. L. Voyé, *La paroisse, lieu de communion de groupes diversifiés,* en A.A. V.V., *Les paroisses dans l'Église d'aujourd'hui,* Lovaina 1981.

3

Renovación moderna de la parroquia

Los intentos modernos de transformar la parroquia a partir del final de la década de los años veinte han procedido de diversos movimientos pastorales: el *litúrgico,* al concebir la eucaristía dominical como núcleo básico parroquial; el *misionero,* al tomar conciencia del entorno parroquial pagano a evangelizar; el *catecumenal,* al aparecer adultos convertidos que deseaban ser bautizados; el *asistencial,* al promover en el recinto parroquial «obras» de suplencia ciudadana con intenciones de protección; y el *eclesial,* al descubrir la parroquia como *ecclesiola* de la Iglesia local. Los análisis sociológicos de la década de los sesenta pusieron en evidencia los perfiles agrietados de la institución parroquial. Se vio que la parroquia no era comunidad cristiana, sino aglomerado o conglomerado de cristianos convencidos, creyentes escasamente practicantes y ocasionales de las cuatro estaciones sacramentales. La renovación última y más importante de la parroquia ha procedido de *campo comunitario,* al centrar todo el dinamismo pastoral en la comunidad cristiana de los feligreses.

1. Renovación litúrgica de la parroquia

La primera renovación moderna que se ha operado en la parroquia ha procedido del movimiento litúrgico. Dom Beauduin (1873-1960), pionero de dicho movimiento en su dimensión pastoral, escribió en 1911 sobre el espíritu litúrgico que debía poseer la parroquia [1]. Sin embargo, el nacimiento de la parroquia renovada por la liturgia se sitúa en Alemania, entre las dos últimas guerras mundiales. Recordemos que en la época nazi fue la parroquia la única institución pastoral permitida. Precisamente por eso los fieles se agruparon en torno a la liturgia parroquial. En ese tiempo se desarrolló una renovada comprensión de la liturgia. Fueron básicas las aportaciones sobre «el sentido místico de la parroquia» de A. Wintersig [2], «la comunidad viva parroquial» de P. Parsch [3], «la edificación espiritual

[1] L. Beauduin, *L'esprit paroissial dans la tradition:* «Les questions liturgiques» 2 (1911/12) 16-26; 80-90; 305-311, reproducido en *Cours et conférences des semaines liturgiques,* t. 4, Lovaina 1926, 11-42.

[2] A. Wintersig, *Pfarrei und Mysterium:* «Jahrbuch für Liturgiewissenschaft» 5 (1925) 136-143, traducido al francés con el título *Le réalisme mystique de la paroisse:* «La Maison-Dieu» 8 (1946) 15-26.

[3] P. Parsch, *Bericht über den ersten Volksliturgischen Einführungskurs in Klosterneuburg:* «Bibel und Liturgie» 1 (1926/27) 301-325; 331-346; id., *Die lebendige Pfarrgemeinde:* «Bibel und Liturgie» 8 (1933/34) 185-194; 211-216; 235-240; 263-267. Ver el pensamiento de P. Parsch en su libro *La renovación de la parroquia por medio de la liturgia,* Desclée, Bilbao 1960.

de la parroquia» de K. Jakobs [4], «la realidad religiosa parroquial» de J. Pinsk [5] y «la realidad sobrenatural de la parroquia» de M. Schurr [6]. A la concepción meramente canónica de la parroquia, el movimiento litúrgico contrapuso el polo sacramental de la vida cristiana. Frente a los canonistas –para quienes la parroquia era realidad jurídica–, los liturgistas alemanes defendieron el *misterio sacramental* de la parroquia, con la afirmación de la asamblea litúrgica como célula básica de la Iglesia y, por consiguiente, de la parroquia [7].

El movimiento litúrgico parroquial lo puso en práctica P. Parsch en la capilla-parroquia de Klosterneuburg (Viena), quien en 1934 afirmó: «El problema real de la parroquia reside en una comunidad parroquial viviente» [8]. Para este liturgista, la parroquia es *ecclesia,* Iglesia en pequeño. Para M. Schurr, la parroquia es una «ecclesiola in ecclesia». Contra esta línea teológico-litúrgica de la parroquia reaccionó el canonista O. v. Nell-Breuning en 1947 al defender que el estudio de la parroquia es quehacer jurídico y que es «extremadamente peligroso» considerar la parroquia «ecclesiola in ecclesia» [9]. También L. Siemer juzgó excesiva la concepción de la parroquia como *ecclesiola* desde la misma teología. En 1948 escribió K. Rahner que «en la actual cura de almas no es la pastoral parroquial la única» [10]. Junto a la dimensión territorial hay otras dimensiones en las que cabe una justa acción pastoral. La historia muestra que el apostolado parroquial no ha sido el único. Además –dijo K. Rahner–, cada cristiano tiene derecho a formar parte de la comunidad que desee.

La influencia del nuevo espíritu litúrgico sobre la parroquia fue enorme. Consiguió reanimar a la feligresía y centrar la atención en la celebración, no en las «obras». Esta renovación logró depurar las devociones populares, quebrar el individualismo y descubrir la palabra de Dios y la oración tradicional de la Iglesia. La llegada del nazismo al poder, que respetó a la parroquia y prohibió toda organización laica cristiana y toda prensa católica, ayudó indirectamente a la vitalización de la comunidad parroquial.

Para justificar la importancia teológica de la parroquia, los liturgistas utilizaron con inteligencia la gran herencia eclesiológica alemana de J. M. Sailer (1741-1832), J. B. Hirscher (1788-1865) y J. A. Möhler (1796-1838), y las aportaciones francesas en dicho campo, gracias a los trabajos de Y. Congar, H. de Lubac e Y. de Montcheuil. Pero se llegó a un cierto extremismo pastoral al entender la parroquia como «realización en pequeño del misterio de la Iglesia» [11]. Por otra parte, al identificar excesivamente la parroquia con la asamblea cultual y no tener en cuenta su entorno social y cultural, identificaron acción pastoral con ministerio litúrgico, sin considerar la importancia de la evangelización, catequesis y compromiso social. Con todo, el movimiento litúrgico tuvo el mérito respecto de la parroquia de sobrepasar las miras estrictamente beneficiales o canónicas y la preocupación obsesiva por las «obras», al mismo tiempo que puso los cimientos para rescatar el sentido cristiano de la asamblea litúrgica.

El movimiento litúrgico español siguió con retraso la renovación alemana de la parroquia. Hay que destacar las aportaciones de las abadías benedictinas de Silos y Montserrat. En el primer congreso litúrgico de Montserrat (3-10 julio de 1915) se

[4] K. Jakobs, *Das Mysterium als Grundgedanke der Seelsorge:* «Bonner Zeitschrift für Theologie und Seelsorge» 5 (1928) 364-371; id., *Die Pfarrei als geistige und organisatorische Einheit der Seelsorge:* «Die Seelsorge» 8 (1930/31) 323-330.

[5] J. Pinsk, *Die Liturgie als Grundlage für die religiöse Wirklichkeit von Kirche, Diözese und Pfarrei:* «Liturgische Zeitschrift» 4 (1931/32) 427-437; id., *Die religiöse Wirklichkeit von Kirche, Diözese und Pfarrei:* «Der katholische Gedanke» 6 (1933) 337-344, traducido al francés en «Les questions liturgiques et paroissiales» 18 (1933) 192-205.

[6] M. Schurr, *Die übernatürliche Wirklichkeit der Pfarrei:* «Benediktinische Monatschrift» 19 (1937) 81-106.

[7] Cf. C. Noppel, *Die neue Pfarrei,* Friburgo 1937; J. A. Jungmann, *Die Frohbotschaft und unsere Glaubensverkündigung,* Ratisbona 1936.

[8] P. Parsch, *Die Pfarre als Mysterium,* en *Die lebendige Pfarrgemeinde:* «Seelsorger-Sonderheft» (1934) 13.

[9] O. v. Nell-Breuning, *Pfarrgemeinde, Pfarrfamilie, Pfarrprinzip:* «Trierer Theologische Zeitschrift» 56 (1947) 285.

[10] K. Rahner, *Friedliche Erwängungen über das Pfarrprinzip,* en *Schriften zur Theologie,* Einsiedeln 1955, vol. II, 325. Este trabajo fue publicado por primera vez en «Zeitschrift für katholische Theologie» 70 (1948) 169-198.

[11] Cf. J. Hamer, *La paroisse dans le monde contemporain:* «Nouvelle Revue Théologique» 86 (1964) 965-973.

estudió la importancia de la liturgia en la vida parroquial, catequesis cristiana y formación espiritual en orden a promover la participación de los fieles en el culto. Un paréntesis doloroso fue la guerra civil. La renovación litúrgica fue conocida entre nosotros en la década de los cuarenta, con perfiles espirituales y ascéticos a través de una lenta educación litúrgica de seminaristas, religiosos y sacerdotes [12]. Pero, en el fondo, hubo poco contacto con la línea litúrgica parroquial alemana.

2. Renovación misionera de la parroquia

Frente a la pastoral sacramental de cristiandad, el movimiento misionero acentuó el polo *evangelizador,* al tener en cuenta el entorno pagano parroquial que vivía la feligresía. La parroquia aceptó la dimensión social y colectiva de la misión. Se puso de relieve la misión parroquial con los alejados y no practicantes. Esta preocupación surgió en Francia a partir de 1930 con los movimientos especializados de Acción Católica y se desarrolló durante la segunda guerra mundial y en los años de la inmediata posguerra. Hacia 1931, G. Le Bras abrió las vías de la sociología en orden a un conocimiento de la realidad religiosa sobre una base científica [13]. F. Boulard lo haría más tarde desde una perspectiva pastoral. En 1943 se creó la *Misión de París* con el fin de ofrecer a los obreros un cristianismo no burgués. El quinquenio 1945-1950 fue extraordinariamente fecundo para la evangelización. El primer toque de atención lo dieron en 1943 H. Godin e Y. Daniel con su conocido libro *La France, pays de mission?* sobre la situación religiosa de los obreros parisinos, libro que produjo un gran impacto en el cardenal Suhard. Godin y Daniel criticaron las obras parroquiales por su carácter burgués, así como las asociaciones de protección que no lograban hacer cristianos adultos. Los sacerdotes gastaban muchas energías en las obras parroquiales, cuya función era discutible. En definitiva, según estos dos consiliarios, la parroquia sirve sólo para los católicos tradicionales. Advierten que la parroquia y la misión son de hecho dos tareas distintas y hasta contrapuestas, ya que la parroquia es incapaz de interesar a los no cristianos y de acoger a los recién convertidos por la misión. Apareció la parroquia «obrera» frente a la parroquia «burguesa». Se intentó dar a la predicación y a la liturgia un sello misionero, con objeto de convertir la parroquia en comunidad viva y en grupo testimonial.

Con el título *La paroisse, communauté missionnaire* publicó G. Michonneau en 1945 una excelente visión de la parroquia misionera en un momento extraordinariamente vital, en el que se despertó un gran espíritu evangelizador y comunitario [14]. Michonneau desarrolló el concepto de comunidad y de acogida. Muchos párrocos de entonces descubrieron la importancia de un cristianismo comunitario y la urgencia de una acción misionera, influidos por el movimiento de la JOC y la aplicación de las encuestas a las necesidades pastorales. El libro de Michonneau no planteaba con radicalidad la estructura pastoral urbana, sino que pretendía hacer de la parroquia una comunidad misionera. Este propósito tuvo una gran influencia al pretender reactivar al laicado en la democratización de la comunidad, pero encontró gran oposición en los conservadores, al tacharlo de «obrerista». Recordemos que entonces comenzaron los curas obreros y la misión de París. Fruto de estas preocupaciones fueron los congresos franceses sobre la parroquia misionera celebrados en Besançon (1946) y Lille (1948). En el primero, bajo el tema *Paroisse, chrétienté communautaire et missionnaire,* aparecieron como temas dominantes la comunidad y la misión [15]. En el congreso de Lille, bajo el tema *Structures sociales et pastorale paroissiale,* destacó la ponencia de Y. Congar [16]. Congar recogió el pensamiento de Wintersig y, después de ponderar el esfuerzo de los liturgistas

[12] Cf. C. Floristán, *Le renouveau liturgique en Espagne:* «La Maison-Dieu» 74 (1963) 109-127.

[13] Cf. G. Le Bras, *Etudes de sociologie religieuse,* 2 vol., París 1955-56; id., *L'Église et le village,* Flammarion, París 1976. Sobre G. Le Bras elaboré mi tesis doctoral titulada *La vertiente pastoral de la sociología religiosa,* Eset, Vitoria 1960.

[14] Cf. G. Michonneau, *Parroquia, comunidad misionera,* DDB, Buenos Aires 1951 (el original es de 1945); id., *No hay vida cristiana sin comunidad,* Estela, Barcelona 1961.

[15] Cf. Union des Oeuvres Catholiques, *Paroisse, chrétienté communitaire et missionnaire,* Fleurus, París 1946.

[16] Cf. Y. Congar, *Misión de la parroquia,* en *Sacerdocio y laicado,* Estela, Barcelona 1964, 155-182 (original de 1948).

y teólogos alemanes al rebasar el carácter meramente canónico de la parroquia, afirmó que esa concepción es insuficiente para expresar una teología adecuada de la parroquia. Los teólogos alemanes consideraban a la parroquia como comunidad de culto, lo cual es esencial, pero no total; la Iglesia es asimismo misionera en relación a la vida social humana. Por consiguiente, la Iglesia no se reduce a la parroquia, ni debe haber incompatibilidad entre misión y parroquia. «La parroquia –escribió Congar– es el ámbito de generación y de formación del ser cristiano» [17]. Su principal función «es engendrar y formar cristianos *sine addito*» [18]. En una palabra, la misión de la parroquia es formar personas reunidas por el vecinaje y la ayuda mutua en una vida cristiana sin más añadidos. Gráficamente lo dijo entonces Chenu: la parroquia, como la familia, por indispensable que sea, no es la base de la sociedad. Sobre la existencia de zonas rurales no evangelizadas llamó la atención en 1945 F. Boulard en su libro *Problèmes missionnaires de la France rurale.* La teología de la renovación misionera francesa cristalizó en las tres cartas pastorales del cardenal Suhard de los años 1947 *(Essor ou déclin de l'Église),* 1948 *(Le sens de Dieu)* y 1949 *(Le prêtre dans la cité).*

Pronto se advirtieron las dificultades de la renovación de la parroquia como comunidad misionera. Si los liturgistas observan que la parroquia es demasiado grande para ser asamblea cultual, los misioneros tienen la convicción de que el territorio parroquial no es unidad suficiente para centrar ahí la acción misionera, ya que es excesivamente pequeño. Para que la misión sea eficaz, debe procederse por ambientes, dentro del marco urbano completo. Esto supone, por otra parte, dos cuestiones no menos importantes y delicadas: la coordinación de todos los movimientos misioneros a nivel diocesano y el entendimiento de cada uno de ellos con el marco comunitario. Sin olvidarnos del catecumenado, punto de encuentro entre la asamblea cultual viva y el ejercicio de la misión. Pretender que la parroquia sea misionera sin revisar a fondo su estructura es plantear una pastoral urbana con mentalidad rural o considerar a la ciudad como federación de barrios, lo cual resulta ingenuo o inexacto. El dilema era claro: o parroquia comunidad misionera, o abandono de dicha institución [19].

Desgraciadamente, en 1954, con la prohibición de los sacerdotes obreros por parte de la Santa Sede se detuvo la onda expansiva del movimiento misionero francés. Contribuyeron a este parón la novela de G. Cesbron, *Les Saints vont en enfer* (París 1952), al divulgar negativamente aquella experiencia, y el movimiento *Jeunesse de l'Église* del padre Montuclard que daba prioridad a la revolución sobre la evangelización y criticaba la conquista que presuponía la misión [20].

3. Renovación de la parroquia de «obras»

Frente a una concepción exclusivamente intraeclesial de la parroquia, apareció la preocupación de las obras adyacentes al templo, típicas de una pastoral de cristiandad, como suplencia ciudadana, medios de influencia religiosa y protección de juventud. Son las instituciones «temporales» educativas (colegio, educación popular, alfabetización), culturales (conferencias de todo tipo), sociales (asociación de vecinos), recreativas (salón parroquial, cine, teatro) y deportivas (excursiones, campamentos, juegos), hasta llegar hoy a la sala de jóvenes, el club de ancianos, el despacho de cáritas y la atención a parados, marginados y drogadictos. Este desarrollo exigió la presencia activa en la parroquia de laicos encuadrados en ciertos movimientos apostólicos [21].

Dicha pastoral concibe la parroquia como comunidad de sustitución, llamada «gran familia» en

---

[17] Ibíd., 163.

[18] Ibíd., 168.

[19] En los años 50 apareció en la puerta de una Iglesia parroquial de los suburbios de París un cartel irónico que decía: «Cerrada a causa de la misión».

[20] Cf. M. Montuclard, *Les événements et la foi, 1940-1952,* Seuil, París 1951.

[21] Cf. J. Delicado, *Parroquia y laicado. Sugerencias para una colaboración de los seglares después del Concilio,* Ed. A. C., Madrid ²1974.

lugares de emigración. La parroquia en Estados Unidos, por ejemplo, se convierte en un gran centro educativo (tiene escuela propia), recreativo (posee un gran salón) y sacramental (consta de un amplio templo). Los feligreses, en su mayoría emigrantes, viven su vida en intensa relación. Semejante es la denominada parroquia de «obras». Dentro del recinto parroquial existe toda clase de entretenimientos. El párroco es un gran *manager* que dirige el culto y la escuela, organiza la catequesis y promueve las veladas de teatro, anima a los equipos deportivos parroquiales y concierta las grandes romerías y excursiones. Con un profundo instinto de defensa, la parroquia de obras protege a ciertos grupos de feligreses, pero no resuelve el apostolado de la gran ciudad, no promueve una fe adulta, ahuyenta a las generaciones jóvenes, no toma en serio la realidad del mundo y celebra un culto mortecino, aunque a veces fastuoso, para personas mayores de 40 años y menores de 14, predominantemente burgués. Los esfuerzos desarrollados en este tipo de parroquia han resultado escasamente eficaces. Obviamente, este tipo de parroquia pasa inadvertida en la gran ciudad. Las clases sociales más dinámicas, como la obrera y la intelectual, permanecen al margen de lo parroquial. Casi todos los movimientos más vitales crecen fuera de la parroquia.

Muchos párrocos, creyéndose realistas, no encuentran otra alternativa que perfeccionar el sistema. Piensan que el hombre urbano es individualista y pragmático. La parroquia debe ser un servicio público religioso para quienes la frecuentan. Se convierte así en un supermercado religioso o «estación de servicio» en el centro de las ciudades para responder con eficacia a una clientela piadosa. En definitiva, es entendida la parroquia como centro de servicios pastorales que atiende las demandas religiosas, aunque con un tinte claramente individualista y utilitario.

4. Renovación eclesiológica de la parroquia

Frente a una práctica parroquial invertebrada, la renovación pastoral acentuó el dinamismo pastoral de la Iglesia en un lugar. Se puso de relieve la triple acción eclesial (palabra, liturgia y caridad) correspondiente a una pastoral de conjunto [22]. El movimiento litúrgico alemán y la renovación misionera francesa habían dado sus frutos respecto de la parroquia. A partir de 1952, la parroquia comenzó a ser estudiada y renovada en diversos países. En 1953 dirigió Montini, entonces prosecretario de Estado de Pío XII, una carta a los participantes italianos de una semana sobre la parroquia en la que se afirma que «es la primera comunidad de vida cristiana en la Iglesia de Jesucristo»; es «comunidad en torno a la fe, la oración y la caridad» [23].

En este tiempo previo al Vaticano II se intentó conocer de un modo más riguroso la parroquia a través de métodos psicosociales y sociorreligiosos. Se puso de relieve la importancia del análisis de la realidad. De otra parte, algunos teólogos y pastoralistas aplicaron a la parroquia, antes del Concilio, la nueva eclesiología de la Iglesia local. Es de justicia destacar las aportaciones de tres teólogos en una línea renovadora eclesial y pastoral: Y. Congar [24], F. X. Arnold [25] y K. Rahner [26]. En definitiva se trataba de aplicar a la parroquia la eclesiología de la Iglesia diocesana (Rahner), al mismo tiempo que influía en la parroquia la concepción de una pastoral orgánica (Arnold), sin olvidar su apertura al mundo de la ciudad (Congar). Desde 1963 se comienza a plasmar, incluso en el pensamiento pontificio, lo que se llamó «teología de la parroquia». La parroquia se concebía como comunidad de fe, de culto y de caridad [27].

La renovación eclesiológica y pastoral de la parroquia cobró un fuerte impulso entre 1953 y 1963, antes del Vaticano II, que dio lugar a infinidad de

[22] Cf. un intento de pastoral global parroquial en A. Ryckmans, *La parroquia viviente,* Desclée, Bilbao 1953 (el original es de 1950).

[23] Ver el texto en «La Maison-Dieu» 36 (1953) 9-13.

[24] Cf. Y. Congar, *Misión de la parroquia...,* o. c.

[25] Cf. F. X. Arnold, *Hacia una teología de la parroquia,* en *Mensaje de fe y comunidad cristiana,* Verbo Divino, Estella 1962, 107-139 (original de 1953).

[26] Cf. K. Rahner, *Teología de la parroquia,* en H. Rahner (ed.), *La parroquia. De la teoría a la práctica,* Dinor, San Sebastián 1961, 37-51 (original de 1956).

[27] Desde una concepción eclesiológica de la parroquia publiqué en 1961 mi libro *La parroquia, comunidad eucarística,* Marova, Madrid ²1964. La redacción la hice en el verano de 1959.

semanas, congresos y sesiones. Los franceses trataron el tema de la parroquia en 1946 [28], 1948 [29] y 1961 [30]; los austriacos en 1953 [31], así como los canadienses [32]; los italianos a partir de 1954 [33] y los españoles desde 1956, al celebrase en Zaragoza una semana diocesana de la parroquia como preparación de la nacional [34]. Las *Semanas Nacionales de la Parroquia,* celebradas entre nosotros desde 1958, son éstas:

- I en 1958 (Zaragoza): *Comunidad cristiana parroquial* (Editada por Euroamérica, Madrid 1959).
- II en 1960 (Sevilla): *La penetración de la parroquia en los diversos ambientes* (Sin editar).
- III en 1962 (Barcelona): *La Acción Católica y el apostolado seglar en la parroquia* (Editada en «Apostolado Sacerdotal», mayo-junio, 1962).
- IV en 1967 (León): *Presencia y acción de la Iglesia en el mundo rural español* (Sin editar).
- V en 1974 (Madrid): *Parroquia urbana, presente y futuro* (Editada por la Comisión Episcopal de Pastoral, Madrid 1975).
- VI en 1988 (Madrid): *Parroquia evangelizadora* (Editada por Edice, Madrid 1989) [35]. En realidad es continuación del congreso *Evangelización y hombre de hoy* de 1985.

[28] Cf. *Paroisse, chrétienté communautaire et missionnaire,* Fleurus, París 1946.

[29] Cf. *Structures sociales et pastorale paroissiale,* Fleurus, París 1948.

[30] Cf. *Aujourd'hui la Paroisse,* Fleurus, París 1963.

[31] Cf. *Die Pfarre. Gestalt und Sendung,* Herder, Viena 1953.

[32] XXX Semana Social del Institut Social Populaire de Montréal, *La paroisse, cellule sociale,* Montreal 1953.

[33] Cf. *La parrocchia. Aspetti pastorali e missionari,* Milán 1955.

[34] Cf. *La parroquia, esa vieja novedad,* Euroamérica, Madrid 1958. En realidad, el primer estudio pastoral de la parroquia fue de F. Peralta, *La estructura moderna de la parroquia en sus líneas fundamentales,* Zaragoza 1949. Recordemos también a S. Beguiristain, *Por esos pueblos de Dios,* Madrid 1953, y A. A. Esteban, *El estado mayor del párroco,* Madrid 1956.

[35] Cf. la edición preparada por la Secretaría General del Congreso, *Parroquia evangelizadora,* Edice, Madrid 1989. Ver también M. Payá, *La parroquia, comunidad evangelizadora,* PPC, Madrid 1989.

Los portugueses celebraron en 1986 el Primer Coloquio Nacional de Parroquias sobre el tema *A Corresponsabilidade na Paróquia* [36]. Los *Coloquios Europeos de Parroquias* han tratado el tema parroquial con amplitud y apertura:

- I en 1961 (Lausana, Suiza): *Actualidad de la parroquia.*
- II en 1963 (Viena, Austria): *Los no practicantes.*
- III en 1965 (Colonia, Alemania): *Pastoral de los marginados.*
- IV en 1967 (Barcelona, España): *Estilo de vida sacerdotal.*
- V en 1969 (Turín, Italia): *Presencia en un mundo secularizado.*
- VI en 1971 (Estrasburgo, Francia): *Credibilidad de la Iglesia.*
- VII en 1973 (Heerlen, Holanda): *Comunidades en construcción.*
- VIII en 1975 (Lisboa, Portugal): *Los nuevos ministerios.*
- IX en 1977 (Namur, Bélgica): *La parroquia y los jóvenes.*
- X en 1979 (Marsella, Francia): *Conflictos en la parroquia.*
- XI en 1981 (Asís, Italia): *Los servicios de la parroquia.*
- XII en 1983 (Ludwigshafen, Alemania): *La parroquia, lugar de esperanza.*
- XIII en 1985 (Tarragona, España) *Corresponsabilidad.*
- XIV en 1987 (Graz, Austria): *Parroquia y evangelización.*
- XV en 1989 (Fátima, Portugal): *Parroquia para el hombre de hoy.*

[36] Cf. *1º Colóquio Nacional de Paróquias,* Fátima 1987.

5. Renovación comunitaria de la parroquia

Un quinto intento de renovación parroquial ha procedido del movimiento comunitario. La crisis de la parroquia fue percibida en la década de los sesenta como ausencia de comunidad. Justo es reconocer que la teología de la parroquia de la década anterior al Vaticano II adolecía de dos presupuestos incorrectos: la parroquia carecía de vertebración eclesial al presentarse como una suma de acciones pastorales varias; otro sociológico, ya que se consideraba como indiscutible comunidad. Los sociólogos de la parroquia afirmaron en los comienzos de la década de los sesenta que dicha institución no era comunidad, sino conglomerado o aglomerado [37]. Es cierto que ya no se hablaba de lo territorial, sino de lo local, pero todavía subyacía un cierto ruralismo. Aún estamos lejos en la conciencia colectiva de admitir la «comunidad funcional». Unicamente los sociólogos más penetrantes consideraron la parroquia como grupo «formalmente organizado» (C. I. Nuesse, 1951), como «sistema social» (J. B. Schuyler, E. Colomb y O. Schreuder, 1961), como «unidad social» (J. H. Fichter) o como «forma social» (J. Schasching y R. Lange, 1963) [38].

Frente a una parroquia equivalente a masa cultual de fieles sin reciprocidad interpersonal y sin compromiso social exterior, el movimiento de renovación eclesial ha puesto de relieve la comunidad. El Vaticano II, impulsor de la Iglesia local –también llamada particular o peculiar–, entiende la parroquia como «coetus fidelium» (SC), «communitas christiana», «paroecialis» (CD) o «ecclesialis» (PO). Después del Concilio surge el fenómeno de las comunidades eclesiales de base, reconocido por el sínodo episcopal de 1974 como uno de los «signos de los tiempos». También puede añadirse a la renovación comunitaria de la parroquia la aportación de la catequesis de adultos y el catecumenado como reiniciación cristiana de bautizados y camino de formación de comunidad.

La tesis alemana del *Pfarrprinzip,* a saber, toda la pastoral es primordialmente parroquial, volvía a campear de nuevo, aunque no con los horizontes estrechos de algunos canonistas antiguos, ni con la visión pastoral reducida de los liturgistas renovadores.

---

[37] Cf. H. Carrier y E. Pin, *Pastorale missionnaire et paroissiale dans les grandes villes:* «Parole et Mission» 20 (1963) 55-78; id., *Réflexion sur une pastorale des milieux urbains:* «Revue de l'Action Populaire» 165 (1963) 205-220, condensados en *La sociología y la pastoral urbana:* «Selecciones de Teología» n. 11 (1964) 189-196; *La paroisse se cherche,* Biblica, Brujas 1963.

[38] Cf. N. Greinacher, *Soziologie der Pfarrei,* en K. Rahner y otros, *Handbuch der Pastoraltheologie,* Herder, Friburgo de Br. 1968, III, 111-139.

4

Posibilidades y dificultades de la parroquia

Las posibilidades y dificultades pastorales que tiene la parroquia dependen, en gran parte, del talante del párroco, del nivel de implantación comunitaria, de la relación de la institución parroquial con el contexto social en donde está ubicada y de las líneas según las cuales se ejercen los diversos ministerios. Hay parroquias con enormes posibilidades pastorales y parroquias con no menos dificultades. En todo caso es conveniente examinar las ventajas e inconvenientes que tiene cualquier parroquia para planificar el ministerio pastoral.

1. Posibilidades pastorales de la parroquia

a) Realiza el proyecto cristiano de globalidad

La parroquia ha sido, y en gran medida lo es, institución cristiana con pretensiones de globalidad, en el sentido de que se considera el lugar primero y casi exclusivo de vida cristiana. Conserva el monopolio de lo sacramental y una gran autonomía pastoral. De hecho se considera, con exageración, autosuficiente. De ahí proceden los recelos parroquiales frente a toda pastoral no controlada por los párrocos. Es muy larga la historia de conflictos entre la parroquia y los movimientos apostólicos de reforma y revisión, como fueron las órdenes mendicantes en la Edad Media y los movimientos de Acción Católica en la Edad Contemporánea. Recordemos la discusión en Alemania a propósito del *Pfarrprinzip* o principio parroquial (la pastoral es parroquial) a finales de la década de los cuarenta [1]. Recientemente, por escasez de sacerdotes y llegada de religiosos al campo de la pastoral parroquial, muchas iglesias de órdenes o congregaciones, edificadas en las ciudades con una finalidad sacramental, aunque no única, han sido convertidas en parroquias. La polarización sacramental ha impedido en ocasiones la apertura de la parroquia a nuevas vías misioneras, despliegues catecumenales y movilizaciones de compromiso con la transformación de la sociedad. Los feligreses que piden dimensión personal y expresión social de la fe huyen de la parroquia no transformada o permanecen en la misma con profunda insatisfacción.

«La parroquia –afirma el documento de Puebla– realiza una función en cierto modo integral de la Iglesia, ya que acompaña a las personas y familias a lo largo de su existencia, en la educación y el crecimiento de su fe» [2]. Debe iniciar en la fe a niños y a

[1] Cf. K. Rahner, *Reflexiones pacíficas sobre el principio parroquial,* en *Escritos de teología,* vol II, Taurus, Madrid 1961, 295-336 (original de 1948).

[2] III Conferencia General del Episcopado Latinoamericano,

adultos convertidos y ha de ayudarles en el proceso de la identidad cristiana. Precisamente se dan en la parroquia los elementos básicos que definen el cristianismo: la palabra de Dios, la eucaristía, la comunidad y los ministerios (la jerarquía es servicio). Por esta razón tiene la parroquia vocación misionera de globalidad. Eso la diferencia de otros colectivos cristianos.

b) Tiene una gran carga simbólica religiosa

Por ser el rostro visible de la Iglesia, la parroquia –sobre todo la rural– juega un papel social y cultural importante. Es un símbolo de referencia que toca lo profundo de la cultura del pueblo y de la dimensión sagrada de las personas [3]. La parroquia puede favorecer el conocimiento entre personas, la ayuda mutua, la creación de formas de vida en común y el encuentro entre culturas. Asimismo fomenta una vida cristiana a través de las celebraciones de la fe, vivas y festivas, por medio de una formación bíblica y catequética y mediante compromisos de caridad y de justicia.

Un inmensa mayoría de las familias se consideran con derecho parroquial a las ceremonias del tránsito religioso: bautismo de infantes, primera comunión de niños, matrimonio y funerales. La importancia simbólica de la parroquia se nota por las reacciones que se producen al negar uno de aquellos sacramentos o al suprimir una parroquia, reestructurar varias o erigir una nueva en una zona rural o en un sector urbano. Siempre es noticia, por ejemplo, la guerra que a veces se produce entre el párroco y sus feligreses.

c) Es capaz de acoger y de responder a las demandas

El primer ministerio que debe realizar una parroquia es el de la acogida. Es un hecho manifiesto que hay hombres y mujeres en estado de búsqueda y que en momentos decisivos se dirigen a cristianos adultos y convencidos para ser orientados, ya que diversos acontecimientos, felices o desgraciados, de orden afectivo, familiar o profesional, les han planteado multitud de interrogantes. En ocasiones, estas personas se acercan a la parroquia. La acogida es decisiva. Los evangelios, especialmente el de san Juan, muestran la actitud de acogida que tuvo Cristo con Nicodemo (un miembro judío del senado), la samaritana (una mujer del pueblo marginado) y el centurión (un funcionario real pagano). Jesús acogió a publicanos y fariseos, prostitutas y adúlteras, enfermos y marginados, niños y masas populares. La parroquia debe vivir el servicio de la acogida.

«La parroquia –afirma R. Pannet– es una vitrina de la fe», o «la Iglesia de puertas abiertas en un lugar fijo» [4]. Por su presencia visible es un espacio abierto al pueblo. De hecho, en parroquias protestantes, sectas derivadas de las Iglesias y grupos religiosos comunitarios se presta gran atención al servicio de acogida, excesivamente olvidado en nuestras parroquias. Muchos feligreses desean encontrar siempre abiertos el despacho y el templo parroquial. En especial las clases sencillas o populares no están habituadas a la cita previa; van de inmediato cuando tienen una necesidad, como lo hicieron en otro tiempo en el pueblo rural, de donde proceden. Las clases medias se acomodan mejor a un horario. En todo caso, las demandas siguen siendo parecidas a las de antaño: sacramentales (las del catolicismo popular), económicas (ayudas inmediatas derivadas de la pobreza), catequéticas (en relación a la primera comunión) y morales o psicológicas (consejos en momentos difíciles). La acogida en una capilla-despacho situada en el mismo templo no se ha prodigado suficientemente. De otra parte, el confesionario, con la crisis de la penitencia, no cumple hoy el oficio que llevó a cabo hace tiempo.

A la parroquia va la feligresía de vez en cuando a pedir ayuda, no sólo porque ahí se administran los sacramentos del catolicismo popular, sino porque tiene un cierto rostro maternal. En general, a pesar de todas sus deficiencias, muchas personas tienen mejor recuerdo del templo parroquial que de

La evangelización en el presente y en el futuro de América Latina, n. 644.

[3] Cf. Asamblea Plenaria del Episcopado Francés, *L'Église, communion missionnaire. Le dimanche. La paroisse,* Centurion, París 1991, 146-148.

[4] R. Pannet, *La paroisse de l'avenir. L'avenir de la paroisse,* Fayard, París 1979, 135.

la capilla del colegio. El servicio parroquial ha sido masivo y poco esmerado, pero acompañado de una suficiente libertad religiosa. Sin olvidar que a la parroquia hemos ido todos en brazos de la madre o de la mano de los padres, al menos hasta la primera comunión. La parroquia es «Iglesia del pueblo» porque el pueblo cristiano constituye su base. «La Iglesia –afirma Juan Pablo II– muestra verdaderamente en la parroquia la maternidad dirigida a todos, sin criterios exclusivos de élite» [5]. En una palabra, la parroquia debe acoger las demandas de sus feligreses y de su entorno a través de una esmerada diaconía cristiana.

d) Puede evangelizar el sentimiento religioso

La parroquia se muestra escasamente evangelizadora frente a los sectores más críticos de la sociedad: clase obrera trabajadora, ámbito intelectual y científico, ciertas profesiones y juventud. En estos medios pueden trabajar más adecuadamente los movimientos apostólicos a través de la evangelización «en plena vida» mediante el testimonio y el compromiso, en contacto directo con los increyentes y los problemas humanos. El cometido evangelizador de la parroquia es distinto, ya que se lleva a cabo a través de lo religioso. Ambas evangelizaciones son complementarias.

e) Ejerce la educación religiosa en todos sus niveles

La tarea que moviliza en la parroquia más colaboradores es la catequesis. Antes del Vaticano II se centraba este servicio casi exclusivamente en la preparación de la primera comunión de niños de un modo memorístico y masivo. Con la reforma conciliar y el influjo del movimiento catequético, ha ganado este proceso educativo en pedagogía y contenidos, han crecido las exigencias de los padres, poseen una mejor preparación los catequistas, se tienen reuniones y celebraciones grupales, y se logra una cierta continuidad después de la primera comunión. Pero casi siempre termina bruscamente esta tarea con el abandono juvenil a causa de la secularización ambiental, la escasa influencia de la familia y la ausencia de comunidades cristianas apropiadas.

El mundo de la juventud actual es un reto para la parroquia [6]. La desafección religiosa de adolescentes y jóvenes no es tanto consecuencia de una deficiente catequesis infantil (hoy es mucho mejor que antes), sino quizá de la precocidad bautismal y de la anticipación excesiva de la primera comunión, entendida como un final. Se lleva a cabo una iniciación sacramental inmadura. Todo se confía después a la confirmación, dentro de una pastoral de juventud, en relación a grupos apostólicos y movimientos que sobrepasan los límites y ámbitos parroquiales. También rebasa la capacidad de la parroquia el catecumenado de adultos, aunque la parroquia es la institución catecumenal por excelencia en la medida que es comunidad.

La catequesis de jóvenes y de adultos, junto a la eventual iniciación de convertidos en un adecuado proceso catecumenal, son tareas catequéticas importantes. Si una parroquia viva es matriz de catecumenado, un catecumenado seriamente planteado es tarea imprescindible de formación comunitaria. En el caso de los jóvenes es básico el catecumenado de confirmación, so pena de no tener apenas militantes con perspectivas de futuro. Aquí debiera funcionar una conexión más explícita entre la parroquia y los movimientos apostólicos. No es justo que ciertos movimientos acudan a la parroquia como simple semillero para lograr adeptos. Es cierto que la parroquia es campo de promoción cristiana sin especialización, pero no lo es menos que sin jóvenes las parroquias agonizan. De ahí la importancia de crear grupos juveniles, fomentar la expresión vivencial de la fe, intensificar ciertos cometidos, promover pascuas juveniles y facilitar el contacto de jóvenes con adultos.

f) Celebra los sacramentos de la fe

La parroquia, como toda comunidad cristiana, no existe sin la celebración de los dos sacramentos

[5] Juan Pablo II, *Discurso a los obispos de Lombardía en la visita «ad limina»* (febrero de 1987), en *Parroquia evangelizadora*, Edice, Madrid 1989, 17.

[6] Cf. mi reflexión *Cara y cruz de los jóvenes en la parroquia:* «Vida Nueva» n. 1.486/87, 6/13 junio 1988, 1336-1339.

de la repetición: la penitencia y la eucaristía, ya que no hay vida cristiana sin rogar, dar gracias, pedir perdón y perdonar. Pero la comunidad de los creyentes no se reduce al quehacer sacramental, ni la sacramentalidad de la vida cristiana se reduce a la misa dominical. Otros cinco sacramentos puntuales o singulares configuran la dimensión sacramental total del cristiano en comunidad. La lucha por la recuperación del sentido sacramental del cristianismo es decisiva en el futuro de la parroquia. De hecho, la crisis sacramental, hoy aguda, es crisis de la parroquia.

La asamblea parroquial se reúne en torno a la persona de Jesús y se dirige al Padre con la fuerza del Espíritu mediante la palabra y los signos sacramentales. Especialmente deben ser cuidados tres aspectos: la homilía, el canto y los gestos. Recordemos que la liturgia celebra simbólicamente el misterio cristiano que la evangelización anuncia; lo hace a través de toda la celebración, pero de un modo más patente en la profesión de fe y en la plegaria eucarística.

Estamos viendo hoy los primeros frutos de la reforma litúrgica conciliar: se aprende a rezar en la celebración, se pone en común la fe, se revisa la caridad desde el evangelio y se acrecienta la esperanza cristiana. También se advierte el crecimiento en la participación de la comunión, hay total libertad religiosa para acudir y se exige en toda celebración una esmerada calidad litúrgica. Cuando esto no se consigue, los laicos protestan.

Puesto que la liturgia es un asunto comunitario, debe existir un equipo dedicado a preparar las celebraciones. Sus miembros deberán adquirir un espíritu litúrgico mediante un buen uso de la Biblia (en los leccionarios), del misal (en las plegarias) y de los signos festivos y de los tiempos fuertes del año litúrgico.

2. Dificultades pastorales de la parroquia

a) Ha heredado un conservadurismo tradicional

Por ser institución antigua que surge en los s. V y VI, la parroquia posee una herencia de inmovilismo. Esto se ve en las parroquias antiguas de centro de ciudad o de barrios ricos. El código genético de la parroquia ha sido durante mucho tiempo la costumbre, el precepto, la obligación, la prohibición, etc. Hoy predominan en la parroquia las personas de avanzada edad. Apenas la frecuentan los jóvenes. Sigue siendo un recinto de personas muy adultas y de niños. Recordemos que el comportamiento religioso, al proceder desde las capas más profundas, tanto individuales como colectivas, se resiste a los cambios, ya sean positivos o negativos. En cambio, las actitudes sociales, económicas o políticas evolucionan más rápidamente.

De hecho, la parroquia no llega a los bautizados que viven alejados de la fe cristiana. Posee muchas dificultades para misionar en determinados ambientes porque no dinamiza el espíritu misionero de sus propios feligreses. Al no ser comunidad de fe, sino agregado ritual, mantiene la fe en condiciones clásicas, a saber, una fe heredada, pero no comprometida y expuesta.

b) Ejerce un sacramentalismo ritual

En la concepción preconciliar de la pastoral de cristiandad, el pueblo inserto en el territorio de la parroquia, como pueblo total de bautizados, se identificaba sin dificultad con la parroquia. Todos los ciudadanos de un mismo territorio parroquial eran automáticamente feligreses, más o menos practicantes del culto o más o menos alejados de la moral católica oficial. Todavía hoy, debido a la generalización del bautismo de infantes, celebrado en el baptisterio parroquial y registrado canónicamente en el archivo de la parroquia, se convierte esta institución cristiana en un primer espacio social de ritualidad sacramental. La insatisfacción que genera el sacramento de la regeneración es obvia. Con frecuencia, la comunidad cristiana está ausente del acto bautismal celebrado en un contexto familiar. No es extraño que sea difícil ver el bautismo como sacramento de la fe; es, a lo sumo, sacramento de la gracia. También resulta difícil verlo como símbolo sacramental de pertenencia a la Iglesia; es, de hecho, rito ancestral de manifestación religiosa. En la desviación del bautismo radica, a mi modo de ver, una de las mayores crisis de la parroquia. Y en la liturgia, como contrapartida, se asienta una posibilidad de renovación parroquial.

Fruto de sus funciones cultuales y devocionales, la parroquia tiende a refugiarse en el dominio de lo ritual. La asamblea parroquial es prácticamente eucarística. Resulta difícil reunir en la parroquia a la feligresía para otra finalidad. Esto se observa en la cuaresma. Al ser barridos los cultos vespertinos antiguos por las eucaristías de la tarde, sólo han quedado hoy en la parroquia restos de la religiosidad popular de antaño, incluido el rosario. Por otra parte, se reduce la tarea parroquial a ciertos actos sacramentales extraordinarios. Los fines de semana y las vacaciones de semana santa dificultan a veces la reunión cristiana semanal. Todo esto exige considerar de nuevo el ritmo parroquial y situar la parroquia en un marco pastoral más amplio, de acuerdo a nuevas demandas procedentes de las vacaciones, el turismo, ciertas fiestas, acontecimientos deportivos, etc.

En definitiva, la liturgia parroquial –al no surgir a menudo de la asamblea comunitaria– difícilmente resuelve algunos aspectos sociales de la celebración cristiana: la *comunicación,* base de la relación interhumana y proceso por el cual se intercambian creencias, ideas, sentimientos, etc.; la *educación de la fe* o del sentido cristiano de la vida; el *sentido de pertenencia* o dinamismo psicológico fundamental, por el cual el fiel percibe a la Iglesia y se identifica con ella; y el *impulso al compromiso,* según el cual el miembro de la asamblea hace efectivo en el mundo lo que proclamó en la celebración.

c) *Se da una gran heterogeneidad ideológica*

En la composición de la parroquia se advierte una gran diversidad de ideologías políticas y de niveles económicos (tantos como en el mismo barrio), así como una manifiesta variedad de formaciones culturales o de comprensión de lo que es y debe ser la Iglesia. A pesar de que la parroquia hace enormes esfuerzos y de que en principio cuenta con todos, en la práctica se dan tres sectores, al menos, diferentes: los que piden autenticidad cristiana, compromiso concreto y agrupación comunitaria (si no la encuentran, buscan otras plataformas); los que pacíficamente frecuentan la eucaristía dominical y la penitencia comunitaria o personal (les basta un cierto nivel de exigencias) y los que demandan exclusivamente algún sacramento de la religiosidad popular o popularizada (son, a lo sumo, creyentes no practicantes).

d) *Tiende a la neutralidad política*

En general, la mayor parte de los practicantes religiosos son afines a los partidos denominados de centro o de derecha. Los menos practicantes se alinean a la izquierda. Pero hoy se da una nueva situación por la presencia de creyentes en partidos de izquierda y por la increencia que se advierte en algunos adscritos a la derecha. Con todo, según la encuesta española de 1988 sobre la parroquia, se consideran de izquierda un 42%, de centro un 30% y de derecha un 22%. Esto significa que en cada parroquia hay un abanico extenso de tendencias políticas. En parte por evitar tensiones y en parte por la herencia tradicional recibida, la parroquia desconfía de la acción política. No olvidemos que la identificación entre fe cristiana y régimen político ha llevado a nuestro país a enfrentamientos y confrontaciones. Su separación actual puede conducirnos a una privatización peligrosa de la fe. Esta tarea supone un desafío serio a la parroquia[7].

e) *Con dificultad se encarna en un espacio humano*

En el ambiente actual de la sociedad, plenamente autónomo respecto de la órbita religiosa e intensamente secular, la parroquia es un grupo reducido cristiano que intenta desarrollar un servicio pastoral en un espacio humano. A la parroquia le afectan profundamente los cambios introducidos por la organización urbana del espacio, la facilidad del transporte en la zona rural, el crecimiento de los medios de comunicación rural, la movilidad de muchos feligreses los fines de semana, la competencia de las instituciones que controlan y organizan el

[7] Cf. el número especial sobre *El compromiso político de la parroquia cristiana:* «Concilium» 84 (1973).

ocio y, en definitiva, la rápida y profunda secularización de la sociedad. La parroquia ha de tener en cuenta las leyes de la vida social que afectan a la feligresía. Su acción pastoral, a pesar de sus pretensiones de globalidad, debe contar con un proyecto de vida cristiana más amplio, en el marco de la Iglesia particular [8]. En realidad, la parroquia atiende una vida cristiana cercana al ámbito de la familia (a la parroquia se va desde casa y a casa se vuelve), en el tiempo libre de los fines de semana (con el consiguiente alejamiento parroquial por las salidas al campo) y en el horizonte del cumplimiento dominical y pascual (relativizados hoy por la caída del precepto y el alza de la celebración).

---

[8] Cf. P. Tena, *Comunidad, infraestructura y ministerio:* «Phase» 83 (1974) 389-406; id., *La ciudad como unidad pastoral. (Opiniones libres sobre infraestructuras pastorales):* «Pastoral Misionera» 10 (1974) 722-734; id., *¿Es realmente válida la parroquia urbana?:* «Phase» 14 (1975) 188-190.

5

Tipos de parroquia

La vocación de la parroquia como Iglesia en un lugar concreto, dentro de la unidad diocesana episcopal, le ha conducido a encarnarse en las diversas agrupaciones humanas, a adaptarse a los distintos territorios, a acompasarse a la evolución demográfica de la población y a tener en cuenta las necesidades misioneras, catecumenales, eucarísticas y liberadoras del pueblo cristiano. De ahí que sean muchos los tipos de parroquia hoy existentes en la Iglesia. Los estudios sociológicos, pastorales y teológicos realizados a partir de la década de los sesenta sobre la parroquia muestran que dicha institución, a pesar de unos rasgos comunes, no es igual en todas partes [1]. En definitiva, las parroquias se diferencian por el entorno humano donde se hallan situadas, el modelo de Iglesia seguido y la función pastoral desarrollada según el talante del párroco.

1. Razones de la diversidad de parroquias

Los diferentes tipos de parroquia aparecen por distintas causas: número de feligreses, ubicación en determinados espacios humanos, evolución histórica de la misma institución y orientaciones pastorales dadas por sus responsables [2]. Recordemos que el párroco es persona decisiva en la pastoral parroquial, hasta tal punto que sin su consentimiento apenas puede una parroquia cambiar de línea o de estilo [3]. Incluso cabe hablar de diferentes tipos de parroquias a partir de las disposiciones canónicas. «Somos conscientes –afirma la tercera ponencia del congreso *Parroquia evangelizadora*– de la pluralidad y diversidad de nuestras parroquias. El ambiente sociológico en el que radican es diferente: hay parroquias de carácter rural y parroquias enteramente urbanas; parroquias ubicadas en el centro de una ciudad y parroquias de periferia. Unas son de tamaño muy reducido; otras acogen a una población numerosa. Hay parroquias servidas por un presbítero y parroquias que cuentan con un equipo de sacerdotes. Algunas tienen tras de sí una larga tradición; otras son de reciente creación. También el momento pastoral, la evolución religiosa, el tipo de organización, las actividades parroquiales, el talante y la orientación general son muy diferentes unas de otras» [4].

[1] Cf. la encuesta sociológica hecha en España en 1988 sobre la pregunta: «¿Evangelizan nuestras parroquias?», en *Parroquia evangelizadora*, Edice, Madrid 1989, 51-92 y 315-338.

[2] Cf. S. J. Kilian, *Theological Models for the Parish*, Alba House, Nueva York 1977; T. Downs, *Parish as learning Community. Modeling for Parish and Adult Growth*, Paulist Press, Nueva York 1979.

[3] Cf. F. Houtart y E. Niermann, *Parroquia y párroco*, en *Sacramentum Mundi*, Herder, Barcelona 1974, vol. V, 219-231.

[4] *Parroquia evangelizadora*, Edice, Madrid 1989, 139.

2. Tipos de parroquia según las disposiciones canónicas

El nuevo Código habla de parroquias territoriales y de parroquias personales.

a) Parroquias territoriales

Según el Código, «la parroquia ha de ser territorial, es decir, ha de comprender a todos los fieles de un territorio determinado» (c. 518). Aunque el criterio de la territorialidad aplicado a la parroquia no sea hoy constitutivo o exclusivo, puede decirse que es determinativo o preferente, derivado de una larga tradición, que a su vez proviene del origen rural de dicha institución. Por consiguiente, la parroquia posee una impregnación territorial de tipo rural, familiar y tradicional. Aunque el barrio es importante en ciertos sectores de la urbe, el interés del ciudadano se dirige a la ciudad entera o al país. La asociación de vecinos –salvo casos excepcionales– es o tiende a ser débil.

b) Parroquias personales

El Código citado habla asimismo de «parroquias personales en razón del rito, de la lengua o de la nacionalidad de los fieles de un territorio, o incluso por otra determinada razón» (c. 518). A causa de las emigraciones, exilios y movilidad social desatada después de la segunda guerra mundial, Pío XII permitió en 1952 la posibilidad de crear «parroquias personales» por decisión episcopal diocesana sin necesidad de acudir a la Santa Sede [5]. Típicas son las parroquias personales en el ámbito castrense y universitario, además de las creadas por razón de lengua, nacionalidad o rito.

Algunos han hablado, con mejor precisión, de parroquias «funcionales», es decir, en relación a la vida cristiana por opciones personales de adscripción a un tipo de comunidad no territorial. Son muchos los feligreses que desestiman su propia parroquia territorial porque no es comunidad, no satisface sus exigencias cristianas y, en definitiva, adopta una línea pastoral con la que no se coincide. En este punto se queda muy corto el Código, ya que no valora el fenómeno de las comunidades eclesiales de base no parroquiales. De una manera u otra sigue vigente el principio de la parroquialidad territorial. Sus excepciones son contadas y de escasa importancia.

3. Tipos de parroquia según el entorno humano

En el documento episcopal francés *Notes préparatoires sur la paroisse* se habla de una gran diversidad de parroquias según su ubicación y dimensión de la feligresía: 1) Parroquias rurales pequeñas, frecuentemente antiguas, en las que la vida parroquial forma parte de la vida social. 2) Parroquias de pueblos rurales entre mil y dos mil habitantes, entendidas como polos de reagrupamiento para hacer frente a las tareas pastorales. 3) Parroquias de pequeñas ciudades con un cierto grado de movilización económica y escolar, en donde cabe establecer grupos diferenciados de trabajo apostólico. 4) Parroquias de periferia de las grandes ciudades de nueva configuración, en donde el influjo del territorio es tenue y la movilidad intensa, sobre todo en los fines de semana. 5) Parroquias de ciudades medianas, frecuentemente antiguas, con una pastoral tradicional, en proceso de evolución y de adaptación. 6) Parroquias de grandes ciudades, diversas según los sectores de la urbe, tradicionales las del centro y abiertas las de nueva configuración. En definitiva, hay parroquias rurales, semiurbanas, urbanas y suburbanas [6].

Aquí me detengo en el examen de la parroquia rural y de la parroquia urbana.

a) Parroquias rurales

La parroquia nació en el campo. Ha sido y es en gran medida rural. Por consiguiente, se da una rela-

---

[5] Cf. la constitución apostólica *Exsul familia* sobre la emigración, del 1 de agosto de 1952, en AAS 44 (1952) 649-670.

[6] Cf. Asamblea Plenaria del Episcopado Francés (Lourdes 1989), *Notes préparatoires sur la paroisse,* en *Des communautés,* Centurion, París 1989, 83-111.

ción estrecha entre parroquia y territorio. Durante siglos, la parroquia rural ha estado implantada en cada pueblo, con cuyos límites coincidía. Expresión de una comunidad preexistente, es comunidad basada más en lo cultural que en la fe. Hoy nos encontramos con una fuerte evolución, disminución y diversificación del mundo rural. A los pueblos rurales les ha afectado profundamente la introducción de nuevas técnicas de trabajo agrícola, la facilidad en el transporte de personas y mercancías, el despoblamiento por la emigración, el crecimiento por el turismo veraniego y los fines de semana, el cambio laboral por la proximidad de la gran ciudad y la transformación cultural por los medios de comunicación social. El mundo rural ha cambiado por el empobrecimiento de los pueblos, el influjo secularizador, la tentación de la sociedad de consumo, etc. Sufre una mutación profunda en creencias, normas, ritos y valores.

La religiosidad rural tradicional era y es en gran medida de tipo sacral, individualista, escasamente social, utilitaria e inmediata. Al basarse en la experiencia más que en el razonamiento o en la ciencia, el hombre rural es proclive a lo mágico y al milagro, ya que desconoce las leyes de la naturaleza. Esto se ve a la hora de las sequías, inundaciones y epidemias. La religión mantiene la ética del grupo. La religiosidad rural es difícilmente adaptable a una religión profética de la historia: los ritos son propiciatorios. El campesino pide a la religión que mantenga las reglas y no provoque cambios. Hasta hace poco tiempo, el párroco rural era en el pueblo un notable por su nivel de instrucción superior. Incluso las otras autoridades se apoyaban en el cura. El cambio de percepción de la función del párroco por parte de la feligresía es evidente.

La parroquia de nuestros pueblos debe estar atenta y abierta a una nueva pastoral rural, a saber, que no centre su atención en la sacralidad intramuros, sea servidora del mundo rural, promueva la solidaridad, potencie una nueva imagen de comunidad, opte decididamente por los desvalidos y excluidos, etc. [7]. Se impone el reagrupamiento de las parroquias rurales mediante una planificación adecuada, de acuerdo a una *unidad pastoral* que abarque la complejidad económica, social, política y cultural de un territorio natural, de una zona o de un arciprestazgo. La parroquia, así constituida, ha de promover diferentes niveles de comunidad, ha de formar militantes, ha de abrirse a la misión y ha de estar en estrecho contacto con el Movimiento Rural Cristiano. Para ello es necesario crear equipos de presbíteros y laicos en dicha unidad con una responsabilidad común y con trabajos especializados, dentro de una pastoral de conjunto diocesana.

b) Parroquias urbanas

La expansión creciente e incontenible de las ciudades es un hecho evidente después de la segunda guerra mundial, tanto en los países desarrollados como en los subdesarrollados [8]. En definitiva, aumentan en el mundo las ciudades, crece el número de habitantes en las grandes urbes, es patente el prestigio de los modelos urbanos, y en estos grandes asentamientos residen los centros de poder. Las grandes ciudades se desarrollaron en el siglo pasado por la necesidad de la población de habitar cerca de las industrias, educar y preparar mejor a los hijos, poder gozar de ciertas diversiones, tener un mejor confort de vida y participar con más facilidad en la comunicación social. Siempre hubo ciudades, aunque antes del s. XIX ninguna urbe europea, salvo París, contaba con más de 100.000 habitantes. Se calcula que, en menos de un siglo, el 80 % de los habitantes del mundo residirán en ciudades.

Las ciudades han crecido de ordinario en paralelo con el desarrollo industrial. En una primera etapa emigraron los campesinos de las zonas rurales a la ciudad y se instalaron en suburbios infradotados o en las viviendas del centro abandonadas por inservibles. Apareció el fenómeno del chavolismo. En un segundo momento se estructuró la ciudad, mejoraron los transportes y las vías radiales, se descongestionó el centro, los ricos se instalaron en sus suburbios, y la ciudad se dividió en zonas ricas y barrios pobres. Por último, fueron absorbi-

[7] Cf. Movimiento Rural Cristiano, *Pastoral rural misionera*, Madrid 1992.

[8] Cf. C. Floristán, *Pastoral urbana*, en *Diccionario abreviado de pastoral*, Verbo Divino, Estella 1988, 347-348.

dos los pueblos colindantes a la urbe, y apareció la gran ciudad con toda su aglomeración. Junto a la concentración de la población en las grandes ciudades se produjo el fenómeno de la difusión del fenómeno urbano.

De otra parte, los barrios de las grandes ciudades tienden a especializarse según determinados servicios, junto a la pérdida de población en el centro de la urbe. De este modo, aunque la parroquia está próxima al ámbito familiar, se encuentra alejada o es extraña a otros sectores sociales. En una palabra, al debilitarse el vecinazgo territorial por el alza de relaciones sociales selectivas como compensación al anonimato de la gran ciudad, surgen los grupos cristianos no territoriales, crece el éxodo masivo al campo en los fines de semana y se despuebla la asamblea tradicional parroquial compuesta por personas de edad sin movilidad social.

La creación posconciliar de los consejos pastorales en varios niveles, así como el surgimiento de vicarías en las grandes ciudades ha permitido descongestionar del centro episcopal la acción pastoral, pero todavía sigue casi intacto el poder de la parroquia como institución primaria de la acción eclesial. El arciprestazgo es puramente canónico y casi ineficaz en la práctica. Entre la parroquia y la diócesis no existe una unidad pastoral adecuada. Tampoco están articulados con la parroquia los movimientos apostólicos, ni lo han estado bien nunca, por el recelo que la parroquia ha tenido a todo lo que sobrepasa el ámbito parroquial. Tampoco está resuelto canónicamente el problema de las comunidades eclesiales no parroquiales. En la estructuración de todos estos problemas reside el reto de una pastoral urbana, amén de lo que significa el fenómeno del urbanismo: anonimato de la población, especialización de las funciones básicas (familiar, educativa, política, económica, recreativa y religiosa), movilidad diaria, de fines de semana y de vacaciones, contraste de unos barrios ricos con otros miserables, desacralización y secularización, concentración de instituciones culturales, técnicas y de todo tipo, etc.

La práctica religiosa en las grandes ciudades depende de la categoría social o nivel sociocultural al que uno pertenece y del lugar de la ciudad en donde se vive. De ordinario, cuanto más integración sociocultural, más práctica religiosa dominical, dentro de un proceso generalizado de secularización. También es más alto y manifiesto el grado de incredulidad o de agnosticismo que se da en la ciudad en relación al mundo rural, así como la desafección religiosa. En realidad, tienden a ser creyentes en la ciudad los íntimamente convencidos, entre los que predominan las personas de la pequeña burguesía, los trabajadores independientes y las personas no activas. También se advierte en la ciudad un fuerte contraste entre el contenido mental de la población urbana y las formas de expresión y comunicación de la Iglesia [9].

La parroquia de ciudad tiene que ver con la organización de los espacios urbanos. Tradicionalmente, el centro de la ciudad en el que se desarrollaban diferentes funciones estaba caracterizado por lo que los sociólogos llaman «economías de aglomeración». Era el principio estructurador de todo el espacio urbano. Hoy se tiende a que cada zona urbana y región rural estén equipadas suficientemente con centros comerciales, culturales, educativos, deportivos, sanitarios, etc. Hay, pues, diversidad de centros urbanos y zonas rurales pluridimensionables. Esto exige entender la pastoral de la ciudad y de la región a partir de unidades nuevas englobantes, reservando a la parroquia su vocación estrictamente comunitaria. La federación de varias parroquias en una *unidad pastoral* –el arciprestazgo renovado– facilitaría la creación de servicios comunes, especialmente misioneros, catecumenales y sociales.

4. Tipos de parroquia según el modelo de Iglesia

Hasta que penetraron en la parroquia los movimientos modernos de renovación –que posteriormente serían consagrados por el Vaticano II–, el modelo de Iglesia parroquial era el jerárquico o piramidal fundado en el sacerdocio ministerial. El fijismo institucional y la autoridad clerical no permi-

[9] Cf. N. Greinacher, *Die Kirche in der städtlichen Gesellschaft*, Maguncia 1966.

tían iniciativas a los laicos [10]. Podemos llamarlo tradicional, común en toda la Iglesia a comienzos del s. XX. El párroco era el maestro y señor del territorio parroquial y de la feligresía, cuya autoridad sólo era limitada por el obispo. Hacia 1930 comenzó a cambiar levemente este tipo de parroquia en algunas Iglesias locales con la incorporación de la *misión parroquial* y la creación de ciertas obras parroquiales. Evoluciona este segundo modelo hacia un tercero, denominado por Michonneau en 1939 *comunidad misionera.* Se pasó de la misión extraordinaria cada diez años a la misión permanente y continua. Se entendió la parroquia «en estado de misión» gracias a la ayuda de los movimientos apostólicos. La parroquia, como cuarto modelo, se hizo *conciliar,* según el Vaticano II [11].

A finales de la década de los cuarenta, los equipos pastorales franceses orientados por G. Michonneau distinguían dos tipos de parroquias o –según L. Rétif– «dos fases evolutivas». El primero es el de las parroquias *centrípetas,* a saber, las que intentan construir «un complejo orgánico, una única comunidad humano-cristiana polivalente» con multitud de obras (grupos teatrales, cáritas parroquial, escuelas y diversiones parroquiales, etc); su peligro es evidente: la «parroquialización», al considerar como un objetivo lo que es un medio; y la «clericalización», al depender todo del sacerdote como jefe, sin dar lugar a la promoción adulta del laicado. En este primer tipo de parroquia se pretende vivir de puertas hacia dentro con una cierta mística de comunidad. Casi toda la acción pastoral se desarrolla en el templo, salvo las esporádicas visitas a los enfermos y lugares de enseñanza religiosa. El segundo tipo es el de las parroquias *centrífugas,* es decir, las que pretenden ser animadoras o movilizadoras evangélicas como servidoras «en la vida» o en su propio medio humano [12]. Este tipo de parroquia percibe la secularización de la sociedad e intenta hacerse presente en el medio humano.

[10] Cf. R. Thysman, *Les groupes dans la paroisse,* en AA.VV., *Les paroisses dans l'Église d'aujourd'hui,* Lovaina 1981.

[11] Cf. R. Pannet, *La paroisse de l'avenir. L'avenir de la paroisse,* Fayard, París 1979, 24-29.

[12] L. Rétif, Prólogo al libro de M. Goisson, *Pastoral obrera y parroquia moderna,* Zyx, Madrid 1966, 3-10.

Después del Vaticano II se redescubre la eclesialidad basada en la comunión, el pueblo de Dios y el sacerdocio común de los fieles. Comienza a acentuarse el valor de la comunidad. La influencia conciliar se advierte en la configuración diversa de parroquias. Se observan dos modelos fundamentales: 1) como espacio de acogida y de evangelización de los bautizados de acuerdo al «catolicismo popular» (R. Pannet), y 2) como lugar de comunión de grupos diversificados (L. Voyé) [13]. Junto al grupo de feligreses que viven un tipo de espiritualidad y de exigencias cristianas, está la gran masa de los bautizados cuya pertenencia a la Iglesia se pone en evidencia ocasionalmente.

En la V Semana Nacional de la Parroquia distinguieron J. M. Díaz Mozaz y V. Sastre tres tipos de parroquia: 1) *Parroquia-servicio,* entendida como agencia de servicios religiosos o como institución que sirve a la comunidad global urbana o a un sector de la misma. 2) *Parroquia institución social para su territorio,* o parroquia conglomerado residencial, sistema social y comunidad en el territorio. 3) *Parroquia comunidad de personas* a través de unos grupos comunitarios [14]. V. Bo diferencia tres modelos de parroquia: la rígidamente vertical en la que no se dialoga; la parroquia en la que se dialoga de un modo equivocado, derivado de la democracia representativa moderna; la parroquia en la que se dialoga correctamente [15].

St. van Caster y A. Hendrix han propuesto cuatro modelos de parroquias según estos criterios: 1) la finalidad comunitaria que tiene el equipo parroquial; 2) los instrumentos y mecanismos del trabajo pastoral; 3) el modo de pertenencia; 4) la concepción comunitaria en su conjunto; 5) las relaciones con otras comunidades y 6) el modo de situarse la comunidad en el espacio rural o urbano [16]. Estos

[13] Cf. estos dos tipos en *Les paroisses dans l'Église d'aujourd'hui,* Lovaina 1981.

[14] Cf. J. M. Díaz Mozaz y V. Sastre, *La parroquia, comunidad y servicio eclesial en el marco urbano,* en V Semana Nacional de la Parroquia, *Parroquia urbana, presente y futuro,* Edice, Madrid 1975, 32-38.

[15] V. Bo, *La storia della parrocchia,* en AA. VV., *Parrocchia e pastorale parrocchiale,* EDB, Bolonia 1986, 48-53.

[16] Cf. St. van Caster y A. Hendrix, *Diversité et modèles de paroisse,* en *Les paroisses dans l'Église d'aujourd'hui,* Lovaina 1981.

modelos son: a) La parroquia *territorial* de tipo tradicional, básicamente sacramental, en la que el laico es pasivo. La autoridad del cura es legal y funcional, aunque a veces puede ser carismática cuando se impregna de una gran espiritualidad. No hay grupos especiales, ya que la parroquia simboliza la unidad de grupo. A pesar del individualismo religioso, prevalece el colectivismo. Está cerrada al exterior. b) La parroquia *organizada* típica del s. XIX en lugares donde el catolicismo es minoritario. Se vive la fe en una comunidad pluralista. Se acentúan los valores considerados católicos en la línea de la religiosidad popular. Hay uniformidad y unidad, apostolado activo y sentido de pertenencia a la comunidad. Cooperan los laicos sin grandes conflictos, pero la autoridad legal la tiene el cura. c) La parroquia *misionera* preocupada con el medio exterior, escasamente cristiano. Rechaza el estilo burgués y cobra fisonomía el talante evangelizador. Su párroco es sacerdote-obrero o presbítero que vive encarnado en el pueblo. Su principal preocupación es el testimonio. d) La parroquia *centro de servicios pastorales* teniendo en cuenta que el interés religioso es individualista y utilitario. Importa una predicación y una liturgia de calidad. Esta parroquia posee otros servicios de cara a los jubilados, pobres y juventud. Se da en ella una suma de grupos, elegidos por los feligreses de acuerdo a sus intereses. El clero detenta su autoridad por su competencia, no por su consagración religiosa.

5. Tipos de parroquia según su función pastoral

A la vista de algunos estudios socio-religiosos recientes sobre la parroquia podemos describir, de acuerdo a seis indicadores socio-religiosos (servicio de la palabra, celebración litúrgica, estilo de comunidad, compromiso social, cualidades de los responsables y financiación económica), cuatro tipos o modelos de parroquias, correspondientes a un catolicismo preconciliar de antigua cristiandad, a un catolicismo conciliar literal de nueva cristiandad, a un catolicismo renovado según el espíritu del Vaticano II y a un catolicismo posconciliar de signo comunitario, misionero y liberador [17].

a) Parroquia de antigua cristiandad, autoritaria o preconciliar

– Una cuarta parte de las parroquias españolas reconocen que su línea es tradicional o muy tradicional. Algunas son todavía preconciliares. El *servicio de la palabra* que en ellas se imparte (catequesis y predicación) transmite el mensaje cristiano con carácter dogmático, memorístico y ahistórico, basado en el dogma, con teología abstracta y escolástica; apenas hay Escritura. La catequesis existente es de infancia, presacramental y de mera enseñanza; se añora el antiguo catecismo y se tienen grandes esperanzas en el nuevo, recientemente editado. Las homilías son desencarnadas e irritantes. La moral es rígida y gira en torno a la sexualidad. No hay ética social. Preocupa la ortodoxia, no la ortopraxis. Se acentúa la sumisión a la tradición, entendida como conjunto de valores del orden establecido de tipo autoritario y burgués. Carece totalmente de un plan pastoral y de una opción real evangelizadora. Es una pastoral en términos de condenación. Si no vienen las personas a la iglesia, es por su culpa.

– El *servicio litúrgico* es sacramental y devocional, masivo, despersonalizado, con ingredientes de magia y de superstición. Su tarea pastoral descansa en el culto. Tiene más relieve la devoción al sagrario que la celebración eucarística. Hay obsesión por la confesión individual. Sus misas son rutinarias y aburridas. La confesión es individual, en el confesionario. Se fomenta la religiosidad popular sin crítica alguna.

– No hay ningún tipo de *comunidad,* sino aglomerado parroquial. Todo lo hace el cura; los fieles están sumisos. Su eclesiología descansa en el principio jerárquico de la obediencia de los laicos a los sacerdotes y en el sacerdocio ministerial del «ordeno y mando» del párroco. Es institución arcaica y conservadora donde se sigue haciendo lo de siempre, de un modo jurídico, legalista. Prevalece la organización burocrática sin acogida personal ni relaciones interpersonales.

– El *compromiso social* es casi nulo. Se reduce a

[17] Propuse cuatro modelos en mi trabajo *Parroquia,* en *Conceptos Fundamentales de Pastoral,* Cristiandad, Madrid 1983, 709-712.

unos servicios asistenciales de carácter ocasional como respuesta benéfica y paternalista a necesidades perentorias. Posee una solapada o manifiesta dependencia de las estructuras conservadoras de poder. Es alérgica al cambio cultural y a las transformaciones socio-políticas renovadoras. Rechaza al mundo moderno. Se considera alejada de la política, aunque en realidad está cerca de los partidos conservadores, a los que dirige mayoritariamente su voto. Está cerrada al exterior, a pesar de la suntuosidad de sus edificios llamativos. Se ubica entre los sectores urbanos de alto nivel económico. Es escasa su preocupación por los alejados. No colabora con instituciones sociales y movimientos cívicos, no denuncia situaciones de injusticia, ni reivindica ninguna clase de derechos.

– El *clero parroquial* es conservador y autoritario, segregado totalmente, con un papel sacramental y administrativo, de acuerdo a un horario rígido preestablecido. Los curas de esta parroquia están únicamente en las dependencias eclesiásticas, sin comunicación vital con el exterior. En ocasiones, ni siquiera cumplen bien con su oficio: lo hacen rutinariamente o con desgana. La responsabilidad de la parroquia es casi exclusivamente del párroco. Los laicos son pasivos; ningún seglar se encarga de tareas concretas parroquiales. La autoridad es tradicional, es decir, jerárquica, legal y funcional. De un lado, el párroco está investido de función sacral; y de otra, es el único que tiene competencia por sus estudios. En general, esta parroquia ofrece servicios religiosos en un ambiente frío e impersonal.

– El *sistema económico* es de tipo empresarial, al servicio de la institución. Hay aranceles mitigados o escondidos. Se pide dinero constantemente. Nunca se hacen públicas las cuentas.

b) Parroquia de nueva cristiandad, literalmente conciliar

– Dentro del *servicio de la palabra* hay organizado un tipo de catequesis con nueva pedagogía, pero con contenidos antiguos. La homilía es aparentemente bíblica, pero en el fondo es dogmática y moral. Se desarrolla una pequeña misión, pero sólo con los que van a la iglesia. Hay preocupación por la «conversión sacramental» de los tibios o pecadores. No se abre a los creyentes no practicantes, ni por supuesto a los no creyentes.

– El *servicio litúrgico* se desarrolla dentro de la norma o rúbrica oficial. Preocupa hacer lo mandado. Sin embargo hay interés y esmero. Los cantos son tradicionales y hay afición por la liturgia solemne.

– No hay *comunidad parroquial* ni preocupación comunitaria. A lo sumo hay asociaciones piadosas clásicas. La vivencia del cristianismo es en el fondo individualista y descomprometida. Si hay consejo parroquial, es meramente honorífico, sin funciones de decisión ni casi de consejo.

– El *compromiso* con el exterior es de tipo proselitista: hacer lo posible para que venga más gente al templo. Importa que se llene. Hay asistencia caritativa, pero no promoción social. Se habla de justicia, pero lo que se desea es orden. A lo sumo hay un ambiente liberal. Sus actitudes políticas son centristas y su sensibilidad social moderada. Utiliza un lenguaje de promoción social, pero es básicamente asistencial.

– El papel del *clero parroquial* sigue siendo sacramental y administrativo, pero con la preocupación de estar al día, de actuar con decoro y dignidad. Se acepta alguna participación de los seglares, pero la responsabilidad es del cura. El despacho funciona con corrección, pero es una oficina de lo sobrenatural y trascendente, desgajada de la vida. Cuando el párroco es piadoso, entregado y generoso, su autoridad puede llegar a ser incluso «carismática».

– En el *sistema económico* intervienen algunos seglares, pero como técnicos o contables. Son meros ayudantes.

c) Parroquia renovada según el espíritu del Vaticano II

– El *servicio de la palabra* es bíblico y tiene presentes algunos «signos de los tiempos». Dentro de las tareas pastorales predomina la catequesis en todos sus niveles, con una marcada sensibilidad por la personalización de la fe y la experiencia religiosa. Se da mucha importancia a la catequesis de jóvenes en orden a su confirmación. Intenta adecuar su línea pastoral a las directrices del Concilio. Su preocupación por los alejados es básicamente religiosa. Intenta evangelizar a través de la liturgia.

– En el *servicio litúrgico* hay participación de los seglares, sobre todo en lecturas, cantos, preces y moniciones. Ofrece servicios religiosos dignos y cómodos. Se advierte en el culto una tonalidad festiva. Se viven las eucaristías con un criterio de renovación oficial, al que se le añade una cierta flexibilidad. La homilía, aunque sea preparada en grupo, es cosa del cura; no hay diálogo. Las penitencias comunitarias incluyen la confesión individual.

– No hay formada una *comunidad parroquial*, pero hay grupos con genuina preocupación cristiana. Toda la parroquia gira en torno al culto, aunque con preocupación catequética y evangelizadora. Tiene muchos elementos comunitarios. El consejo pastoral ha adquirido ciertas atribuciones, pero sin decisiones básicas. Existen grupos muy diversos con un cierto grado de comunidad formada por todos los feligreses más activos. Pero en el fondo se da más importancia al conjunto de la parroquia que a una exigente comunidad. Su eclesiología guarda un equilibrio entre el sacerdocio ministerial y el pueblo de los laicos. Es parroquia que se reconoce en estado de renovación, en la que se prestan con dignidad unos servicios religiosos.

– Es sensible al *compromiso social* con el pueblo del entorno. Su preocupación misionera es manifiesta. Los servicios sociales son más de promoción que de beneficencia. Apoya ciertas reivindicaciones populares cuando son evidentes. Intenta conocer la realidad del barrio o sector donde está enclavada. Es parroquia sensible a los derechos humanos, a la relación fe-cultura y a la promoción de «obras» parroquiales. Su edificio es funcional.

– El *clero parroquial* está preparado por su asistencia a ciertos cursillos de pastoral o de teología. Es conciliar, de talante moderno, con cercanía al pueblo, pero con el distintivo de lo sagrado. Aunque el responsable último sigue siendo el párroco, un grupo de personas lleva la parroquia; los demás son meros espectadores. Organiza ciertas campañas para fomentar la participación de los laicos en las tareas parroquiales.

– El *sistema económico* de la parroquia organiza las aportaciones, y el consejo correspondiente toma las decisiones con el párroco, aunque la capacidad jurídica la tiene el cura.

d) Parroquia popular, participativa o posconciliar

– Aunque la cuarta parte de las parroquias españolas se consideran a sí mismas renovadas según el Concilio, son escasas aquellas cuyo *servicio de la palabra* es eminentemente evangelizador. Este tipo de parroquia posee un catecumenado o iniciación cristiana permanente, dinamizador de la comunidad. La predicación es muy participada, con diálogo y comunicación de problemas vitales. Da más importancia a la catequesis de adultos de inspiración catecumenal que a la de niños en función de su primera comunión o a la de jóvenes de cara a la confirmación. La fe es reformulada a partir de la opción cristiana por los pobres y por la causa de Jesús, que es la del pueblo. No deposita confianza en la religión escolar. Entiende que la evangelización se da en la vida, no en la liturgia o en la catequesis. Las eucaristías son asamblearias y las celebraciones comunitarias de la penitencia con absolución colectiva. Hay diálogo en la homilía. Este tipo de parroquia tiene afinidades con la teología de la liberación. Su evangelización es liberadora y profética.

– El *servicio litúrgico* sigue unas normas flexibles. No hay mucho culto, pero es selectivo. Apenas hay misa diaria. La penitencia es siempre comunitaria. Hay resistencia a bautizar a niños, aunque se hace por respeto al pueblo. Las confirmaciones se sitúan en una pastoral de juventud. El tono de la liturgia es de compromiso y de fiesta, muy «asambleario», con gestos nuevos de signo liberador.

– El núcleo fundamental de la parroquia es la *comunidad cristiana*. Se atiende al pueblo en sus demandas religiosas, pero desde la preocupación comunitaria. Todo se decide en asamblea. Hay una mínima organización con un consejo coordinador decisivo. Su eclesiología es netamente de la comunión y del pueblo de Dios. Acoge cálidamente a quienes buscan en ella servicios, ayudas u orientaciones.

– Viven los miembros de esta parroquia un *compromiso social* con la realidad del barrio, sector o pueblo. Hay clara opción por los pobres y preocupación evangelizadora y liberadora. Se viven en ella los problemas acuciantes de la sociedad, se denuncian ciertas injusticias y se reivindican los derechos de los pobres. Se preocupa por los parados, marginados sociales, drogadictos, jubilados y ancianos. Está alojada en los bajos de un edificio o en un modesto barracón. Preocupa la praxis y el compromiso. Es comunidad de creyentes bien vista y apreciada por el pueblo.

– La corresponsabilidad es compartida entre sus miembros. El *párroco* es un laico ordenado y un vecino más que trabaja a veces civilmente para estar libre de presiones de la institución. Tiene conflictos con la curia. Es parroquia participativa comprometida con los movimientos sociales populares. Surgen nuevos ministerios en los laicos. Está a favor de la ordenación de casados sin excluir a la mujer.

– El *sistema económico* es sencillo, asunto de todos, llevado por una comisión con decisión propia, dentro de la línea comunitaria. En general, es parroquia pobre en barrio pobre.

II

LA PARROQUIA COMUNITARIA

6

Teología de la parroquia

La renovación teológica y pastoral anterior al Vaticano II puso de relieve los componentes esenciales de la parroquia. Pero aunque el Vaticano II no dedicó ningún capítulo a la institución parroquial, la reforma pastoral llevada a cabo por el último Concilio ha repercutido hondamente en la vida y constitución de esta institución. Recientemente, a causa del movimiento comunitario, la parroquia ha cobrado una nueva dimensión pastoral, sin olvidar las críticas que ha recibido por sus resistencias a ser transformada. En una palabra, de la institución parroquial predominantemente jurídica, se intenta pasar a una concepción eclesial de la parroquia básicamente comunitaria.

1. La parroquia a partir del Vaticano II

a) Dimensión sociológica

La parroquia ha sido y es objeto de análisis sociológico [1]. Puede ser descrita e interpretada a partir de sus manifestaciones externas. Naturalmente, caben diversos análisis sociológicos. El método inductivo aplicado por el Vaticano II al ser de la Iglesia y a su misión en el mundo permite considerar la parroquia como un grupo humano de creyentes establecido en un lugar con unas relaciones e implicaciones sociales. En cuanto tal, es institución que puede ser observada, analizada y juzgada, no sólo por sus miembros, sino desde fuera. De hecho, todo el mundo tiene una opinión sobre la parroquia, porque todo el mundo ha tenido algún contacto, de un modo u otro, con la institución parroquial.

En la década de los sesenta se analizó la parroquia como institución eclesial local, inherente a un territorio, especialmente a partir de sus funciones pastorales con toda la feligresía. La estructura visible de la parroquia abarca un campo de trabajo (vecindario y familias), tiene una competencia (se visibiliza cultualmente), posee unos derechos (sacramentales y administrativos), goza de una autoridad (el párroco), dispone de ciertas subdivisiones (grupos y comités) y está sometida a una diócesis (no es independiente). Pero más importante que su estructura es su función, analizada desde la eclesiología y teología práctica. La Iglesia se hace presente en un

[1] Cf. L. Voyé, *La paroisse vue par le sociologue,* en *La paroisse dans l'Église d'aujourd'hui,* Lovaina 1981; N. Greinacher, *Soziologie der Pfarrei,* en *Handbuch der Pastoraltheologie,* Herder, Friburgo 1968, vol. III, 111-139; id., *Die christliche Gemeinde in soziologischer Sicht,* en *Kirche in der Stadt. Grundlegund und Analysen,* Herder, Viena 1967, 265-278; F. Houtart, *Sociologie de la paroisse comme assemblée eucharistique,* en *La paroisse se cherche,* Brujas 1963, 122-125.

grupo social humano que cree en Jesucristo y se reúne para escuchar la palabra de Dios, celebrar la vida sacramentalmente y hacer presente en el mundo el reino de Dios. De ahí que se examinen en sociología religiosa los contenidos de la fe y las creencias, las normas éticas y los comportamientos, el papel del culto en comunidad y la organización y vigencia del grupo en la sociedad.

En definitiva, el análisis sociológico de la parroquia exige verla como un sistema de relaciones sociales. No basta analizar la práctica religiosa ritual, sino que se necesita tener en cuenta las creencias y comportamientos. Después del Vaticano II se analizan dos aspectos centrales de la parroquia: la realización de su vocación comunitaria y el cometido pastoral que cumple en el conjunto de un sector rural, zona urbana, pueblo o ciudad.

Aunque el origen de la parroquia es rural y puede confundírsela con la aldea o el templo, cuyo campanario convoca en un momento dado a todos los bautizados a congregarse como *sociedad religiosa,* hoy la entendemos como *comunidad* de creyentes que se reúnen (en asamblea) y se dispersan (en misión) para desarrollar su vida cristiana. Lo propio de la parroquia no es su componente espacial (aunque todavía le es inherente), sino su trabazón comunitaria, a saber, la vida cristiana en común de los bautizados, consciente y personalmente creyentes. Por eso los sociólogos de la parroquia han dado importancia creciente al examen de la *pertenencia eclesial,* es decir, a la identificación de los bautizados con la comunidad parroquial, a la aceptación de las personas por el grupo, a la interacción personal de todos en comunidad y a la apropiación de las creencias, valores y normas por todos los miembros.

b) Dimensión eclesial

El Vaticano II subrayó la parroquia como «célula de la diócesis» (AA 10c), pero no aportó líneas pastorales concretas para la renovación parroquial, aunque su mensaje eclesial, litúrgico y misionero ha tenido gran influencia en la acción parroquial y en la renovación comunitaria [2]. Según el último Concilio, las parroquias «representan a la Iglesia visible establecida por todo el orbe», con el propósito de que «florezca el sentido comunitario parroquial» (SC 42). La constitución sobre la liturgia dio a la parroquia un marco eclesiológico imprescindible al afirmar que «como no le es posible al obispo, siempre y en todas partes, presidir personalmente en su Iglesia a toda la grey, debe por necesidad erigir diversas comunidades de fieles. Entre ellas sobresalen las parroquias, distribuidas localmente bajo un pastor que hace las veces del obispo, ya que de alguna manera representan a la Iglesia visible establecida por todo el orbe» (SC 42) [3]. Dicho de otro modo, «la parroquia ofrece un modelo clarísimo del apostolado comunitario porque reduce a unidad todas las diversidades humanas que en ella se encuentran y las inserta en la universalidad de la Iglesia. Acostúmbrense los seglares a trabajar en la parroquia íntimamente unidos a sus sacerdotes; a presentar a la comunidad de la Iglesia los problemas propios y del mundo y los asuntos que se refieren a la salvación de los hombres, para examinarlos y solucionarlos conjuntamente, y a colaborar según sus posibilidades en todas las iniciativas apostólicas y misioneras de su familia eclesial» (AA 10).

La parroquia es denominada en los documentos conciliares: «congregatio localis fidelium... cui presbyter praeest», «portio gregis dominici», «communitas localis» (LG 28), «fidelium coetus localiter sub pastore vices gerente Episcopi ordinata» (SC 42), «cellula dioecesis» y «familia ecclesiastica» (AA 10). En definitiva, los términos *congregatio, coetus, portio, cellula, familia,* y especialmente *communitas,* designan una realidad humana local en relación con la Iglesia. «La parroquia –afirma A. Houssiau– es descrita por la fe y la teología como una realidad

[2] Cf. G. Baldanza, *L'incidenza della doctrina del Vaticano II sulla riforma della parrocchia,* en *Ius Populi Dei* II, Roma 1972, 191 ss.; F. Coccopalmerio, *Quaedam de conceptu paroeciae iuxta doctrinam Vaticani II:* «Periodica» 70 (1981) 119-140; G. Concetti, *La parroquia del Vaticano II,* Coculsa, Madrid 1969; R. Metz, *La paroisse au IIe Concile du Vatican. Les promesses et la réalité,* en «Ex aequo et bono» (Festschrift W. M. Plöchl), Innsbruck 1977, 263-275; H. Vieh, *Konzil und Gemeinde, eine systematisch-theologische Untersuchung zum Gemeindeverständnis des Zweiten Vatikanischen Konzils in pastoraler Absicht,* J. Knecht, Francfort 1978.

[3] Pueden citarse cuatro textos conciliares relativos a la parroquia: LG 28; PO 5, 6 y 8; AA 10 y SC 42.

social, observable en un lugar, con sus miembros, funciones, actividades y relaciones internas y externas, pero al mismo tiempo como mediación o representación de la Iglesia, obra de Cristo» [4]. En una palabra, el Vaticano II describe la parroquia de modo análogo al de la Iglesia local, con la diferencia de que ésta es Iglesia o en ella reside la Iglesia, en tanto que la parroquia realiza la Iglesia diocesana parcialmente y en dependencia con dicha Iglesia local. La parroquia –entendida como comunidad de fieles– es el analogado principal de la diócesis [5].

2. Constitutivos teológicos de la parroquia

Según el nuevo Código de 1983, «la parroquia es un determinada comunidad de fieles constituida de modo estable en la Iglesia particular, cuya cura pastoral, bajo la autoridad del obispo diocesano, se encomienda a un párroco, como su pastor propio» (c. 515, & 1) [6]. Esta descripción se inspira en el texto de la constitución conciliar sobre la liturgia (SC 42a). Mejora notablemente la concepción del antiguo Código de 1917, que describía la parroquia a través de cuatro elementos: un territorio delimitado, un pueblo concreto, un templo particular y un pastor propio. Se ponen de relieve ahora cuatro criterios: a) La parroquia representa a la Iglesia universal. b) Es una parte de la Iglesia diocesana. c) No es un «populus» de bautizados ni «territorio», sino «comunidad de fieles» en virtud de la fe personal y de los sacramentos, no por la decisión de la familia o del párroco. d) Lo central de la parroquia no es el beneficio, sino el ministerio o el encargo, ya que la acción pastoral parroquial es entendida, desde el ministerio de la palabra, como servicio primero y fundamental y, a partir de la eucaristía, como centro de reunión de creyentes, con la proyección evangelizadora y social de toda ayuda posible [7]. Examinemos estos cuatro criterios parroquiales.

a) Representa a la Iglesia universal

El Vaticano II señaló con claridad que «la parroquia representa de alguna manera a la Iglesia visible extendida por todo el orbe» (SC 42) y que «reduce a unidad todas las diversidades humanas que en ella se encuentran y las inserta en la universalidad de la Iglesia» (AA 10b). En una palabra, «como el pueblo de Dios vive en comunidades, sobre todo diocesanas y parroquiales, en las que de cierto modo se hace visible, a ellas corresponde también el dar testimonio de Cristo delante de las gentes» (AG 37a). «La parroquia –se dijo en el congreso *Evangelización y hombre de hoy*– es una unidad pastoral de primer orden. En ella aparece eminentemente la dimensión local, concreta y cercana de la eclesialidad. Presidida por un presbítero que asiste al obispo como colaborador, es una realización legítima de la Iglesia» [8]. Dicho con otras palabras, la parroquia es la Iglesia localmente implantada en su catolicidad esencial [9].

Hacer visible a la Iglesia universal significa ser sacramento de la misma, a saber, «signo» e «instrumento». Esto es lo que debe hacer la parroquia mediante la *unidad* en su vocación, la *pluralidad* de ministerios, la *complementariedad* de los mismos y la *participación* de todos sus agentes responsables [10]. Por supuesto, la parroquia no es estructura esencial de la Iglesia como lo es la presidida por el obispo, aunque sea vista como la realización más concreta de la Iglesia en un lugar. Sin embargo, «la pretensión de la parroquia de ser la imagen de la Iglesia universal en su visibilidad local, su pretensión de ser para todos los cristianos la comunidad

---

[4] A. Houssiau, *L'approche théologique de la paroisse*, en AA.VV., *Les paroisses dans l'Église d'aujourd'hui*, Lovaina 1981, 3.

[5] Cf. F. G. Brambilla, *La parrocchia nella chiesa. Riflessioni fondamentali:* «Teologia» 13 (1988) 18-44.

[6] El nuevo Código consagra a «las parroquias, párrocos y vicarios parroquiales» el cap. VI del título III, sec. II, libro II, en 38 cánones (515-552). El Código anterior no hablaba de parroquias, sino de párrocos y de vicarios parroquiales en 28 cánones.

[7] Cf. B. David, *Paroisses, curés et vicaires paroissiaux dans le Code de droit canonique:* «Nouvelle Revue Théologique» 107 (1985) 853-866.

[8] Congreso *Evangelización y hombre de hoy*, Edice, Madrid 1986, 182.

[9] E. Melia, *Perennité de la paroisse:* «La Foi et le Temps» 29 (1980) 260-263.

[10] E. Barcelón, *Identidad teológico-jurídica de la parroquia en el nuevo Código:* «Ciencia Tomista» 111 (1984) 554-555.

de referencia –escribe Ch. Deman–, es hoy contestada por muchos» [11].

b) Es una parte de la diócesis

El punto de partida eclesial para comprender la parroquia es la diócesis, denominada por el Vaticano II «Iglesia local» y por el Código de 1983 «Iglesia particular» (c. 368-369). Recordemos que la Iglesia local no es una «parte» de la Iglesia universal, sino una «porción», a saber, la realización de la Iglesia del Señor *en un lugar*. En definitiva, la diócesis hace presente a la Iglesia profesada en el credo. Aunque no sea toda la Iglesia de Dios, es plenamente Iglesia por dos razones: 1) Porque la Iglesia particular es de Dios, quien la reúne, la edifica y la envía con la riqueza de los dones. 2) Porque se edifica como cuerpo de Cristo y templo del Espíritu por medio de la evangelización y de la celebración eucarística [12]. Evidentemente, la diócesis como Iglesia particular se inscribe en la comunión de las Iglesias, realidad interna (por la acción del Espíritu y la celebración eucarística) y externa (por las relaciones de reconocimiento de todas las Iglesias particulares entre sí). El nuevo Código tiene en cuenta la teología de la Iglesia local al afirmar con el Concilio (CD 11a) que «la diócesis es una porción del pueblo de Dios cuyo cuidado pastoral se encomienda al obispo con la colaboración del presbiterio, de manera que, unida a su pastor y congregada por él en el Espíritu mediante el evangelio y la eucaristía, constituya una Iglesia particular, en la cual verdaderamente está presente y actúa la Iglesia de Cristo una, santa, católica y apostólica» (c. 369) [13].

La parroquia es Iglesia local en estado de comunidad básica: es «célula de la diócesis» (AA 10), por lo cual no se entiende desde sí misma, sino desde la Iglesia particular presidida por el ministerio episcopal. No son las parroquias las que hacen la diócesis, sino al revés: la diócesis hace las parroquias. La parroquia es Iglesia de Dios en un lugar concreto como «signo visible de la Iglesia universal» que «reduce a unidad todas las diversidades humanas que en ella se encuentran y las inserta en la universalidad de la Iglesia» (AA 10). Pero no es estructura esencial de la Iglesia, ya que es Iglesia local derivada, que lleva a cabo y concreta la misión cristiana en los diversos agrupamientos humanos que, a su vez, dependen de la organización cambiante del espacio y de la evolución demográfica. De hecho, la parroquia es una «parte» de la diócesis en virtud del principio de la territorialidad. Justamente por eso, en la parroquia no están todos los ministerios y carismas de la diócesis. Además, su pastor es de ordinario un presbítero o un delegado del obispo diocesano. La exhortación *Christifideles laici* de 1988 afirma que «la comunión eclesial, aun conservando siempre su dimensión universal, encuentra su expresión más visible e inmediata en la *parroquia*. Ella es la última localización de la Iglesia; es, en cierto sentido, la misma Iglesia que vive en las casas de sus hijos y de sus hijas» (n. 26).

Por ser comunidad «local», el aspecto territorial es factor importante en la parroquia. Al surgir las comunidades de base, muchos pastores y pastoralistas creyeron que se avecinaba el final de la parroquia. Evidentemente, la visión global de la ciudad, los éxodos de fines de semana, el auge de lo cultural y la pertenencia selectiva a determinados grupos parecía dar razón a quienes subestimaban lo territorial. Hoy vemos que el factor territorial se muestra persistente, especialmente para los medios populares y sedentarios (tercera edad, enfermos). Gracias a los movimientos ecologistas, se aprecia el valor de la tierra y de los asentamientos tradicionales.

[11] Ch. Deman, *L'avenir de la paroisse:* «La Foi et le Temps» 20 (1980) 247.

[12] A. Borras, *Petite apologie du Conseil pastoral de paroisse:* «Nouvelle Revue Théologique» 114 (1992) 382.

[13] Cf. sobre la Iglesia local: C. Floristán, *Teología Práctica,* Sígueme, Salamanca 1991, cap. 30, 581-596; D. E. Lanne, *L'Église locale et l'Église universelle:* «Irénikon» 43 (1970) 481-511; H. Legrand, *La Iglesia local,* en B. Lauret y F. Refoulé (eds.), *Iniciación a la práctica de la teología,* Cristiandad, Madrid 1985, III/2, 138-174; H. de Lubac, *Las Iglesias particulares en la Iglesia universal,* Sígueme, Salamanca 1974; A. Nocent, *La iglesia local, realización de la Iglesia de Cristo y sujeto de la eucaristía,* en G. Alberigo y J.-J Jossua, *La recepción del Vaticano II,* Cristiandad, Madrid 1987, 262-277; J. M. R. Tillard, *L'Universel et le Local. Réflexion sur l'Église universelle et les Églises locales:* «Irénikon» 60 (1987) 483-494; 61 (1988) 28-40; Grupo Mixto Ecuménico, *L'Église: Locale et Universelle:* «Irénikon» 63 (1990) 497-522; *Réflexions sur l'Église locale:* «La Maison-Dieu» 165 (1986).

c) Es «comunidad de fieles»

En los años inmediatamente posteriores al Concilio, coincidiendo con el nacimiento de las comunidades de base, se manifestó por todas partes un juicio severo sobre la parroquia. La parroquia –se afirmó entre 1965 y 1975– «está enferma», «en crisis», «en situación de agonía», «en quiebra», «es un gran problema» [14]. A partir de entonces, se habló del «futuro de la parroquia», de «las parroquias del futuro», e incluso de «una Iglesia sin parroquias» [15]. De hecho, la parroquia después del Concilio no ha dado lugar a tantas reflexiones como se hicieron poco antes del Vaticano II, quizá porque los pastoralistas han estado más atentos al fenómeno típicamente posconciliar de las comunidades eclesiales [16]. Algunos consideraron la parroquia institución caduca; otros la defendieron a ultranza. Desde la afirmación de la parroquia como «comunidad imposible» [17], hasta el calificativo de «comunidad de comunidades» [18], las apreciaciones son muy distintas, e incluso contrapuestas. Lo cierto es que la parroquia vuelve a tener una relativa actualidad, originada por la posibilidad real de que, en su interior y coexistiendo con una pastoral del catolicismo popular, se desarrolle, como se observa hoy en algunos casos, una comunidad cristiana o una pequeña constelación de comunidades.

De acuerdo a la eclesiología de la comunión, la parroquia es «congregación de fieles» (LG 28) confiada a un presbítero que representa al obispo (PO 5). Es «comunidad de fieles», aunque no única (SC 42), pero enraizada en la base del pueblo. Recordemos que el *populus* –junto al edificio y al rector– fue siempre un constitutivo esencial de la parroquia. La comunidad parroquial, por ser «pueblo de Dios», se compone de diversidad de miembros, dones, carismas y funciones. En virtud del bautismo, todos son hermanos e iguales. Al ser comunidad parroquial, tiene estabilidad. Su criterio de pertenencia es objetivo (vivir en su territorio), con toda la ambigüedad que tiene hoy este criterio. Según el Concilio –escribe E. Barcelón–, «la parroquia *es comunidad,* pero no la única comunidad. Su *deber ser* brota de ahí: necesidad de trabajar para que florezca el sentido comunitario parroquial *en* y *desde* la diversidad de ministerios y carismas, de oficios y funciones, al interior de la misma» [19]. «La parroquia –dice la exhortación *Christifideles laici*– no es principalmente un estructura, un territorio, un edificio, ella es "la familia de Dios, como una fraternidad animada por el Espíritu de unidad", es "una casa de familia fraterna y acogedora", es la "comunidad de los fieles". En definitiva, la parroquia está fundada sobre una realidad teológica, porque es una comunidad eucarística» [20]. De un modo contundente e idealizado lo ha expresado Juan Pablo II a los cuaresmeros de Roma en 1993: «La parroquia es, en cierto sentido, el modelo de la comunidad de base de la Iglesia» [21].

d) Desarrolla una acción pastoral básica

La parroquia es «signo visible de la Iglesia universal» (AA 10) en medio del pueblo, sector o barrio, que apela y convoca (con la ayuda práctica de la torre, el campanario y la fachada) y acoge a toda persona con la intención de convertirla en feligrés. Tiene como finalidad formar cristianos sin añadiduras («sine addito»), como afirmó Y. Congar. Su función o *munus* pastoral reside en la implantación de la Iglesia en un lugar. Comunitaria y oficialmente tiene un cometido «en nombre de la Iglesia», lo cual significa que su compromiso pastoral es oficial, a saber, autorizado. Según el decreto *Apostoli-*

[14] Cf. J. M. Murgui, *Parroquia y comunidad en la Iglesia española del posconcilio,* Edicep, Valencia 1983.

[15] Cf. A. Aubry, *Una Iglesia sin parroquias,* Siglo XXI, México 1974.

[16] Entre 1965 y 1976, la revista francesa «La Maison-Dieu» no publicó ni un artículo sobre la parroquia: F. J. Calvo, *La teología de la parroquia:* «Lumieira» IV (1989) 191.

[17] Cf. M. Gamo, *La parroquia, comunidad imposible,* en AA. VV., *Vida cristiana y compromiso terrestre* (V Semana de Teología de la Universidad de Deusto), Mensajero, Bilbao 1970, 435-498.

[18] Este calificativo es de F. Connan y C. Barreau, *La parroquia de mañana,* Studium, Madrid 1970.

[19] E. Barcelón, *Identidad teológico-jurídica de la parroquia...,* o. c., 553.

[20] Cf. el n. 26 de *Christifideles laici* que, a su vez, cita textos de LG 28, CT 67 y CIC, can. 515, & 1.

[21] Juan Pablo II al clero romano al comienzo de la cuaresma (25.2.1993): «Ecclesia» n. 2.625 del 27 de marzo (1993) 473.

cam actuositatem, «la parroquia ofrece un modelo clarísimo del apostolado comunitario, porque reduce a unidad todas las diversidades humanas que en ella se encuentran y las inserta en la universalidad de la Iglesia» (AA 10b).

«La parroquia –dice *Christifideles laici*– está fundada sobre una realidad teológica, porque ella es una comunidad eucarística. Esto significa que es una comunidad idónea para celebrar la eucaristía, en la que se encuentran la raíz viva de su edificación y el vínculo sacramental de su existir en plena comunión con toda la Iglesia» (n. 26b). «Es correcto describir la realidad de la parroquia –escribe H. Legrand– a partir de los cuatro elementos constitutivos de la Iglesia diocesana: el Espíritu Santo, el evangelio, la eucaristía y el ministerio» [22]. En resumen, la parroquia es el modelo primario de vida eclesial que forma parte de la Iglesia «episcopal», denominada diocesana, local o particular por el Concilio. En consecuencia, la acción parroquial se inserta en la pastoral diocesana como se incardinan los presbíteros en el *presbyterium* junto al obispo.

[22] H. Legrand, *La Iglesia local,* en *Iniciación a la práctica de la teología,* Cristiandad, Madrid 1985, vol. III/2, 166.

En su discurso al clero romano del año 1963, Pablo VI afirmó que «la antigua y venerada estructura de la parroquia tiene una misión imprescindible y de gran actualidad: iniciar y congregar al pueblo en la normal expresión de la vida litúrgica; conservar y reavivar la fe en la gente de hoy; suministrarle la doctrina salvadora de Cristo; practicar en el sentimiento y en las obras de caridad sencilla de las obras buenas y fraternas» [23].

Lo que importa destacar en la parroquia, dice A. Marzoa, es su «carácter dinámico», es decir, «lo que se hace», ya que al ser «una estructura pastoral de servicio» se justifica por su «funcionalidad» [24]. Esto indica que la parroquia está abierta a diversidad de configuraciones pastorales. Con esta particularidad señalada por Juan Pablo II: la parroquia es insustituible e insuficiente [25].

[23] Pablo VI, *Discurso al clero romano,* del 24 de junio de 1963. Cf. la cita en *Christifideles laici,* 26.

[24] A. Marzoa, *Nombramiento de párrocos y el criterio de estabilidad,* en Asociación Española de Canonistas, *La parroquia desde el nuevo derecho canónico,* Universidad Pontificia, Salamanca 1991, 56.

[25] Juan Pablo II, *Discurso a los obispos de Lombardía en la visita «ad limina»* (febrero de 1987), en Congreso *Parroquia evangelizadora, Textos para la reflexión,* p. 18.

7

La comunidad cristiana parroquial

La parroquia heredada no es comunidad viva de fe, sino conglomerado de feligreses o amalgama de grupos cristianos. Es suma más o menos multitudinaria de individuos que viven generalmente en un territorio, sin suficientes relaciones interpersonales y escasamente provistos de un proyecto pastoral operativo en común. A lo sumo, el régimen comunitario cristiano es vivido por una pequeña parte de la comunidad, la más nuclear, ya que la comunidad exige un número no excesivamente grande de personas. No obstante, puede ser transformada, con no pocos esfuerzos, en comunidad o en comunión de comunidades.

Aquí pretendo ver en qué consiste la comunidad cristiana parroquial. Empezaré por examinar qué son los grupos sociales, para exponer después la aparición de la primera comunidad en la Iglesia y describir los elementos básicos que estructuran una comunidad de fe. De este modo podremos reflexionar sobre la comunidad parroquial en sus diversos niveles.

1. Los grupos sociales

Como consecuencia de diversas necesidades y exigencias surgen determinados grupos sociales para favorecer entre sus miembros, por un lado, las relaciones interpersonales y, por otro, los proyectos solidarios de realización. La tendencia a crearlos se da, sobre todo, en los ámbitos educativo, psicológico, político, laboral y religioso. Aparecen frente a la masificación y despersonalización que producen los organismos gigantes, el encuadramiento burocrático y el anonimato de la denominada «multitud solitaria».

Muchos sociólogos afirman que, junto a la *familia,* la *comunidad* es una de las formas fundamentales de la sociedad humana. Pero así como de la familia tenemos una cierta posibilidad para describirla, no ocurre lo mismo con la comunidad, realidad difícil de definir. Según el sociólogo R. König, comunidad «es una agrupación social más o menos numerosa en la que los individuos colaboran para satisfacer sus necesidades económicas, sociales y culturales» [1]. R. M. Mac Iver piensa que la comunidad «es el grupo social más pequeño en el que el individuo puede satisfacer todas sus necesidades y desempeñar todas sus funciones» [2]. Según J. Höffner, «comunidad, en sentido amplio, designa toda forma de unión estable entre individuos que se esfuerzan en común por realizar un valor o alcanzar

[1] Cf. R. König, *Grundformen der Gesellschaft. Die Gemeinde,* Hamburgo 1958.

[2] R. M. Mac Iver, *Comunidad. Estudio sociológico,* Buenos Aires 1944.

un objetivo»[3]. En general, los sociólogos describen la comunidad como un grupo social restringido con estos rasgos: relaciones interpersonales y cierto grado de intimidad, puesta en común de la totalidad de la existencia y fusión de voluntades con algún objetivo en común.

Evidentemente, la comunidad no es mero *conglomerado* social en el que las personas están reunidas en reciprocidad física, sin comunicación entre sí, es decir, anónimas unas con otras, sin ninguna organización, como «amontonadas». Las personas que forman comunidad buscan espontaneidad de expresión, liberación de alienaciones, identificación afectiva, participación gratificante, cohesión global y proyectos comunes de realización. En cuanto agrupación social humana, la comunidad es una realidad insustituible cultural y religiosamente por sus funciones de pertenencia, identificación y maduración. Recordemos que la raíz etimológica del vocablo *comunidad* indica tener algo en común. Precisamente se derivan de este término dos conceptos en el fondo utópicos porque pretenden que todo sea de todos: el *comunismo* en el dominio político y la *comunión* en el ámbito cristiano. De hecho, la comunidad a secas es núcleo fundamental de la vida humana.

2. La primera comunidad cristiana

En el mundo helenístico antiguo, el término *koinonia* –derivado de *koinós* (común) o de *koinein* (poner en común)– significa la relación fraterna de las personas entre sí, es decir, su solidaridad, hermandad o fraternidad, propias de la vida social. Forman, pues, comunidad quienes comparten o ponen en común lo que tienen y lo que son. Para calificar al primer grupo de creyentes en Cristo resucitado, el Nuevo Testamento emplea el término *ekklesía,* que puede traducirse, según algunos exégetas, como «asamblea» o «comunidad» convocada por Dios en Jesucristo[4]. Según F. H. Frankemölle, la Iglesia emerge como «comunidad de los creyentes donde se experimenta y hace eficaz el acto salvífico de Dios en Jesucristo por el Espíritu»[5]. La palabra *ecclesia* –según Y. Congar– significó en los primeros siglos lo que hoy denominamos *comunidad de los cristianos*[6].

La realidad comunitaria es descrita por todos los documentos del Nuevo Testamento, ya que son escritos de una u otra comunidad. Según los Hechos, cristianos son los que comparten y coparticipan, como se observa en la primera comunidad de Jerusalén. Conforme a este documento lucano, la comunidad de Jerusalén, idealizada en tres sumarios (Hch 2, 42-47; 4, 32-37 y 5, 12-16.42) como norma o modelo utópico de la Iglesia posterior, es la primera comunidad cristiana. Según dichos sumarios, la vida comunitaria primitiva tiene estos elementos: la *didajé* (palabra apostólica, pastoral de la palabra), la *koinonia* («comunión de vida», «comunión fraterna» o simplemente «comunión»), la *fracción del pan* (eucaristía) y las *oraciones* (componente de la reunión litúrgica). Según X. Léon-Dufour, los dos primeros elementos equivalen a las relaciones internas de la Iglesia, mientras que los postreros son propios de la relación de la comunidad con Jesucristo[7]. La *koinonia* es reunión no litúrgica, a saber, abarca el ágape fraterno, la comida en favor de los pobres y la ayuda mutua[8]. Con frecuencia falta el desarrollo de este elemento en muchas parroquias, centradas sólo en el culto y en la catequesis.

3. Qué es la comunidad cristiana

Del estudio de las comunidades de vida cristiana desarrolladas después del Vaticano II bajo el módulo de las comunidades eclesiales de base se desprende que sus constitutivos fundamentales son tres: el mensaje evangélico de Jesús (no son agrupa-

[3] J. Höffner, *Comunidad,* en H. Fries, *Conceptos fundamentales de la teología* I, Madrid ²1979, 184.

[4] E. Schweizer, *Gemeinde und Gemeindeordnung im Neuen Testament,* Zurich 1959, 6.

[5] F. Frankemölle, *Iglesia-Eclesiología,* en P. Eicher (ed.), *Diccionario de conceptos teológicos,* Barcelona 1989, 497.

[6] Y. Congar, en J. Schmidt y otros, *Iglesia,* en *Conceptos fundamentales de la teología* I, Madrid ²1979, 713.

[7] Cf. X. Léon-Dufour, *La fracción del pan. Culto y existencia en el NT,* Madrid 1983, 36-49.

[8] Cf. L. Maldonado, *La comunidad cristiana,* Paulinas, Madrid 1993, 8-10.

ciones humanitarias), la constitución de un grupo social comunitariamente trabado (no son conglomerados) y el compromiso social y político por los pobres y marginados (no son meros grupos de oración o de celebración). C. Mesters distingue en las comunidades eclesiales de base tres dimensiones: el *texto* (evangelio), el *contexto* donde se medita el texto (comunidad) y el *pretexto* (sociedad). En una palabra, la comunidad cristiana es la comunión de vida humana y de fe cristiana que vive un grupo restringido de creyentes en el seguimiento de Jesús como Iglesia al servicio del mundo. Rasgos de la comunidad cristiana:

a) Es un grupo fraternal

La comunidad cristiana intenta vivir una *vida fraternal:* es un grupo de miembros que se consideran hermanos. Del punto de vista sociológico, la comunidad cristiana es un grupo con relaciones interpersonales, solidaridad afectiva, ayuda mutua gratuita, unanimidad de sentimientos, voluntad de cambiar la sociedad, aceptación de unas normas y valores y mínima organización para favorecer la pertenencia, participación y compromiso de todos sus miembros. «Tan sólo en las comunidades más reducidas –escribe L. Maldonado– es posible la cercanía humana, la conversación, la actuación en común de los diversos carismas y la asunción de una responsabilidad común» [9].

b) En estado de Iglesia

Los miembros comunitarios son creyentes que comparten la fe; constituyen comunidades *eclesiales*. Al acentuar la comunidad de creyentes, se ponen de relieve asimismo dos dimensiones básicas de la *koinonia*: la solidaridad en función del pueblo de los pobres y la participación ministerial en orden a edificar entre todos la Iglesia, sacramento del reino de Dios [10]. El movimiento comunitario cristiano no se reconoce como Iglesia paralela o Iglesia subterránea, sino que se expresa con el término *comunidad eclesial de base*.

c) Que celebra asiduamente

La comunidad tiene liturgia propia, es decir, celebra con un ritmo semanal la eucaristía o, en ausencia de presbítero, la palabra. Junto a la eucaristía, el segundo sacramento de la repetición es la penitencia, que posee un relieve comunitario determinante, ya que el pecado es ruptura con las exigencias del reino de Dios y alejamiento de la Iglesia-comunidad. Los otros cinco sacramentos son *puntuales* o concretos, pero todos ellos son asimismo comunitarios. Otro tanto podemos decir de la liturgia de las horas y de la plegaria. Evidentemente, la liturgia de las comunidades utiliza un ritual sencillo; fomenta la participación consciente, plena y activa; crea un clima de oración y es sensible a la incidencia de los hechos sociales y políticos.

d) Se compromete socialmente

Los miembros de la comunidad viven un compromiso social a través del cual se desarrolla la evangelización. De una parte, la comunidad en cuanto tal puede y debe comprometerse en niveles fundamentales de justicia y de libertad desde la opción por los pobres; de otro –con respeto a las opciones políticas de sus miembros– fomenta el compromiso de todos y lo revisa. Por ser evangelizadora, la comunidad cristiana es testimonial y liberadora.

e) Y comparte el ministerio

Acepta un *ministerio compartido* o una corresponsabilidad en los servicios. Las comunidades cristianas descubren el ministerio, no sólo por la escasez actual de presbíteros, sino por la vocación de creyentes iniciados a la vida cristiana en su integridad. Los ministerios comunitarios se descubren desde las necesidades, tienden a ser todos ellos evangelizadores, requieren una cierta preparación y exigen una mínima dedicación.

4. La comunidad cristiana de la parroquia

Entre parroquia y agrupamiento local se da una cierta correspondencia. Ambas magnitudes mues-

---

[9] Ibíd., 11.

[10] Cf. J. M. R. Tillard, *Dans la vie chrétienne aujourd'hui*, en H. J. Siebe y otros, *Koinonia. Communauté. Communion*, París 1975, 37-59.

tran elementos comunitarios: relación con el territorio, realización de funciones diversas en la vida colectiva, ciertas relaciones interpersonales y una identificación social, cultural, ideológica y afectiva de todos los miembros, con una solidaridad a pesar de la heterogeneidad [11]. La mutación social y cultural moderna ha influido en los agrupamientos sociales y, por consiguiente, en la parroquia, al disminuir la relación interpersonal, decrecer la importancia del territorio, debilitarse la solidaridad y esfumarse la identificación del grupo, sobre todo en la urbe.

Los cristianos que piden autenticidad buscan reagrupamientos impulsados por un deseo de independencia y por la insatisfacción que produce el anonimato de la gran ciudad. A muchos les satisface la vida cristiana en común afectiva y estable, sin compromisos sociales, con la misión, a lo sumo, de captar nuevos miembros para el grupo o el movimiento. Pero existen otros cristianos que descubren las posibilidades comunitarias de la parroquia e intentan favorecerlas.

En la parroquia cabe distinguir tres niveles comunitarios, según un triple nivel de pertenencia cristiana.

a) La comunidad nuclear

El primer nivel de una parroquia es el nuclear o ministerial, formado por laicos comprometidos o militantes que constituyen la comunidad básica o comunión de grupos, en los que están las personas que aceptan y llevan a cabo un ministerio o servicio concreto pastoral. En este nivel de comunidad se ensamblan los comités o grupos de trabajo según las tareas repartidas y encomendadas: catequesis, liturgia, acción social, juventud, enfermos, economía, etc. La creación de la comunidad ministerial exige dar importancia a los servicios y repartir con generosidad responsabilidades. La parroquia no es una mera gestión del cura, sino de toda la comunidad mediante el consejo parroquial o equipo pastoral. La escasez de sacerdotes puede dar lugar a un crecimiento de responsabilidades. Las religiosas participan en la comunidad básica parroquial según su carisma específico.

Esto exige precisar las tareas; no basta la buena voluntad. Para cualquier ministerio se necesitan cualidades personales y preparación, además de aceptación de toda la comunidad. No hay plena participación si no se adquiere responsabilidad. El laico es portador de valores religiosos en su propia vida y debe participar en las decisiones, so pena de quedarse inmaduro. Así se da al presbiterado de la parroquia un nuevo sentido de responsabilidad ministerial, compartido por toda la Iglesia.

b) La comunidad sacramental

En un segundo nivel están las personas que participan semanalmente en la asamblea eucarística, asiduamente en las celebraciones comunitarias penitenciales y esporádicamente en algunos actos extraordinarios parroquiales. Estos feligreses se sienten miembros de la parroquia y se consideran parte de la comunidad, a un nivel más amplio que el de la comunidad ministerial, pero con suficientes rasgos, aunque a veces tenues, de naturaleza comunitaria. Son en general personas de edad madura que por itinerario personal no formarán parte de la reducida comunidad servicial. Aunque se consideran internamente activos, participan externamente poco, ya que no tuvieron previamente una iniciación adecuada en liturgia, catequesis de adultos y acción social.

c) La comunidad popular

Es el tercer nivel. Recordemos que los católicos ocasionales que participan en la parroquia unas cuantas veces al año (en los tiempos fuertes y festivos) o unas pocas veces en la vida de acuerdo a los sacramentos de las cuatro estaciones (bautismo, primera comunión, matrimonio y funerales) forman parte de una Iglesia popular con un escaso sentido comunitario eclesial. La parroquia, a pesar de ser institución de otro tiempo, de su procedencia rural y de ser institución de cristiandad –o quizá por todo ello–, es eminentemente popular. Las minorías selectas de los cristianos y las élites católicas

[11] A. Houssiau, *Paroisse,* en *Catholicisme,* t. 10, 1985, col. 676.

de las capas sociales burguesas o aristocráticas nunca han sido parroquiales. La parroquia es el canal básico de comunicación en la Iglesia de tipo popular. Ahí se desarrollan los aspectos principales religiosos de la vida, frecuentemente con exageración y desvío, por su envoltura con ritos, a veces, escasamente evangélicos. En última instancia, sin la parroquia la oración del pueblo sería escasa, el sentido último de la vida desviado y nula la vigilancia cristiana respecto a la última y definitiva esperanza.

Estos feligreses no practicantes o practicantes ocasionales demandan a la parroquia algunos sacramentos o ceremonias que festejan momentos esenciales de la existencia: bautismo, primera comunión, matrimonio y funerales. Sin embargo, estas cuatro estaciones suponen una cruz para muchos párrocos, ya que ahí se les ve por parte del pueblo sólo de un punto de vista instrumental-sacramental y se les reclaman unos ritos con derechos y exigencias. Estas demandas no son fácilmente evangelizables. Las relaciones entre religión y fe son complejas, ciertos feligreses piden ritos sin saber bien por qué, y no es fácil conocer el fondo de sus demandas. Con todo, los que piden ritos deben sentirse comprendidos antes y después de la celebración, lo cual exige que se les acoja bien y se les deje hablar y expresarse. Además, la celebración ha de transcurrir en un cierto clima religioso; se deben cuidar los gestos, el tono de voz, los contenidos. Naturalmente, no basta con el fomento de lo religioso; es necesario despertar y promocionar la fe [12].

Recordemos que en las parroquias se han dado cada diez años, por disposición canónica, las llamadas «misiones parroquiales». Recientemente se intenta actualizarlas con resultados positivos [13]. Son misiones festivas y familiares dirigidas a la masa del pueblo, a la gente sencilla, a los pobres y marginados.

[12] La parroquia como lugar de evangelización del catolicismo popular ha sida tratada en R. Pannet, *Paroisse de l'avenir. Avenir de la paroisse,* Fayard, París [8]1979.

[13] Cf. J. Gonthier, *Dieu parle à son peuple aujourd'hui,* Salvator, Mulhouse 1977.

8

Transformación comunitaria de la parroquia

El fenómeno comunitario cristiano actual surgió durante el segundo quinquenio de la década de los sesenta, al acabar el Vaticano II, momento de reforma eclesial. Los cristianos que pedían autenticidad criticaban el modelo burocrático e impersonal de la llamada *Iglesia institucional* –cristalizado en la parroquia sin renovar– y apelaban al ideal de la Iglesia primitiva en régimen de comunión fraternal. El antecedente de los movimientos apostólicos –que antes del Vaticano II habían descubierto el *equipo* de militantes– y la presencia activa de los laicos en la Iglesia constituyeron un aporte significativo. Importante fue asimismo el compromiso liberador. Bajo estos presupuestos, la comunidad cristiana posconciliar se propuso vivir la fe en grupo (no en conglomerado), compartir servicios y ministerios (reservados tradicionalmente a los sacerdotes), transformar espacios de la sociedad (dimensión social del evangelio) y testimoniar una vida de esperanza (frente a los gérmenes de muerte). Para que la actual parroquia se transforme en comunidad es necesario tener presente un concepto adecuado de comunidad cristiana.

1. Presupuestos pastorales de la parroquia

a) Debe ser «comunidad de fieles»

De acuerdo a la distinción de L. Tönnies, hecha en 1887, entre «sociedad» (*Gesellschaft*) y «comunidad» (*Gemeinschaft*), la parroquia es sociedad, no comunidad. En una *comunidad,* sus miembros tienen relaciones personales cara a cara y trabajo grupal codo a codo, son solidariamente afectivos y buscan el logro de sus aspiraciones con valores comunes, sin reglamentaciones jurídicas. En la *sociedad,* en cambio, las relaciones son indirectas, su solidaridad nace del logro de objetivos racionales y utiliza los medios adecuados para obtener sus objetivos, básicamente individuales, con una voluntad refleja. Se basa en reglas convencionales.

La parroquia no es comunidad porque entre los feligreses están casi ausentes las relaciones interpersonales (sobre todo en la urbe) y porque no se da en ella suficientemente lo que los Hechos de los Apóstoles llaman *koinonia,* hoy entendida como unanimidad en la fe personal, solidaridad con pobres y marginados, bienes en común y comunicación de bienes, reunión en asamblea eucarística, compromiso social común y proyecto evangelizador. Si embargo, «el futuro y porvenir de la Iglesia –afirma un documento del Consejo Presbiteral de Madrid– está condicionado por la calidad de su vida comunitaria. La Iglesia será, en gran parte, lo que sean las comunidades cristianas (parroquias, comunidades intraparroquiales y extraparroquiales) en las que se construye el pueblo de Dios» [1]. En otro pasaje del mismo documento se «reconoce que una vía eficaz para la renovación comunitaria de la parroquia es la creación de una o varias comunidades-fermento, que sean como el núcleo animador de la misma institución parroquial». Recordemos que el Sínodo de los Obispos de 1971 sobre el sacerdocio ministerial afirmó que «las pequeñas comunidades que no se contraponen a la estructura parroquial o diocesana deben ser inscritas en la comunidad parroquial y diocesana de manera que sean en medio de ellas como el fermento del espíritu misionero» [2].

b) Debe tener una línea de acción claramente conciliar

Hay parroquias que por anquilosamiento o rutina no solamente carecen de régimen comunitario, sino que no tienen una línea pastoral definida. Hay otras que han renovado su cometido con unos criterios más o menos certeros de pastoral conciliar. Finalmente, hay parroquias posconciliares con una línea pastoral perfectamente delimitada [3]. Dentro de las parroquias renovadas, las hay de talante misionero, de cuño catequético, de estilo litúrgico, de preocupación por las obras, de compromiso social, etc. Pero en muchas parroquias se advierte una cierta tensión entre los feligreses que viven el aspecto institucional (estático, permanente, estadístico) y los que desean vivir un cristianismo renovado con autenticidad (dinámico, compromisual, vital). Dicho de otra manera, hay feligreses que demandan compromiso social frente a los que buscan sacramentalidad ritual. De ahí que se den diferentes líneas de pastoral: la de los creyentes preocupados por la evangelización, la catequesis de adultos y el compromiso social (el voluntariado militante), y la de los que viven un catolicismo popular sin otra preocupación que el cumplimiento religioso ritual (los católicos sacramentales). Incluso cabe una tensión entre los más renovadores que interpretan la misión como evangelización liberadora del pueblo de Dios en el mundo, y los conservadores que entienden la «nueva evangelización» como misión religiosa y sacramental para potenciar a la Iglesia institución, y a las instituciones de la Iglesia, con objeto de hacerse presente activamente en la sociedad.

Las diferentes líneas pastorales parroquiales producen en los pastores una cierta esquizofrenia al pasar constantemente de un nivel a otro. Además, cuando el párroco y el coadjutor, por ejemplo, no coinciden, se produce tarde o temprano una división de fatales consecuencias. Como también se produce cuando se cambia bruscamente de línea pastoral sin dar explicaciones a la feligresía. Asimismo es perjudicial en general que la línea pastoral de la parroquia dependa totalmente de un movimiento exterior a la misma, e incluso a la diócesis. La parroquia ha de secundar la pastoral diocesana correspondiente y ha de exigir a los organismos pastorales de la diócesis que pongan en práctica las correspondientes directrices parroquiales [4].

Es evidente que la parroquia debe tener una línea consciente pastoral que se plasma en un proyecto. Para trazar la línea se deben conocer previamente las ideologías existentes, las corrientes de pensamiento y de acción, la influencia de los líderes o responsables y los datos socioculturales y religiosos del barrio o sector en donde se encuadra la parroquia. Sobre todo hay que revisar la ideología dominante de la sociedad, frecuentemente idolátrica, para no caer en ella. Asimismo no hay que ignorar las diferencias existentes creando unidades ficticias que no responden a la realidad. Se deben poner de relieve dos opciones básicas: la del *evangelio* (fraternidad cristiana, espíritu profético, misión, etc.) y la del *pueblo* (promoción social, liberación humana, defensa de los pobres y marginados, etc.). También es preciso combatir el protagonismo de los curas, de algunos líderes o de grupos basados en peculia-

---

[1] Consejo Presbiteral de Madrid, *Las comunidades eclesiales,* 16 de noviembre de 1981.

[2] Sínodo de los Obispos de 1971, *El sacerdocio y la justicia en el mundo,* PPC, Madrid 1971, *El sacerdocio ministerial,* parte II, n. 1, d).

[3] Cf. J. B. Capellaro y otros, *De masa a pueblo de Dios. Proyecto pastoral,* PPC, Madrid 1982; R. Zorrilla, *Pistas para la renovación de la parroquia urbana:* «Surge» 32 (1974) 51-62; *1º Colóquio Nacional de Paróquias* (Fátima, 7-10 julio 1986), Coimbra 1987.

[4] Cf. A. Bravo y otros, *Programación pastoral por objetivos,* Comisión Episcopal de Pastoral, Madrid 1987.

ridades, acaso legítimas pero discutibles, que intentan monopolizar la parroquia.

c) *Debe desplegar la vida cristiana en su totalidad*

Como afirma el documento episcopal español *La catequesis de la comunidad,* la parroquia está llamada «a cumplir una misión en el mundo actual, siendo comunidad local donde se siga escuchando la palabra de Dios, celebrando la eucaristía, impulsando la comunión de los creyentes, enviando a sus miembros al mundo para que por su inserción en él y el anuncio del mensaje se adelante la edificación del reino de Dios» (n. 271). Efectivamente, esta es la aspiración pastoral de la parroquia, cuya vitalidad depende del nivel cristiano de su feligresía y de la misión desplegada en la evangelización, catequesis, celebración, construcción de la comunidad, testimonio y compromiso social. En una palabra, ha de guardar equilibrio en toda su pastoral.

La parroquia ha de mantener la catolicidad de la comunión [5]. El trabajo parroquial descansa en las personas, no en las obras materiales o en las actividades impersonales. Pero tanto dentro como fuera de la parroquia, en su entorno, hay diversidad social y cultural. Ha de ser «sacramento de unidad» (LG 1) de las personas para asegurar la unidad en la diversidad y poder resolver los conflictos. Entre nosotros hay mucho paralelismo pastoral que no fomenta la unidad. Por supuesto, la parroquia también debe ser sacramento de unidad en la sociedad local en la que está inserta. Sin servicio al mundo no hay evangelización.

2. Criterios de transformación comunitaria

a) *Fomentar la creación de equipos ministeriales*

Para renovar comunitariamente una parroquia es necesario que un primer grupo o equipo parroquial se ponga en marcha, quizá en una convivencia. Así llega a constituirse el *consejo parroquial,* pequeño equipo de personas representativas que asumen la responsabilidad de planificar la marcha de la comunidad. Su función es avivar el esfuerzo de todos, unificar los ministerios y carismas, suscitar equipos de trabajo y coordinar todas las tareas. Las tareas son llevadas a cabo por pequeños equipos de trabajo o comités, formados por algunos miembros de la comunidad. Es conveniente que todos los miembros de la comunidad ministerial estén en algunos equipos.

En la parroquia debe darse siempre primacía a los militantes que forman los grupos o la comunidad cristiana. El aspecto administrativo sacramental es un servicio de tipo secundario que se debe desarrollar con esmero y comprensión. En la parroquia actual pueden encontrarse «puntos de arranque» comunitarios a partir de grupos de adultos y de jóvenes que aspiran a una vida en transformación. Tradicionalmente en la parroquia se han dado siempre grupos diversos. Antes eran de tipo espiritual, en función de la piedad o con finalidades de caridad. Hoy tienen un matiz apostólico: se ocupan de un campo de la pastoral parroquial. Así surgen diversos comités que se encargan de la catequesis, acción social, liturgia, economía, pertenencia, matrimonios, tercera edad, tiempo libre, juventud, enfermos, etc. De un lado, hay que evitar la independencia de estos grupos; de otro, deben coordinarse en función de la comunidad ministerial. Estos comités surgen desde las necesidades pastorales, están en manos de seglares y tienen como misión dar vida a la parroquia. Sus miembros deberían ser feligreses activos y responsables de la comunidad ministerial. En muchos campos culturales, económicos, políticos y sociales actuales se procede por medio de equipos. También debe procederse así en la parroquia, donde se necesitan grupos conscientes y exigentes que, con valentía evangélica y honradez humana, reformulen de nuevo la fe, revitalicen la liturgia con una simbólica bíblica y social, rehagan el catecumenado y la catequesis de adultos, y tomen en serio la totalidad del ministerio.

La asamblea eucarística dominical puede constituir una sólida base de comunidad cristiana. Esto exige que se centre la atención en una o en algunas

[5] Cf. A. Houssiau, *Paroisse,* en *Catholicisme,* t. 10, 1985, col. 683-684.

misas parroquiales con más sentido comunitario. Este trabajo de pastoral litúrgica y comunitaria, llevado por un equipo, es lento. La liturgia ha de prepararse con un esmerado espíritu comunitario, cuidando la homilía, los cantos, las moniciones y los gestos. Todo el culto ha de ser simbólico, expresivo, emocional, a saber, suscitador de experiencia cristiana religiosa. Todavía estamos lejos de que la eucaristía sea plegaria común de la asamblea. La homilía, sin dejar de ser alabanza, ha de tener dimensión evangelizadora y catequética.

b) *Tener en cuenta el sector urbano o la zona rural*

Es importante que se descubra la *unidad pastoral,* menor que la diócesis y mayor que la parroquia, en donde se dan las condiciones mínimas de una acción conjuntada, especialmente para la evangelización liberadora [6]. Esta unidad pastoral es necesaria para desarrollar con una mayor eficacia algunas funciones parroquiales. Solamente en ambientes rurales y en ciertos sectores urbanos cabe entender la parroquia a partir de un territorio concreto. La unidad pastoral requiere densidad humana suficiente, es decir, vida económica, social, cultural y política. La unión de parroquias con estilo semejante parece fundamental. Debe lograrse a través de un organismo coordinador.

La parroquia centrada en sí misma, como es el caso actual, tiene el peligro de ser una isla. Su territorio es pequeño para ser campo de evangelización, ya que los valores se transmiten por los diferentes medios de comunicación de la ciudad o del país. Por otra parte, la parroquia es demasiado grande para ser una comunidad eucarística. Cabe crear dentro de la misma diversas comunidades. En definitiva, la parroquia –que no es Iglesia local completa– debe coordinarse con otras parroquias, dentro de una pastoral diocesana.

[6] Cf. P. Tena, *La ciudad como unidad pastoral (Opiniones libres sobre estructuras pastorales):* «Pastoral Misionera» 10 (1974) 722-734; id., *Comunidad, infraestructura y testimonio:* «Phase» 13 (1974) 389-406; id., *¿Es realmente válida la parroquia urbana?:* «Phase» 14 (1975) 188-190.

c) *Impulsar un régimen cristiano comunitario*

Los responsables de la parroquia, conjunta o colegialmente, han de plasmar las opciones básicas para proceder a la edificación de la comunidad parroquial [7]. Una vez trazada la línea pastoral de acción, la primera preocupación de la parroquia es hacer que se desarrolle en su interior una comunidad cristiana o un conjunto de comunidades en estado de comunión. El tránsito de una parroquia con asociaciones a una parroquia con grupos apostólicos, ocurrido antes del Vaticano II, fue el antecedente de un nuevo tránsito a una parroquia posconciliar en estado de comunidad con una adecuada línea pastoral. Los nuevos grupos parroquiales y, en especial, el grupo nuclear comunitario, obedecen a exigencias de relaciones humanas, objetivos espirituales, metas sociales y vida cristiana compartida. Son afines a la experiencia, huyen de los dogmatismos, buscan el compromiso e intentan ser creativos. La voluntad de cohesión conduce a dar importancia a la vida comunitaria y a la reiniciación en la fe. Pero en ocasiones puede el grupo caer en la tentación de replegarse sobre sí mismo, utilizar la parroquia para su provecho y adquirir ciertos rasgos sectarios.

Pretender que todos los feligreses pasen a formar parte de la comunidad es una utopía. Por edad, temperamento, herencia, costumbres, etc., no es posible que todos los cristianos actuales se comunitaricen. Podrán formar parte de otro nivel comunitario sacramental que se da en la parroquia. En cualquier caso, la organización de la parroquia en estado de comunidad procede de su objetivo o finalidad: verificar la fe en la situación concreta, en el compromiso, en la conducta. De este modo se elabora una organización sencilla, funcional, flexible y adaptada al proceso de cambio, de conversión y de liberación, atenta siempre a la realidad del entorno. Se cambia de organización cuando la realidad lo exige. No olvidemos que las estructuras externas de cualquier grupo no son inocentes, ya que traducen o hacen visibles ciertas estructuras mentales de po-

[7] Cf. A. Mazzoleni, *Le strutture comunitarie della nuova parrocchia,* Paoline, Roma [3]1973; F. Klostermann, *Wie wird unsere Pfarrei eine Gemeinde?,* Herder, Viena 1979.

der o de participación que implican decisiones y compromisos muy variados.

Al ser las comunidades cristianas (parroquiales o no parroquiales) diferentes, las estructuras comunitarias son igualmente diversas. Cada comunidad debe encontrar su propia organización. No olvidemos que en el Nuevo Testamento no hay una Iglesia igual a otra, sino una gran diversidad de formas y modos de existencias [8]. La razón es clara: no hay un evangelio *en sí,* sino en situación. Para todos los miembros de la comunidad, el objetivo cristiano ha de ser claro. Con todo, puede variar su formulación a lo largo del tiempo. Las metas de la comunidad deben ser compatibles con lo que busca y necesita cada persona y el conjunto del pueblo de Dios.

---

[8] Cf. R. Aguirre, *Iglesia e Iglesias en el Nuevo Testamento,* en Instituto Superior de Pastoral, *Ser cristianos en comunidad,* Verbo Divino, Estella 1993, 13-55.

9

La parroquia y los movimientos comunitarios

El movimiento comunitario penetró pronto en el ámbito de la institución parroquial. De hecho, la mayor parte de las comunidades cristianas existentes son parroquiales o tienen relación con la parroquia. Entre nosotros son escasas las comunidades no parroquiales. No olvidemos que la jerarquía de la Iglesia ha sido y es parroquial y no siempre ha visto con buenos ojos a los movimientos comunitarios, bien porque algunos cuestionaron la institución parroquial, bien porque otros nacieron dependientes de una autoridad distinta a la del obispo local. De otra parte, a causa de la escasez de presbíteros aptos para el ministerio comunitario y del individualismo religioso heredado, no es fácil crear comunidades cristianas, ni fuera ni dentro del recinto parroquial.

1. Parroquia y comunidad

La parroquia heredada no es de hecho comunidad, aunque sea célula indispensable de realización eclesial. Por tanto, el espíritu comunitario debe ser constitutivo fundamental de la parroquia [1]. Pero al ser entendida la comunidad de varios modos, y al penetrar en la parroquia la renovación comunitaria en sus diversas concepciones, se han producido tensiones y conflictos.

Podemos distinguir tres modos de relación entre parroquia y comunidad, de acuerdo a tres proyectos de implantación comunitaria.

a) Sustitución de la parroquia por la comunidad de base

En el decenio posconciliar de 1965 a 1975, algunos curas obreros, religiosas en barriadas y militantes procedentes de movimientos apostólicos pensaron que las comunidades de base sustituirían a la parroquia, calificada de «comunidad imposible» [2]. Era el sueño de «una Iglesia sin parroquias», constituida exclusivamente por comunidades cristianas [3]. Fue un tiempo en el que surgieron grupos y

[1] Cf. A. Blöchlinger, *Die heutige Pfarrei als Gemeinschaft,* Benziger, Einsiedeln 1962; S. J. Kilian, *Theological Models for the Parish,* Alba House, Nueva York 1976.

[2] Cf. M. Gamo, *La parroquia, comunidad imposible,* en *Vida cristiana y compromiso terrestre* (V Semana de Teología de la Universidad de Deusto), Mensajero, Bilbao 1970, 435-498.

[3] Cf. A. Aubry, *Una Iglesia sin parroquias,* Siglo XXI, México

comunidades de todo tipo, sobre todo en los ámbitos posconciliares más renovadores. Pronto se comprobó que las comunidades no parroquiales tenían una vida más efímera que las creadas en el interior de la parroquia, quizá porque ciertos colectivos comunitarios contestatarios no fueron apoyados por la jerarquía, al paso que muchos dirigentes se secularizaron. La Iglesia católica de Europa y Estados Unidos en su conjunto siguió siendo parroquial y escasamente comunitaria, dada su tendencia conservadora, con predominio del individualismo. Lo cierto es que algunos sacerdotes y muchos laicos procedentes de los movimientos apostólicos, entonces en crisis, abandonaron el campo de trabajo parroquial –de escasa y limitada militancia– y optaron por tareas comunitarias y grupales de presencia y compromiso de la Iglesia en diversos ámbitos de la sociedad. Junto a la parroquia –que siguió su curso– aparecieron comunidades de base más o menos independientes.

b) Introducción de un módulo comunitario en la parroquia

Otros movimientos comunitarios, como las *comunidades eclesiales de base* latinoamericanas, convivieron pacíficamente con la parroquia, en gran medida porque la institución parroquial heredada era muy extensa, sin la trama institucional propia del viejo continente [4]. La escasez de clero fomentó el acceso del laicado a tareas pastorales de educación popular, evangelización de base, toma de conciencia liberadora y promoción social. Bajo estos presupuestos apareció el nuevo módulo comunitario. Por otra parte, el pueblo vivía a expensas del catolicismo popular, que utilizaba la parroquia como mero lugar sagrado sin demasiados vínculos institucionales. La jerarquía latinoamericana, con pocas excepciones, fomentó este tipo de comunidades, canonizado en Medellín (1968).

En España aparecieron en la parroquia grupos de jóvenes y adultos, frecuentemente autónomos, sin un modelo claro de organización comunitaria, con pretensiones de vivir la fe en común por exigencias evangélicas, hartos del ritualismo y de la masificación parroquial. Apoyados por algunos párrocos, hubo grupos que pretendieron centrarse en el compromiso pastoral de la parroquia, otros se adentraron en la educación de la fe en todos sus niveles, y algunos intentaron trabajar en sectores de marginación: jubilados, parados, emigrantes, drogadictos, presos y marginados. Los miembros de estas comunidades eran alérgicos a inscribirse en movimientos de Acción Católica, por el centralismo organizativo dependiente de un secretariado nacional, característico del apostolado seglar organizado. Querían ser dueños de sí mismos bajo un régimen asambleario en un pretendido pluralismo, sin salirse del ámbito parroquial. Esto condujo a la creación de movimientos comunitarios parroquiales sin suficientes criterios de organización, y a un intento más o menos acertado de comunitarización de la parroquia. Posteriormente se ha comprobado la necesidad diocesana de rehacer estructuras de coordinación, establecer objetivos precisos, trazar nuevos caminos de iniciación y planificar una acción pastoral conjuntada. Con todo, estos movimientos han revitalizado la parroquia.

c) Utilizar la parroquia como base para crear una comunidad propia

Algunos movimientos comunitarios han utilizado la institución parroquial para captar feligreses y acrecentar su propia obra, paralela a la misma parroquia, e incluso a la diócesis. Esto no es nuevo. A la parroquia han acudido constantemente religiosos en busca de niños y de jóvenes con síntomas de vocación, así como movimientos eclesiales con la pretensión de nutrir las filas de sus militantes. El problema se plantea cuando se introduce en la parroquia un módulo comunitario paralelo a la misma con iniciación, celebración y compromiso propios. Entonces aparecen problemas graves, como es la división de la parroquia en dos facciones, la que sigue una línea independiente de la diócesis, dirigida con rigor estricto por el movimiento comunitario supradiocesano, y la del pueblo practicante dominical alejado del elitismo grupal de los elegidos. Esta división o separación se pone en evidencia, por

---

1974; B. Ugeux, *Les petites communautés chrétiennes, une alternative aux paroisses?*, Cerf, París 1988.

[4] Cf. G. Iriarte, *¿Qué es una Comunidad Eclesial de Base?*, Paulinas, Bogotá [2]1991.

ejemplo, en la celebración de una pascua comunitaria elitista diferente de la parroquial, popular y masiva.

2. El pluralismo comunitario parroquial

El estilo comunitario que ha llegado a la parroquia no es idéntico. Hay modelos eclesiales diferentes, ya que sus rasgos y objetivos son distintos [5]. La distinción entre dos estilos de comunidad procede del modo de entender la expresión *comunidad de base* (cristianas o eclesiales son o intentan serlo todas), al unir dos términos de compleja y profunda significación: comunidad y base [6]. H. Cox distingue dos tendencias: los *neomísticos* y los *militantes* [7]. Los *neomísticos* –señala A. Guerra– se preocupan «primariamente por la salvación personal, el cambio del corazón y la relación directa con Dios», al paso que los *militantes* «se preocupan primariamente por el compromiso, los cambios sociales y estructurales, tanto en la Iglesia como en el mundo» [8]. Aquí distingo, con G. Paiement, dos tipos de comunidades: las cálidas y la críticas [9].

a) Comunidades cálidas

Son comunidades netamente acogedoras. Enfatizan el término *comunidad* y dejan en la penumbra el de *base*. Prevalece la comunicación interpersonal: fraternidad, llevarse bien, generosidad, ayuda mutua, apoyo ocasional, etc. Promueven una experiencia religiosa. Son sensibles a la *trascendencia*, es decir, dan relieve a la comunión con las realidades estrictamente espirituales o eclesiales: palabra de Dios, catequesis, celebración, oración y convivencia asidua del grupo. En una palabra, la comunidad está en función del dinamismo espiritual de las personas que la componen y del crecimiento de la propia obra. Siguen a un líder carismático. La comunidad es básicamente un ámbito para orar y expresar la fe, alimentada por la escucha de la palabra y el testimonio. Dan importancia a la conversión personal y a la educación de la fe a partir de una mística o espiritualidad, sin demasiadas preocupaciones dogmáticas. De ordinario están visiblemente alejadas del compromiso político. No les preocupa el cambio de estructuras; todo reside en la transformación personal. Viven una Iglesia *ad intra* con extraordinario celo de grupo. En realidad, el compromiso social lo toma cada miembro según las exigencias de su conversión. Acentúan la primacía de la experiencia.

M. Weber habla de «comunidades emocionales», ya que la adhesión personal al grupo libremente elegido se produce por el atractivo de un carisma profético del fundador o del líder de la comunidad. Estas comunidades se repliegan eclesialmente sobre sí mismas, desconocen o no aprecian otros tipos de comunidades, muestran escasas perspectivas sociales y políticas y dependen rígidamente de un modelo que no permite críticas internas o externas. Según C. F. Barberá, «gozan de mayor protección oficial organizaciones en que los caracteres de las sectas –culto a la personalidad del líder, disciplina estricta, condena del disenso, fuerte mística del grupo...–, son dominantes» [10]. Algunos rasgos indicados se dan, por ejemplo, en las comunidades *neocatecumenales*, en las *carismáticas* y en las *focolares*.

b) Comunidades críticas

En estas comunidades se enfatiza el término *base*, entendido socialmente como pueblo, gente sen-

[5] Cf. C. Floristán, *Modelos de comunidades cristianas:* «Sal Terrae» 67 (1979) 61-72 y 145-154; Secretariado Diocesano de Catequesis de Madrid, *Comunidades plurales en la Iglesia,* Paulinas, Madrid 1982; P. Pingault, *Renouveau de l'Église: Les Communautés Nouvelles,* París 1989; B. Secondin, *Segni di profezia nella Chiesa,* Milán 1987; *Nous Moviments:* «Quaderns de Pastoral» 109 (1988).

[6] E. Dussel, *La «base» en la teología de la liberación. Perspectiva latinoamericana:* «Concilium» 104 (1975) 76-89.

[7] H. Cox, *Las fiestas de locos,* Taurus, Madrid 1972, 117.

[8] A. Guerra, *Movimientos en la Iglesia de hoy:* «Revista de espiritualidad» 207-208 (1993) 271-272.

[9] G. Paiement, *Comunicación y conflictos en la comunidad de base:* «Concilium» 104 (1975) 122-131; id., *Groupes libres et foi chrétienne. La signification actuelle de certains modèles de communauté chrétienne,* Desclée-Bellarmin, París-Montreal 1972.

[10] C. F. Barberá, *Movimientos y comunidades,* en Instituto Superior de Pastoral, *Ser cristianos en comunidad,* Verbo Divino, Estella 1993, 342.

cilla, pobres y marginados, a cuyo servicio está la *comunidad*. Les caracteriza la opción por los pobres, la lucha por la justicia y el compromiso liberador, expresado en la preocupación por el cambio de estructuras, dadas las desigualdades existentes en la sociedad y la escandalosa situación del Tercer Mundo. Cobra importancia el denominado dinamismo utópico [11]. Dan más importancia a la función *ad extra* de la Iglesia. Su teología popular está en conexión con la teología de la liberación. Se lee el evangelio de acuerdo a las exigencias de la justicia, el catecumenado es forjador de conciencias creyentes críticas y la celebración se entiende como asamblea cristiana popular. Intentan, por supuesto, crear una comunidad, pero no como mero grupo bíblico, sacramental o de oración, sino como grupo de acción, tarea o compromiso. No se pretende hacer surgir un grupo porque la comunidad es algo excelente (que lo es), sino porque la situación injusta debe ser transformada para que la sociedad sea reino de Dios. Se piensa que la comunidad se justifica por la misión liberadora, no por el estar juntos afectivamente. Dicho de otro modo: la comunidad no es aproximación de amigos, sino grupo de hermanos que se hacen prójimos del desvalido. Se reconocen en comunión crítica y dialéctica con la Iglesia institucional. Son, por ejemplo, las *comunidades de base*, también llamadas populares, y algunos *movimientos apostólicos*.

c) Otros movimientos comunitarios

Hay también movimientos comunitarios que en sus objetivos y lenguaje se sitúan entre las críticas y las cálidas. Es el caso, por ejemplo, del movimiento *Adsis*. Cabe reseñar asimismo el movimiento comunitario *Fe y justicia*, que entiende la comunidad como grupo de iniciación, oración, celebración y compromiso social. El proceso de iniciación equivale a vinculación al grupo, al proyecto comunitario y a Jesús en comunidad [12]. También pertenece a este apartado el proyecto de renovación parroquial o proyecto NIP (nueva imagen de la parroquia), difundido por el Movimiento para un Mundo Mejor. Se basa en una comprensión de la Iglesia como comunión fraternal, que se expresa históricamente en la participación (cf. Puebla, 211-219; 104-108) [13].

3. Modelos de comunidad cristiana en la parroquia

Podemos señalar tres modelos de comunidades más representativos vigentes en España, que inciden en el recinto parroquial: el popular, el neocatecumenal y el carismático.

a) Modelo popular

Las características de las comunidades cristianas populares están contenidas fundamentalmente en sus directrices redactadas en tres ocasiones: mayo de 1970, abril de 1980 y marzo de 1993 [14]. Su rasgo principal es el de considerarse «una alternativa dentro de la Iglesia», «al servicio del proyecto de Jesús», «como parte del pueblo y con una decidida opción por los pobres». Se centran en la eclesiología de la comunión, de la fraternidad, del pueblo de Dios, con un fuerte acento desde la cristología del Jesús histórico y de la causa del reino de Dios. En estas comunidades, el sacerdote es un «laico ordenado», los responsables se eligen democráticamente según sus carismas, se respira un ambiente evangélico y secular, hay recelo a lo institucional jerárquico, predomina lo espontáneo y experimental, se acepta la opción por los pobres como opción de fe, se celebra la liturgia con gran simplicidad, y se pretende orientar la misión de la Iglesia en la esfera de los servicios a la sociedad, a través, sobre todo, del compromiso social y político.

Estas comunidades no desean ser Iglesia paralela, sino Iglesia local «en comunión crítico-dialécti-

[11] Cf. D. Hervieu-Léger, *Vers un nouveau christianisme? Introduction à la sociologie du christianisme occidental*, Cerf, París [2]1987, 349-354.

[12] Cf. P. Loidi, *Procesos de conversión e iniciación en la comunidad*, en Instituto Superior de Pastoral, *Ser cristianos en comunidad*, Verbo Divino, Estella 1993, 266-286.

[13] Cf. J. B. Capellaro (ed.), *De masa a pueblo de Dios. Proyecto pastoral*, PPC, Madrid 1982.

[14] La última redacción se titula *Comunidades Cristianas Populares. Lo que somos y lo que queremos ser*, Alcobendas (Madrid), 28 de marzo de 1993.

ca». Al entender que hacen Iglesia de otro modo, viven una solidaridad conflictiva con la jerarquía o, mejor dicho, con ciertos sectores de la clase dominante. La liturgia de estas comunidades es de tipo *asambleario;* usan con libertad el ritual; hay diálogo, información y tomas de decisión. Se utilizan a veces nuevos símbolos, o se usan los antiguos cargados de nueva significación. Va ganando el sentido de la fiesta, que se añade al del compromiso.

Su principal riesgo es el de la reducción política del reino; el evangelio puede convertirse en fuerza de liberación humana, a través de una lectura simplificada *materialista*. Así se puede llegar a una nueva ideologización de la fe. También cabe la tentación del olvido del don gratuito de la gracia y de la oración. Puede desarrollarse asimismo un cierto sectarismo a causa de la radicalización política o de una visión cerrada y estrecha de la tradición. Al acentuar sobremanera el «hoy», no se tiene en cuenta a veces la totalidad de la historia. Incluso puede llegarse a no admitir otras mediaciones que las políticas.

Hay que afirmar, con toda justicia, que el desarrollo político y democrático ocurrido en España ha equilibrado la conciencia cristiana de estas comunidades en lo social y lo político. Recientemente se advierten deseos de globalizar mejor lo cristiano, recuperar sin crispaciones el difícil diálogo eclesial, aceptar con realismo y sensatez el compromiso político sin transplantar la radicalidad evangélica a la acción política y rescatar espacios de oración adecuada.

b) Modelo neocatecumenal

Las comunidades neocatecumenales se han multiplicado en pocos años extraordinariamente. Se sitúan entre los movimientos neoconservadores que se manifestaron con especial fuerza en el Sínodo de laicos de 1987. El *camino neocatecumenal* coincide con los colectivos comunitarios que enfatizan la comunicación interpersonal cálida y festiva como reacción a las asambleas masivas, impersonales y aburridas. Su eclesiología se basa en la fuerza del siervo de Yahvé. Poseen una mística propia, contagiosa, entusiástica, que proviene de la palabra de Dios aceptada como don gratuito, salvador y alegre. Su tarea fundamental es la celebración a través de asambleas adecuadas y de grupos de reflexión bíblica. Se da en ellas un notable incremento de vocaciones sacerdotales. Al mismo tiempo que muestran una fidelidad total al papa, tienen de vez en cuando conflictos con algunos obispos.

La intención expresa de estas comunidades es «vivir la Iglesia» a partir de una predicación pascual eminentemente kerigmática (o bíblica), basada en la resurrección de Jesús. El anuncio del mensaje lo llevan a cabo los «apóstoles itinerantes» (de ordinario, un presbítero y dos laicos) en los ambientes parroquiales, para poner en marcha comunidades de unas cuarenta personas, mediante un «camino posbautismal de conversión». Terminan por hacer comunidades propias dentro de la parroquia.

Como su mismo nombre expresa, el énfasis de las comunidades neocatecumenales está puesto en el *neocatecumenado,* entendido como «una pastoral de evangelización y una catequesis permanente de adultos, formando pequeñas comunidades en el interior de la actual estructura parroquial y en comunión con el obispo». Estas comunidades surgen mediante una catequesis de adultos o catecumenado bíblico y litúrgico, sin referencia explícita de lo social. En realidad, el catecumenado es entendido como «amplio proceso» más que como catequesis de adultos. Se basa en el reconocimiento y vivencia de la fe, recibida por el hombre pecador gratuitamente, a la que responde con la oración. De ahí que la escucha de la palabra sea el acto básico en orden a la conversión. Entienden estas comunidades que la palabra de Dios debe ser conocida «según el espíritu, como sabiduría profunda más que con la lógica de la razón». La palabra ha de resonar; hay que darle espacio y tiempo para que germine en el creyente y lo transforme. La evangelización se sitúa preferentemente en el recinto parroquial.

Junto a logros, sin duda evidentes, como es el énfasis de la palabra de Dios, la celebración, la responsabilidad laical, la conversión personal y la generosidad de cada uno sin moralismos estrechos, las comunidades neocatecumenales profesan un culto exagerado a los fundadores [15]. Su catecumena-

[15] Cf. L. A. Luna Tobar (arzobispo de Cuenca, Ecuador), *Carta a Kiko Argüello:* «Alandar», año XI, n. 96, marzo de 1993, 16.

do es a todas luces excesivamente largo (nunca duró más de cuatro años), con tendencias arqueológicas (imitación del catecumenado de Hipólito, cena pascual con cordero, etc.). Al acentuar tanto el don de la fe y la actitud de la escucha, el creyente convertido puede dar cabida a la pasividad con todas las secuelas del subjetivismo e intimismo. Además, Dios habla casi sólo por la Biblia, no por los signos de los tiempos, ni por los acontecimientos sociales, que tienen poco relieve. Interpretan la Biblia de un modo fundamentalista. Se vislumbra en ellas un cierto antirracionalismo religioso a causa del dualismo razón-sentimiento. Parece como si la reflexión fuese un ídolo. En la comunidad no hay discusión ni crítica de ningún tipo, ya sea de dentro o de fuera. Sólo el eco de la palabra de Dios y las consignas del fundador. Al faltar el sentido crítico, se cae en el conformismo estructural.

c) Modelo carismático

Más que un movimiento organizado, el pentecostalismo católico es una renovación de la vida bautismal a partir de una «inspiración» y una «experiencia» [16]. Según ellos, ni protestan ni están en contra de nada, sino que se hallan a favor de la vida en el Espíritu. Su fidelidad a la institución eclesial es ejemplar. Norma y fundamento de estas comunidades o asambleas de oración es la experiencia del Espíritu, que se realiza con el bautismo de dicho don, con el que se reciben tres carismas o frutos: el don de lenguas, el de profecía y el de curación. Los carismáticos consideran el «bautismo con Espíritu» o la «efusión del Espíritu», unión con Cristo, una experiencia gratuita extraordinaria, con frutos duraderos en forma de carisma. Se acentúa la intervención amorosa de Dios mediante su gracia, saboreada en el gozo del Espíritu y hecha presente en la transformación del ser humano. Aunque este movimiento no provoca directamente una huida o una ruptura con el mundo, tampoco se adapta a la realidad social, ya que su expresión y testimonio tienen poco que ver con la realidad mundana. Les preocupa la experiencia de la fe de un modo vivencial, testimonial y directo, sin apenas mediaciones y raciocinios.

Las comunidades carismáticas son, en realidad, grupos o asambleas de oración contagiosa y espontánea, rítmica y sencilla. Se reúnen para adorar, alabar y glorificar al Padre de Nuestro Señor Jesucristo. Según los carismáticos, la asamblea de oración no es una clase de teología, sesión de terapia o seminario social, sino reunión en la que se participa espontáneamente con orden, alegría, amor y paz. Sus miembros son proclives a las manifestaciones externas: levantar las manos, imponerlas sobre la cabeza, aplaudir e incluso danzar. Aunque la asamblea de oración no tiene una estructura fija, de hecho posee algunos elementos básicos: adoración, alabanza y acción de gracias, lectura de la palabra, enseñanza sencilla, testimonios, cantos rítmicos, oración de todos los participantes y peticiones. La facilidad con la que se forman los grupos carismáticos y el influjo que tienen los líderes sobre la asamblea dificultan la caracterización de un cierto tipo de admisión o inserción. De hecho se ingresa en la renovación con facilidad, dada la solidaridad espiritual y el compañerismo personal que hay entre los *hermanos*. Los grupos o comunidades de vida son la base de la renovación carismática. Sus dirigentes son elegidos por todos para un cierto tiempo. Existen tres niveles de coordinación: regional, nacional e internacional.

Se ha hecho notar que en muchos casos la conversión a la renovación carismática significa la pérdida de inserción en movimientos sociales de liberación. Lo que al pentecostal le importa es la persona y la experiencia carismática. Se da una huida del compromiso temporal hacia lo religioso, en detrimento de la presencia activa en el mundo. Se explica esto por el juicio negativo de la realidad social que hacen muchos carismáticos: es un mundo de pecado, puesto de relieve en el alcoholismo, la prostitución, el juego prohibido, las drogas, la delincuencia, etc. Todos estos pecados son fruto de la «acción demoníaca», a la que sólo es posible enfrentarse con la «acción divina». La generosidad en la entrega de muchos pentecostales es admirable, precisamente con gentes que viven la marginación y la pobreza. Pero en última instancia lo que les preocupa es el desarrollo y crecimiento del propio

[16] Cf. Coordinadora Nacional de la R.C.C., *¿Qué es la renovación carismática?*, Sereca, Madrid [2]1991.

grupo religioso, no el cambio de la realidad social; de ahí cierta proclividad al proselitismo a base de mensaje, testimonio y uso de dones milagrosos. Dada la importancia que en el grupo carismático tiene la experiencia religiosa personal y directa, se acentúa enormemente la afectividad. Aunque utilizan los locales parroquiales para sus asambleas, de hecho estos grupos terminan por ser paralelos a la misma parroquia.

10

Los agentes pastorales de la parroquia

La mayoría de los presbíteros diocesanos y una parte de los sacerdotes religiosos despliegan su actividad pastoral en la parroquia que, según el derecho canónico, la tradición recibida y la teología pastoral, tiene funciones complejas y diversas, compartidas actualmente por un grupo más o menos restringido de laicos. En contadas ocasiones, el párroco es un diácono o un laico, hombre o mujer. Pero dada la estructura jerárquica de la Iglesia, notablemente clara en la parroquia, el responsable máximo de esta parcela sigue siendo el presbítero, quien posee el control de todo lo que ahí ocurre. Según la exhortación apostólica *Christifideles laici*, la parroquia es «una unidad orgánica constituida por los ministros ordenados y por los demás cristianos, en la que el párroco –que representa al obispo diocesano– es el vínculo jerárquico con toda la Iglesia particular» (n. 26).

1. La sobrecarga pastoral de los párrocos

Muchos sacerdotes que ejercen su oficio pastoral en la parroquia, especialmente los que sobrepasan la edad de los sesenta años, han vivido tres fases pastorales sucesivas: la *preconciliar,* típica de la Iglesia de cristiandad, en donde se daba todo hecho y dirigido desde arriba; la *conciliar,* que trajo consigo una reforma de prácticas ancestrales y una puesta al día rápida y a veces superficial y precipitada del ministerio presbiteral, que entró rápidamente en crisis; la *posconciliar,* al aceptar los actuales sacerdotes un número mayor de responsabilidades en la parroquia o en varias parroquias, al mismo tiempo que avanzan en edad, con escasas perspectivas de jubilación total, dada la escasez de ordenaciones sacerdotales.

En casi todas las diócesis católicas de Europa, las ordenaciones son muchos menores que las defunciones de presbíteros. En 1961 había en España 25.000 sacerdotes diocesanos, en 1981 eran 23.00 y 20.441 en 1990. Recordemos que las parroquias son 22.488. Si la edad media sacerdotal era en 1982 de 52 años, diez años más tarde es de 64 años, en los umbrales de la jubilación. Mientras que las altas sacerdotales son anualmente unas 50, las bajas rondan las 500, consecuencia del fallecimiento de unos 350 y del retiro, excardinación y secularización de otros 150. El caso en Francia es semejante: por cada 800 sacerdotes que causan baja (defunciones, retiro, secularización) son alta 150. El 85% no son reemplazados. Las leves alzas en ordenaciones desde hace 3 ó 4 años son a todas luces insuficientes.

Muchos sacerdotes se encuentran en la parroquia agobiados, deprimidos, crispados o cansados [1]. Los obispos alemanes han hablado recientemente de una «crisis sacerdotal», distinta de la que siguió a la terminación del Vaticano II, pero no menos aguda [2]. Como en ninguna otra institución eclesial, en la parroquia se detecta claramente el descenso de la práctica religiosa, el envejecimiento de los feligreses practicantes y la disminución del número de sacerdotes, junto a su envejecimiento.

En todo caso, todas esas circunstancias pueden contribuir positivamente al crecimiento de ministros seglares. En estricto rigor no necesita el párroco ser sacerdote. El sacerdocio se requiere para ciertas celebraciones sacramentales como la penitencia y la eucaristía. Evidentemente, el ministerio de presidir una comunidad es neotestamentario y de importancia mayor. La parroquia, en todo caso, ha de dar responsabilidad a los seglares. Puede ser positivo para la promoción laical la escasez de curas, al descender el antiguo grado de clericalización que la parroquia tenía desde los carolingios. Sin olvidar a las religiosas, cuya participación parroquial puede ser, y en algunos sitios lo es, imprescindible.

2. El oficio del párroco

El término *párroco,* de la misma raíz etimológica que parroquia, significa en la Biblia «extranjero residente» o inmigrante, que goza de un estatuto jurídico asimilado al ciudadano judío. Se aplicó más tarde este nombre al presbítero responsable de la parroquia, creada como división de la diócesis. Recordemos que hasta fines del s. III y comienzos del s. IV, cuando se multiplicaron en el mundo rural las comunidades cristianas, el obispo se encargó con su presbiterio de la acción pastoral de toda la ciudad. Los presbíteros celebraban la eucaristía en «iglesias particulares» o comunidades funcionales, en las que se reunían los fieles sin tener en cuenta su lugar de residencia o domicilio. Estos presbíteros, como auxiliares y colaboradores del obispo, fueron los primeros párrocos. En los escritos eclesiásticos primitivos se identificaba el párroco con el presbítero o el pastor. Desde el s. XV, párroco es el sacerdote encargado de la parroquia. A lo largo del tiempo ha variado notablemente la relación pastoral de los párrocos con los obispos. De ser auxiliar y delegado del obispo, pasó el párroco a tener, según el Código anterior, «potestad ordinaria y propia», aunque siempre «bajo la autoridad del obispo».

«Cooperadores de manera principal del obispo –afirma el Vaticano II– son los párrocos, a quienes, bajo la autoridad del mismo, se les encomienda, como a pastores propios, la cura de almas en una parte determinada de la diócesis» (PO 30). Les corresponde el oficio «de enseñar, santificar y gobernar». Enseñar, es decir, «predicar la palabra de Dios a todos los fieles»; santificar su comunidad mediante la «celebración del sacrificio eucarístico» y los otros actos litúrgicos; y gobernar, para lo cual deben «conocer a su propio rebaño» e incrementar «la vida cristiana». Por tanto, en las parroquias hay «un pastor que hace las veces de obispo» (SC 42), con un ministerio misionero y litúrgico. Según el nuevo Código, «párroco es el pastor propio de la parroquia que se le confía, y ejerce la cura pastoral de la comunidad que le está encomendada bajo la autoridad del obispo diocesano, en cuyo ministerio de Cristo ha sido llamado a participar, para que en esa misma comunidad cumpla las funciones de enseñar, santificar y regir, con la cooperación también de otros presbíteros o diáconos, y con la ayuda de los fieles laicos» (c. 519). Por consiguiente, la tarea parroquial canónicamente entendida se ocupa del anuncio de la palabra de Dios en sus diversas formas: evangelización, catequesis, educación cristiana y predicación. Se responsabiliza de la celebración litúrgica, a saber, de la eucaristía, sacramentos y oración popular. Finalmente, también es cometido parroquial el servicio de la caridad. El sacramento celebrado exige en el ministro ordenado un ministerio de iniciación cristiana, de evangelización y de compromiso social [3].

---

[1] Ver el grito de alarma de cincuenta sacerdotes alsacianos que constituyen el *groupe Jonas d'Alsace* en «L'Actualité Religieuse dans le Monde» 111 (1993) 16-17. El grupo de reflexión *Jonás,* al que se han adherido unos 1.500 sacerdotes, nació en 1988 por iniciativa del H. Denis, de la diócesis de Lyón.

[2] Cf. *Priesterkrise: Die deutschen Bischöfe suchen nach Auswegen:* «Herder Korrespondenz» 46 (1992/12) 544-545.

[3] A. Viana, *El párroco, pastor propio de la parroquia:* «Jus Canonicum» 29 (1989) 467-481.

De acuerdo a la tradición sacerdotal heredada, y en consonancia con el Código actual, la pastoral de la parroquia viene determinada en gran medida por «el oficio del párroco», que no es mero lugarteniente o vicario del obispo, sino «pastor propio», ciertamente «bajo la autoridad del obispo diocesano» (c. 519)[4]. Recordemos, empero, que en la Iglesia primitiva estaba habilitado para presidir la eucaristía quien presidía la comunidad. Dicho con palabras de la tradición: quien tiene el poder sobre el cuerpo eucarístico, lo tiene también sobre el cuerpo místico. El nuevo Código mantiene el principio de la unidad parroquial al establecer que en cada parroquia estén como responsables un párroco o un equipo de sacerdotes para dirigir el trabajo apostólico y responder ante el obispo.

Además, dado el pluralismo que existe en la Iglesia –y por consiguiente en la parroquia–, el párroco deberá contar con un consejo de responsables[5]. Por ese motivo, el estilo de vida y de acción del párroco depende de las características de cada parroquia, y al revés. El párroco –en estrecha colaboración con el consejo pastoral de la parroquia– deberá ejercer responsable y equilibradamente las funciones pastorales de la parroquia. Pero de hecho, el talante pastoral del párroco orienta el espíritu de toda la parroquia. Hay párrocos administradores, gestores de sacramentos, predicadores, catequistas, misioneros, liturgos, animadores de grupos, impulsores de caridad y líderes sociales. No olvidemos que el párroco, como cabeza de la comunidad, ha ejercido tradicionalmente dos funciones: hacer presente a Cristo en el ámbito sacramental, con olvido a veces de la participación activa de la asamblea, y ser representante autorizado del obispo en todo el ámbito pastoral, olvidando a menudo su oficio ministerial.

3. La corresponsabilidad parroquial

Cuando la parroquia es grande, o se federan varias parroquias, la responsabilidad es llevada por un grupo de sacerdotes en equipo o solidariamente («in solidum»)[6]. Es aspiración de muchos sacerdotes y necesidad de la misma práctica parroquial. De ese modo se asume mejor el cambio social y la evolución eclesial. El Código de Derecho Canónico dictamina que «si, por escasez de sacerdotes, el obispo diocesano considera que ha de encomendarse el ejercicio de la cura pastoral a un diácono o a otra persona que no tiene carácter sacerdotal, o a una comunidad, designará a un sacerdote que, dotado de las potestades propias del párroco, dirija la actividad pastoral» (c. 517, 2). De este modo se da más autonomía a las comunidades existentes, aunque siempre bajo control sacerdotal.

El pueblo pide sacerdotes disponibles en las parroquias. Incluso el nuevo Código señala que «los fieles tienen derecho a recibir de los pastores sagrados la ayuda de los bienes espirituales de la Iglesia, principalmente la palabra de Dios y los sacramentos» (c. 213). El diaconado permanente de hombres casados no ha sido solución satisfactoria. Las asambleas dominicales en ausencia de sacerdote, muy comunes en aquellas parroquias que no disponen de presbítero, constituyen una solución de emergencia, pero distorsionan eclesiológicamente el ministerio ordenado[7]. Los fieles en comunidad tienen derecho a un presbítero para celebrar dominicalmente la eucaristía. Otro tanto puede decirse del sacramento del perdón, hoy en crisis, entre otros factores, por ausencia de presidencia presbiteral en una comunidad establemente constituida. Por escasez sacerdotal y desarrollo de su propia vocación apostólica, además de los laicos tradicionalmente activos en la parroquia, hay algunos militantes seglares –sin olvidar las religiosas– que se responsabilizan de toda la gestión pastoral parroquial, incluido el servicio litúrgico en relación a bautismos, bodas, atención de enfermos y funerales. A partir de estas nuevas formas ministeriales, se plantean algunos problemas, como la formación pastoral de estos agentes, el desarrollo de la creatividad en libertad, la regulación oficial, etc[8]. En el fondo

[4] Cf. E. Capellini, *L'ufficio pastorale del presbitero nel Codice rinnovato:* «Monitor Ecclesiasticus» 109 (1984) 76-99.

[5] Cf. A. Celeghin, *I responsabili della parrocchia:* «Antonianum» 67 (1992) 67-90.

[6] CIC, c. 517, 1.

[7] Cf. B. Sesboüé, *Les animateurs laïcs. Une prospective théologique:* «Études» 377 (1992) 253-265.

[8] Asamblea Plenaria del Episcopado Francés, *L'Église, com-*

está en proceso de transformación la relación entre ministerio ordenado y no ordenado [9].

4. Los agentes pastorales laicos en la parroquia

Sin duda alguna, las posibilidades de renovación parroquial han procedido del despertar de los laicos cristianos en estos últimos cincuenta años. Los laicos militantes se sienten miembros activos de una comunidad fraternal en la que se comparten los ministerios y los carismas. Intervienen activamente en la parroquia en la medida que se transforma en comunidad de iguales.

El párroco es, de una parte, miembro del *presbyterium;* de otra, es ayudado por laicos. «Los laicos –dice *Christifideles laici*– han de habituarse a trabajar en la parroquia en íntima unión con sus sacerdotes, a exponer a la comunidad parroquial sus problemas y los del mundo», ya que «la parroquia ofrece un ejemplo luminoso de apostolado comunitario» [10]. Pero así como a los laicos se les faculta un amplio acceso al ministerio de la palabra, las disposiciones oficiales son restrictivas para ejercer el ministerio sacramental. De este modo, el sacerdote puede reducirse a hacer lo que el laico no puede: celebrar los sacramentos, con el peligro de que su función sea casi exclusivamente cultual («ad missam»), situación que no casa del todo con las perspectivas presbiterales del Vaticano II. Dicho de otra manera, no es correcto que los ministerios que exigen la ordenación sean ejercidos habitualmente por personas no ordenadas. Si muestran capacidad pastoral, ¿por qué no ordenarlas? Se plantea el delicado tema del celibato, carisma importante ligado en los primeros siglos a la vida monástica y religiosa, y que, con el tiempo, se exigió a todos los presbíteros en la Iglesia latina. Por supuesto, es defendible un presbiterado de personas célibes. Pero hoy se plantea la ordenación de «viri probati», práctica común en la Iglesia antigua. En el Sínodo de 1971 hubo 87 votos a favor de la ordenación de casados frente a 107 que defendieron el celibato para todos los presbíteros. Veinticinco años más tarde, vuelve a plantearse esta cuestión, incluso más agudamente que entonces.

Hasta el Vaticano II, la celebración de los sacramentos correspondía al sacerdote (presbítero u obispo), con dos excepciones: el matrimonio (los esposos pronuncian la fórmula sacramental) y el bautismo en peligro de muerte (matronas y auxiliares sanitarios han bautizado a muchos niños). Prevalecía el criterio de Pío XI, según el cual los laicos no podían hablar y proclamar sacramentalmente en nombre de la *ecclesia.* Al poner de relieve el Vaticano II la eclesialidad de las celebraciones litúrgicas, se ha vuelto a la tradición primitiva: el sujeto de la celebración es la asamblea litúrgica (SC 26-28). P. M. G y distingue dos niveles de eclesialidad en las celebraciones de la Iglesia: el primero corresponde al obispo o al sacerdote que lo representa, como es el caso de los sacramentos de la iniciación cristiana, la eucaristía dominical o festiva, la reconciliación sacramental de penitentes y las ordenaciones. El segundo se refiere a las asambleas dominicales sin sacerdote, funerales, bautismos o casamientos, penitencia privada y celebraciones en el marco de la catequesis [11].

A causa de la transformación de la sociedad, disminución del número de los sacerdotes y renovación ministerial hecha por el Vaticano II, se advierte un lento ascenso de los laicos al ministerio litúrgico –al menos como suplentes– en el bautismo, matrimonio y funerales. La confesión de pecados personales hecha por algunos enfermos a laicos que ejercen un servicio en hospitales, o por jóvenes a seglares en cuanto educadores cristianos, muestra la necesidad de canalizar mejor la gracia de la reconciliación. Sin olvidar el ministerio ejercido por laicos/laicas como presidentes de asambleas dominicales en ausencia de sacerdote. En una palabra, hay animadores laicos en la pastoral, con un oficio permanente basado en la iniciación sacramental, que junto a los presbíteros son también «coopera-

---

munion missionnaire. Le dimanche. La paroisse, Centurion, París 1991, 155-159.

[9] Cf. P. Valdrini, *Fonction de sanctification et charge pastorale:* «La Maison-Dieu» 194 (1993) 47-58.

[10] *Christifideles laici,* n. 26.

[11] Cf. P. M. Gy, *La célébration du baptême, du mariage et des funerailles confiées à des laïcs?:* «La Maison-Dieu» 194 (1993) 13-25.

dores» del obispo, sobre todo en las parroquias. Los obispos, pues, confían ministerios «instituidos» o «reconocidos» a laicos sin los poderes reales de los ministros ordenados, a saber, sin los medios adecuados de acción pastoral [12].

En las parroquias no servidas por un presbítero se presenta agudamente el problema de la presidencia de laicos en las celebraciones sacramentales.

[12] Cf. Cl. Bernard, *De l'urgence d'une réforme du ministère:* «Lumière et Vie» 212 (1993) 101-108.

Evidentemente, los sacramentos no son iguales. Como tampoco es igual el ejercicio efectivo de un ministerio que la investidura sacramental para llevarlo a cabo. «Institucionalizar la diferencia entre los ministerios confiados a los laicos sobre una base jurídica y los conferidos a los sacerdotes sobre una base sacramental –escribe P. De Clerck– es cuestionar los fundamentos profundos de la eclesiología» [13].

[13] P. De Clerck, *Des laïcs ministres des sacrements?:* «La Maison-Dieu» 194 (1993) 45.

11

El consejo pastoral parroquial

La reforma conciliar de la Iglesia hizo surgir diferentes consejos para que se ejerciese la corresponsabilidad eclesial y se fomentase «el concurso de todos» los creyentes en virtud de la sinodalidad. Uno de estos consejos es el parroquial, derivado del consejo diocesano de pastoral. Por esta razón examinaré primero el consejo diocesano. Luego me detendré en el consejo parroquial, creado para fomentar la participación de los feligreses en la comunidad parroquial y en su cometido pastoral, con objeto de transformar la parroquia en una comunidad cristiana viva.

1. El consejo diocesano de pastoral

a) Creación

El decreto *Apostolicam actuositatem* del Vaticano II sobre el apostolado de los seglares alienta la creación de consejos al decidir que «en las diócesis, en cuanto sea posible, deben crearse consejos que ayuden a la obra apostólica de la Iglesia, tanto en el campo de la evangelización y de la santificación como en el campo caritativo, social y otros semejantes; cooperen en ellos de manera apropiada los clérigos y los religiosos con los seglares» (AA 26a). De hecho, el consejo diocesano de pastoral fue creado por el Concilio al decidir que «en cada diócesis se instituya un consejo especial pastoral, al que presida el mismo obispo diocesano, y del que formen parte clérigos, religiosos y laicos especialmente escogidos. Función de este consejo será estudiar y sopesar lo que atañe a las obras pastorales y sacar de este estudio conclusiones prácticas» (CD 27e). «Para lograr una coordinación mejor –dice el decreto sobre la actividad misionera de la Iglesia–, establezca el obispo, en cuanto sea posible, un consejo pastoral en el que participen los clérigos, los religiosos y los seglares por medio de delegados escogidos» (AG 30).

Recordemos que la pastoral de conjunto diocesana responde a tres exigencias: 1) establecer estructuras organizativas intermedias entre la diócesis y la parroquia, denominadas sectores o «zonas sociopastorales»; 2) coordinar todas las energías pastorales diocesanas en una acción común; 3) suscitar en definitiva comunidades cristianas de fe, base de sustentación de la Iglesia.

La entrada en vigor del consejo diocesano se hizo a través del «motu proprio» *Ecclesiae sanctae* (ES) de Pablo VI, fechado el 6 de agosto de 1966 [1]. El episcopado español dio unas «normas orientado-

[1] *Ecclesiae sanctae,* I, n. 16-17; II, n. 4 y 20. Cf. mi trabajo *Consejo diocesano de pastoral,* en *Diccionario abreviado de pastoral,* Verbo Divino, Estella 1988, 103-104.

ras» el 4 de diciembre de ese mismo año [2]. El referido consejo se sitúa en el interior de la curia diocesana con la finalidad de «estudiar todo lo referente al trabajo pastoral, sopesarlo y sacar las conclusiones prácticas, con objeto de promover la conformidad de la vida y actos del pueblo de Dios con el evangelio» [3].

b) Naturaleza

A diferencia del consejo presbiteral, que es «preceptivo» o imperado, el de pastoral es «recomendado», aunque con todo encarecimiento. También se diferencian estos dos consejos en su justificación teológica, ya que el de pastoral se fundamenta en la unidad del pueblo de Dios en virtud del bautismo, mientras que el presbiteral se basa en la unidad de ordenación de los presbíteros por el sacramento del orden. Asimismo, es distinta la finalidad: el presbiteral ayuda al obispo, mediante sus consejos, «en el gobierno de la diócesis» [4]; el pastoral es un consejo técnico-consultivo, cuya actividad se limita al trabajo pastoral, con exclusión de su participación en el gobierno de la diócesis. Finalmente, tienen una estructura diferente, al ser más unitario el presbiteral y más variado en su organización el de pastoral.

Podemos especificar los rasgos del consejo pastoral diciendo que está formado por personas designadas por el obispo o elegidas por diversos sectores, entidades o asociaciones apostólicas. En realidad, no forman parte del mismo por mera representatividad, sino por su experiencia y técnica. Lo preside el obispo y está compuesto por sacerdotes, religiosos y laicos. El número de miembros ha de estar en relación con la importancia de las tareas pastorales diocesanas. Cada tres años se procede a una renovación de sus componentes.

Además, es una entidad estable, con actividades «intermitentes o permanentes». Para un mejor funcionamiento, puede establecerse un «pleno», una «comisión permanente» y un «secretariado general». El pleno se reúne un par de veces al año, la comisión permanente más a menudo.

De otra parte, deben estar representadas en el consejo de pastoral las «zonas» geográficas y los «sectores pastorales» (parroquias, apostolado bíblico, litúrgico y ecuménico, apostolado seglar, espiritualidad, promoción social y caritativa, misiones, emigración, turismo, vocaciones, etc.).

En resumen, el consejo diocesano de pastoral, que tiene voz consultiva como el consejo presbiteral, es un instrumento técnico de trabajo al servicio del obispo y de todas las instituciones pastorales de la diócesis. En esta actividad está incluso subordinado al senado de los presbíteros, que goza de una competencia consultiva más amplia. En todo caso, la duplicidad de dos consejos diocesanos (el presbiteral y el de pastoral) complica la realización del ministerio pastoral. Debiera existir un solo «consejo diocesano» mediante la fusión de los dos consejos actuales.

c) Vitalidad

En el período que va de 1966 a 1969 se crearon en la Iglesia española 27 consejos diocesanos de pastoral, es decir, en casi la mitad de nuestras diócesis [5]. Fue un momento de euforia posconciliar que se hacía visible en las reformas en la Iglesia, en los intentos de democratización en la vida política y eclesial y en los deseos de co-participación de sacerdotes, religiosos y laicos con los obispos en todos los niveles y ámbitos de la pastoral. Sin embargo, comenzó a decaer el entusiasmo de la participación en los consejos poco a poco por diversas causas: crisis de la militancia cristiana seglar producida en 1968; fracaso de la Asamblea Conjunta de

---

[2] Cf. «Ecclesia» del 10.12.1966.

[3] *Ecclesiae Sanctae,* I, n. 16, & 1.3.

[4] Cf. *Estructuras diocesanas posconciliares. Symposium de obispos europeos,* Marova, Madrid 1968; J. Castex, *El consejo de pastoral en las diócesis españolas,* Verbo Divino, Estella 1970; J. E. Schenk, *El consejo del presbiterio y el de pastoral,* Cuadernos de Pastoral, Valencia 1971; P. León y Francia, *Los consejos pastorales, una esperanza para el futuro de la Iglesia,* Paulinas, Madrid 1987.

[5] Cf. T. I. Jiménez Urresti, *Los consejos parroquiales de pastoral en España (1979-1990),* en J. Manzanares (ed.), *La parroquia desde el nuevo derecho canónico* (X Jornadas de la Asociación Española de Canonistas, 18-20 abril 1990), Universidad Pontificia, Salamanca 1991, 217-242.

1971 en sus decisiones pastorales; escasa tradición democrática española, tanto en lo civil como en lo eclesial, etc. Sin olvidar el escaso interés que origina en los adultos su participación en organismos meramente consultivos, sin posibilidad de decisión. No obstante, se produce una cierta reactivación a partir de la promulgación del nuevo Código en 1983. De todas formas, en esta segunda etapa no crece ostensiblemente la vitalidad de los consejos pastorales diocesanos.

2. El consejo pastoral parroquial

a) Creación

Aunque no ha sido instituido directamente por el Vaticano II, el consejo de pastoral parroquial es fruto de la reforma conciliar. Puede decirse que el Concilio insinúa su existencia cuando recomienda que los obispos y párrocos reconozcan los «servicios y carismas» de los fieles, «de tal suerte que todos, a su modo, cooperen unánimemente en la obra común» (LG 30), puesto que los laicos «tienen la facultad, más aún, a veces el deber, de exponer su parecer acerca de los asuntos concernientes al bien de la Iglesia... a través de instituciones establecidas para ello» (LG 37a). Una vez creados los consejos pastorales diocesanos, el decreto *Apostolicam actuositatem* afirma que «estos consejos, si es posible, deben establecerse también en el ámbito parroquial» (AA 26a). El consejo pastoral parroquial se deduce, pues, por analogía del consejo pastoral diocesano.

La alusión oficial explícita al consejo parroquial se encuentra en la carta *Omnes christifideles* de la Congregación del Clero a los presidentes de las conferencias episcopales, del 25 de enero de 1973. Un poco más tarde publicó la Congregación de los Obispos el directorio *Ecclesiae imago* (22.2.1973), en donde se habla del consejo pastoral parroquial. Finalmente, el *Código de Derecho Canónico* sostiene que «si es oportuno, a juicio del obispo diocesano, oído el consejo presbiteral, se constituirá en cada parroquia un consejo pastoral, que preside el párroco y en el cual los fieles, junto con aquellos que participan por su oficio en la cura pastoral de la parroquia, presten su colaboración para el fomento de la actividad pastoral» (c. 536).

b) Naturaleza

Según la Comisión Episcopal de Pastoral de la Iglesia española, el consejo pastoral de la parroquia es «el organismo que intenta realizar la unidad de los sacerdotes, de los religiosos y de los seglares en el ámbito de la comunidad parroquial». Es un equipo de feligreses, elegidos en representación de la comunidad parroquial para colaborar con el párroco en el ministerio pastoral [6]. Se reúnen periódicamente para analizar los asuntos de la parroquia, fomentar la participación de todos los feligreses y llevar a cabo el proyecto pastoral. Es órgano *representativo* de la parroquia y cauce participativo de la misma; es *permanente,* aunque sus miembros se renueven periódicamente; es *consultivo,* aunque algunas decisiones pueden tener valor deliberativo, y es *órgano de estudio y de ayuda* al párroco y a la comunidad [7].

Sus funciones principales residen en conocer la realidad a evangelizar, crear y desarrollar la comunidad parroquial, programar la acción pastoral en cada uno de sus sectores, coordinar todas las tareas, servir de cauce para la reflexión, ser promotor de unidad en todos los niveles y revisar lo programado y realizado.

El consejo parroquial tiene, en primer lugar, funciones de *liderazgo* para evitar el «dirigismo» personalista o autoritarismo clerical del párroco (o de otra persona que hace sus veces) o el «espontaneísmo» de una igualdad pasiva mal entendida. Este liderazgo, con el párroco al frente (CIC can. 536), simboliza el objetivo de la comunidad, ayuda a tomar decisiones, transmite información válida y anima a los miembros de la parroquia. Aunque variable en su composición, estructura y funcionamiento, el consejo parroquial es «permanente».

En segundo lugar, el consejo parroquial tiene funciones de *representación,* al estar compuesto por personas elegidas desde la asamblea parroquial y por los responsables de los diferentes comités o comisiones de pastoral existentes en la parroquia:

---

[6] Cf. A. Borras, *Conseil paroissial et équipe pastorale: deux réalités interchangeables?:* «La Foi et le Temps» 40 (1991) 21-50.

[7] Cf. J. Bestard, *El consejo pastoral parroquial,* PPC, Madrid 1991.

evangelización, catequesis, liturgia, acción social y caritativa, economía, acogida, relación con otras comunidades, juventud, tercera edad, tiempo libre, etc. Forman parte del mismo todos los sacerdotes y diáconos que ordinariamente trabajan en la parroquia, así como una representación de los religiosos y religiosas que colaboran en las tareas pastorales locales. Los miembros del consejo han de ser personas con sentido crítico, capacidad organizativa, representación popular, cercanía a los problemas reales, mínima preparación cristiana y preocupación evangelizadora.

En tercer lugar, el consejo parroquial tiene funciones de *planificación*, en el sentido de que ayuda a conocer la realidad de la parroquia, concretar los objetivos pastorales anuales, programar la acción pastoral de conjunto, seguir de cerca los acontecimientos, revisar cometidos, aprobar el presupuesto económico y asegurar la formación permanente. Es impulsor de la evangelización y animador de la acción pastoral [8].

c) Composición

Ordinariamente, el consejo parroquial está compuesto por el párroco y los sacerdotes y diáconos con cargo parroquial, si los hubiera; representantes de las comunidades de religiosas de vida activa sitas en la parroquia y representantes laicos de los comités o comisiones parroquiales de acción pastoral. La mayoría de sus miembros son seglares, cuyo número puede oscilar entre 10 y 15. Al elegirlos, se tiene en cuenta el equilibrio de sexo, edad, nivel cultural, ocupación y lugar de residencia. Cuando son muchos sus componentes, se distingue entre el «pleno» (todos sus miembros) y la «permanente» (un núcleo reducido de personas). Se reúne el consejo varias veces al año. El secretario levanta acta de cada sesión, cursa las citaciones y envía a los consejeros todos los acuerdos. La mitad de sus miembros se renueva cada dos años.

[8] Cf. J. Gago, *Orientaciones para promover los consejos pastorales parroquiales (CPP):* «Lumieira» IV (1989) 251-260.

d) Vitalidad

Los dos tercios de las 65 diócesis españolas han creado consejos pastorales parroquiales en aproximadamente la mitad de sus parroquias. Según encuestas hechas en 1977 y 1989, los consejos parroquiales de pastoral tienen dificultades para empezar y ejercer su función: hay escasa formación en sus miembros, no es fácil conjuntar diversas personas, se dan protagonismos y rivalidades, es difícil centrar la pastoral de la parroquia, no se sabe elegir bien a su miembros y se entiende mal el mismo carácter del consejo [9]. A pesar de todo, se advierte un cierto avance en estos últimos años, sobre todo en parroquias renovadas [10]. La exhortación apostólica *Christifideles laici* hace una llamada de atención a la «valoración más convencida, amplia y decidida de los consejos pastorales parroquiales» (n. 27c).

e) Constitución

Para constituir el consejo por primera vez o rehacerlo dinámicamente es conveniente empezar por un pequeño grupo de creyentes básico, activo, abierto y representativo. En una convivencia adecuada se trazan sus líneas fundamentales y se comienza, aunque sea con una cierta provisoriedad. El consejo se forma después que haya en la parroquia un cierto espíritu comunitario, es decir, cuando se establezcan algunos «cursillos de sensibilización pastoral» y surjan determinadas comisiones. En todo caso, el primer consejo parroquial ha de ser transitorio o provisional: hace de gestor o coordinador. Todo consejo parroquial deberá elaborar su propio estatuto o reglamento, de acuerdo a las normas nacionales y diocesanas existentes que regulan su composición, nombramientos, competencias y funcionamiento, según las dimensiones de la parroquia y su grado de madurez pastoral.

[9] T. I. Jiménez Urresti, *Los consejos parroquiales de pastoral* ..., o. c., 224-230.

[10] Cf. L. Voyé, *Les conseils presbytéraux et pastoraux diocésains. Quelques réflexions critiques,* en L. Voyé, *La Belgique et ses dieux,* s. l., Cabay 1985, 233-253.

III

TAREAS BASICAS PARROQUIALES

12

La evangelización a través de la parroquia

El impulso misionero de la Iglesia y la secularización acelerada de la sociedad en estas últimas décadas han suscitado la preocupación por la evangelización [1]. Esta prioridad pastoral ha llegado también a la parroquia, institución poco adaptada para este menester. Sin embargo, «el estado actual de las cosas –dijo el Sínodo de Obispos sobre los laicos de 1987– pide urgentemente que las parroquias sean verdaderamente misioneras, que anuncien el evangelio de Cristo a los no creyentes y también a los bautizados que no viven asiduamente una auténtica vida cristiana; y los atraiga a una vida plena cristiana personal, familiar y comunitaria» [2]. La parroquia ha de evangelizar por toda clase de medios propios, especialmente a través de la catequesis, liturgia y compromiso de caridad.

1. ¿Evangelizan nuestras parroquias?

El documento final del congreso *Parroquia evangelizadora* (Madrid, 1988) afirma que en general las parroquias españolas (22.488) carecen de proyección misionera y que son poco o nada atractivas a los alejados. Tan sólo un 10% a un 15% están en línea evangelizadora; un escaso 8% se preocupa seriamente por los alejados. Un 30% ofrece, a lo más, signos misioneros, en tanto que un 55 o 60% no tienen ninguna proyección evangelizadora. La insuficiencia misionera de la parroquia se debe a diversas razones: el cometido parroquial se centra en tareas intraeclesiales con olvido de la misión en el mundo; no hay suficiente dimensión comunitaria ni corresponsabilidad de los bautizados; hay demasiados comportamientos hoscos y distantes, anclados en lo burocrático y legalista. «En su conjunto –afirma la primera ponencia del citado congreso–, la actividad que se realiza hoy en nuestras parroquias aparece muy centrada en la vida interna de la misma comunidad, replegada sobre los servicios y la atención a los practicantes, con una pérdida de dinamismo evangelizador y de presencia evangelizadora en la sociedad» [3].

Hay quienes creen que la parroquia evangeliza celebrando bien la liturgia. Otros piensan que evangeliza por medio de la preparación de los sacramentos, sobre todo en los cursillos prebautismal y prematrimonial. No faltan quienes, al identificar la catequesis con la evangelización, piensan que ejercen la misión por medio de la educación de la fe,

[1] Cf. mi libro *Para comprender la evangelización*, Verbo Divino, Estella 1993.

[2] Proposición 11, e.

[3] Congreso *Parroquia evangelizadora*, Edice, Madrid 1989, 91.

centrada sobre todo en la edad infantil. «Si la conversión es un proceso de la vida –se pregunta B. Bravo–, ¿hasta qué punto estas prácticas evangelizadoras de la parroquia están insertas en el proceso de la vida? ¿Podemos afirmar que esta estructura evangelizadora que generalmente usamos es capaz de iniciar y mantener procesos de conversión en las gentes?» [4]. Al estar la parroquia centrada en la dimensión sacramental, no en la conversión personal o en la evangelización liberadora, difícilmente será mediadora de evangelización, incluso a través de la liturgia. Basta observar las funciones sacramentalistas y escasamente catecumenales que tienen los sacramentos de la iniciación en nuestras parroquias, en gran medida debido a la escasez de comunidades vivas cristianas insertas en el tejido social.

2. La evangelización parroquial a través de la catequesis

La acción evangelizadora de la parroquia se desarrolla, no tanto con los alejados, cuanto con los que vienen a la Iglesia. Se intenta evangelizar a través de la educación de la fe. De hecho, este ministerio es primordial en el 56,2% de nuestras parroquias. Sin embargo, casi todo el trabajo catequético se dirige a los niños y adolescentes, no a los adultos. Según la ponencia primera del congreso *Parroquia evangelizadora* de 1988 («análisis sociológico-pastoral de nuestras parroquias desde la perspectiva de la evangelización misionera»), en las parroquias existe preocupación evangelizadora con ocasión de «preparar a los sacramentos»: a los padres en el bautismo y primera comunión de sus hijos, y a los novios en su cursillo prematrimonial [5]. Con todo, el resultado evangelizador de los cursillos prebautismales y prematrimoniales es exiguo. Más efectivo es el de la preparación a la primera comunión. De hecho, son pocos los adultos que con esa ocasión sacramental quieren ser cristianos de veras. La razón, en principio, es sencilla: no acuden los padres del bautizando o los novios al cursillo presacramental para ser cristianos, sino para cumplir con un requisito previo pastoral; pretenden recibir para su infante o para ellos mismos un sacramento, no la palabra de Dios.

La catequesis parroquial de los jóvenes se polariza en la preparación de la confirmación, cuyos resultados son escasos, ya que son muy pocos los jóvenes que se incorporan activamente a la parroquia una vez confirmados. No se logra suscitar en ellos una fe adulta. Evidentemente, la catequesis de adultos no se ha desarrollado suficientemente en la mayoría de las parroquias.

3. Los logros evangelizadores de la liturgia parroquial

a) Por medio de lo sacramental

La liturgia parroquial tiene en cuenta dos destinatarios: la feligresía habitual de practicantes dominicales y los practicantes ocasionales, no creyentes o escasamente cristianos, que por una u otra razón están presentes en una celebración parroquial. Respecto de las eucaristías dominicales de las parroquias, la encuesta del congreso *Parroquia evangelizadora* dice que se preparan «mucho» (en el 14,5% de nuestras parroquias) o «bastante» (el 57%). La mitad de los asistentes salen contentos y un tercio satisfechos. Se advierte incluso que decrece la práctica por mero cumplimiento y aumentan los cristianos practicantes que buscan a Dios en un clima de fraternidad. Pero no se deduce con claridad que se evangelice en el culto. Nuevamente es preciso recordar que los asistentes van a misa a comulgar el cuerpo de Cristo, no a comulgar con el mismo fervor la palabra de Dios.

El estudio de la Fundación Santa María, *Religión y sociedad en la España de los 90,* cifra la asistencia a la eucaristía dominical en el 30% de los españoles, de los cuales un 21% asiste a misa todos los domingos; el 17% asiste sólo en las grandes fiestas [6]. Entre 1970 y 1990, la quinta parte de los espa-

---

[4] B. Bravo, *Cómo revitalizar la parroquia,* México 1985, 5.

[5] Cf. Congreso *Parroquia evangelizadora,* Edice, Madrid 1989, 51-92. La fuente principal del análisis sociológico de este congreso proviene de 1.419 respuestas, correspondientes a otras tantas parroquias (el 6,3% de las existentes en España), en relación a un amplio cuestionario de 102 preguntas cerradas.

[6] Cf. P. González Blasco y J. González-Anleo, *Religión y sociedad en la España de los 90,* Fundación Santa María, Madrid

ñoles han pasado de considerarse católicos a sentirse indiferentes. Los católicos practicantes, en esos veinte años, han descendido del 64% al 27%, al paso que los católicos no practicantes se han duplicado: del 9% al 19%. Al analizar las razones del alejamiento cultual, se deduce que muchos no van a misa por razones *religiosas* (falta de fe o de interés religioso), *eclesiales* (desconfianza en la Iglesia y en los curas o desacuerdo con ciertas posturas morales y políticas de la Iglesia) o *sociales* (circunstancias de la vida). Entre los 30 y 35 años de edad se produce el máximo alejamiento de la práctica religiosa. El desinterés religioso lo tiene el 40% de los bachilleres y universitarios. La mitad de los católicos poco o nada practicantes piensan que la asistencia esporádica a la eucaristía no influye en su vida personal. En cambio, la práctica eucarística es valorada positivamente por los practicantes habituales, ya evangelizados de algún modo. Con todo, no olvidemos que, según el citado estudio sociológico, la práctica religiosa no desciende numéricamente «por causas ideológicas» o «por discontinuidad con el pensamiento social de la Iglesia», sino porque «importa poco lo religioso; no se lo ve útil, y se valora más el descanso, el ocio» [7]. Según la encuesta *Juventud en España 1992,* más de la mitad de los jóvenes españoles se consideran «católicos no practicantes». Entre los que dicen practicar, son mayoría los que acuden a misa todos los domingos [8].

Respecto de la *penitencia,* advirtamos la caída espectacular de la confesión, en parte por la crisis del sistema sacramental heredado y en parte por el cambio drástico de la conciencia de pecado; su posibilidad evangelizadora es restringida. Algunos párrocos optimistas piensan que se educa suficientemente a los fieles en el sentido del pecado, en la exigencia de la conversión y en la alegría de la reconciliación. El *bautismo* es considerado mayoritariamente como «costumbre», mientras que la *confirmación* recaba escasa atención a pesar de los esfuerzos pastorales hechos en este sacramento de la iniciación. Sus posibilidades evangelizadoras con los alejados son escasas; pueden serlo con quienes celebran la iniciación con fe y compromiso. El *matrimonio* por la Iglesia ha sufrido las consecuencias de la secularización y del rechazo institucional. Salvo en los casos comunitarios y testimoniales, la celebración del matrimonio es frecuentemente «casamiento civil por la Iglesia»; así difícilmente será medio de evangelización. En el caso de la *pastoral de la enfermedad y de la muerte,* la eficacia evangelizadora no proviene tanto del sacramento celebrado, cuanto del «acompañamiento» que se hace al enfermo o de la atención pastoral prestada a la familia del difunto. La unción de enfermos se practica y se valora poco. Recordemos asimismo que el fenómeno humano de la muerte ha sufrido una intensa secularización, aunque la mayoría de los católicos españoles desean un entierro con ritos cristianos. Claro está que aquí intervienen las decisiones familiares y la costumbre.

1992. Ver asimismo A. de Miguel, *La sociedad española 1992-1993,* Madrid 1992.

[7] Ibíd., 242.

[8] Instituto de la Juventud, *Informe Juventud en España 1992,* Madrid 1993.

b) Por medio de la homilía

La homilía es parte integrante de la acción litúrgica. No es una pieza autónoma separada de la celebración, ni la celebración cobra sentido pleno sin la homilía. Al ser un elemento litúrgico de libre composición, la homilía corre tantos riesgos como posibilidades tiene de deslizamientos. En algunos estudios recientes sobre la homilía suele encontrarse un apartado final que abarca el juicio de los laicos, ordinariamente negativo, sobre su experiencia como oyentes de predicaciones [9]. Es un hecho repetido y contrastado que la mayor parte de las homilías correspondientes a las misas dominicales son calificadas por los seglares de «largas», «vacías», «aburridas», «anacrónicas», «sin comunicación», etc. [10]. Da la impresión de que la predicación resulta ineficaz en muchos casos. Otras veces, en cambio, se mide la calidad de la celebración por el valor de la homilía. Según la encuesta del congreso *Parro-*

[9] Cf. C. Floristán, *Teología Práctica,* Sígueme, Salamanca [2]1993, cap. 28: La predicación, 543-545.

[10] Cf. Cl. J. Nesmy, *La parole aux laïcs. Enquête sur la réforme de la messe,* París 1966; T. Cabestrero, *Los seglares juzgan nuestras homilías:* «Misión Abierta» 65 (1972) 104-116; J. Aldazábal, *¿Funciona la comunicación en nuestras celebraciones?:* «Phase» 107 (1978) 459-478.

quia evangelizadora, casi la mitad de los asistentes (un 45,7%) piensa que las homilías dominicales están alejadas de la vida; otros (un 47,8%) creen que no convencen a pesar de las ideas interesantes desgranadas. Un tercio largo opina que son excesivamente largas, mal dichas y con escaso contenido religioso. Para una amplia mitad de practicantes asiduos, sin embargo, la predicación dominical les hace pensar y les sirve de gran ayuda religiosa. En este caso, la predicación es catequizadora e incluso evangelizadora.

La homilía misionera ha de tener rasgos propios. En primer lugar, ha de ser genuina homilía, en el sentido de fundamentarse en la misma palabra de Dios proclamada; ha de interpretar las señales salvadoras de Dios bajo el velo de los símbolos y ha de discernir los signos de los tiempos en los acontecimientos de la vida. Para que la homilía despierte la fe en un sentido evangelizador, ha de ser testimonial por parte del que la pronuncia, ha de gravitar sobre el kerigma cristiano y ha de interpretar evangélicamente la conciencia de los participantes [11].

Algunos afirman que los predicadores no están adaptados a la vida, que su lenguaje abstracto y artificioso no es el lenguaje concreto y directo actual. Otros creen que la predicación tiene escaso contenido bíblico y litúrgico, y vagas referencias a los problemas sociales que vive el pueblo. Por una parte, no se incide en los hechos de vida; por otra, no se arranca de los hechos de salvación. En definitiva, hay ausencia de lo concreto y real, sea bíblico o actual. Además, al juzgar la forma de predicar se observa que, si hay claridad, falta profundidad; pero si existe profundidad, no se muestra la inteligibilidad. Al menos, muchos oyentes buscan y exigen de la homilía que sea «interesante» (por el contenido), «agradable» (por el tono), «fidedigna» (por su capacidad de convicción), «clara» (por su desarrollo) y «breve» (no más de diez minutos) [12].

[11] Cf. *Cómo predicar la palabra de Dios en el hoy de las comunidades:* «Sal Terrae» 66 (1978/3).

[12] O. Schreuder, *La mayoría silenciosa:* «Concilium» 131 (1978) 39-48.

En resumen, las quejas más frecuentes respecto de las homilías se reducen a que son de larga duración, no tienen en cuenta el auditorio, se predica poco y mal el evangelio, hay inflación exhortatoria de tipo moral y se habla con excesiva autoridad. Los predicadores no preparan suficientemente la homilía por negligencia, falta de tiempo, ignorancia bíblica, falta de instrumentos de trabajo y dificultad de los textos bíblicos [13]. Con todo, los participantes en la misas dominicales admiten de buen grado la homilía, incluso como una de las mejores formas de comunicación religiosa. Sin duda, es un logro de la reforma litúrgica conciliar. Pero no es fácil saber qué esperan los oyentes de la homilía o para qué les sirve la predicación. Probablemente lo que los fieles esperan de la predicación constituye un amplio abanico, que en última instancia dependerá de sus convicciones de fe, niveles culturales, opciones políticas, sentido eclesial y actitudes clericales o anticlericales. La diferencia de actitud ante la homilía proviene fundamentalmente del modo de entender la autoridad en la Iglesia, según sean los oyentes de la homilía dóciles o críticos. También puede provenir del mayor o menor grado de integración que se tiene con la asamblea. Hay quienes lo aceptan todo y quienes no admiten casi nada.

La asamblea dominical es un grupo heterogéneo. El papel integrador de la homilía es básico para responder, no sólo a las exigencias de la misma predicación, sino a la pluriformidad que se da en los oyentes. La composición abigarrada de la asamblea eucarística dominical entraña una multiplicidad de actitudes y presupuestos difíciles de expresar. Ha disminuido notablemente la asistencia masiva a misa, pero se da en algunas parroquias un progreso cualitativo nada despreciable. Disminuyen los practicantes rutinarios de mero cumplimiento y persisten o aumentan los que exigen autenticidad al descubrir las virtualidades de la misma celebración. Este tránsito facilita el acto de la predicación y su función evangelizadora, cuyas luces y sombras se manifiestan más ostensiblemente que antes.

[13] G. Fontaine, *Pastorale liturgique:* «La Maison-Dieu» 162 (1985) 36.

4. La liturgia parroquial como medio de evangelización

Ante el panorama real de un pueblo participante en el culto sin fe personalizada, inmaduramente convertido y superficialmente educado o instruido, recurrimos con demasiada facilidad a usar la liturgia como ocasión de evangelización, catequesis o compromiso social. Nos cuesta creer que la liturgia bien celebrada evangeliza (acudimos al culto con grandes zonas de increencia), catequiza (somos incipientes catecúmenos toda la vida) y compromete (el compromiso de los creyentes radica en la causa de Jesús de Nazaret, elevado a Señor del reino por su tránsito pascual). Hoy se admite casi unánimemente que la evangelización ha de poseer entrañas de sacramentalidad (el cristianismo es un universo simbólico), si no quiere reducirse a una tarea ideologizadora. También se advierte que la celebración no es mera ocasión de evangelización, sino el mismo acto evangelizador sacramentalmente celebrado. Todo el culto dimana de la Iglesia, sacramento de salvación [14]. Si los sacramentos son signos de Jesucristo, deberán ser asimismo signos de liberación histórica o signos de la causa de Jesús, contenido y quehacer, por otra parte, de la evangelización. En resumen, la buena noticia que anuncia la evangelización es el centro y corazón del sacramento, ya que los sacramentos son signos de la misma palabra o buena nueva que anuncia la evangelización. El binomio evangelización-sacramentalización se fundamenta en la concepción de la Iglesia como sacramento.

Evidentemente, las liturgias vivas celebradas en asambleas cristianas con sensibilidad misionera sirven de ayuda imprescindible a los practicantes habituales. Puede decirse que la liturgia comunitaria mantiene la fe de los ya evangelizados e incluso la reaviva. Dicho de otro modo, evangeliza a los convertidos, es decir, les ayuda a seguir siendo cristianos. Pero la liturgia parroquial, en general, no favorece la conversión de los alejados que por una u otra razón están presentes en el culto. No despierta su fe dormida o ausente porque no atrae suficientemente el interés de estos practicantes esporádicos u ocasionales, ya que están presentes en las celebraciones parroquiales por razones sociales, familiares o de amistad. De ordinario, al no asistir por motivos religiosos, difícilmente se encuentran en disposición de ser evangelizados.

5. La evangelización a través de la religiosidad popular

La mayor parte de nuestro pueblo practicante no está presente en las eucaristías dominicales ni en los grupos de renovación o comunidades eclesiales de base, sino que se hace presente en el culto que celebra la Iglesia en determinados días: miércoles de ceniza, procesiones de semana santa, visitas a los cementerios el día de los difuntos, asistencias esporádicas en algunas fiestas patronales y participación en eucaristías de peregrinaciones y santuarios. Ciertamente, el pueblo ha hecho suyas algunas de estas fiestas.

Las posibilidades evangelizadoras a través del catolicismo popular, tal como hoy se practica, no son fáciles. Para evangelizar no basta con cuidar la devoción e incluso la oración: es necesario, según el Documento de Puebla (P 459), que haya referencia explícita a la palabra de Dios, se suscite un régimen comunitario y se conecte la celebración con el reino de Dios y su justicia. En resumen, debe proclamarse el evangelio y celebrarse lo más explícitamente posible el mensaje cristiano.

De todas formas, la religiosidad popular, al mismo tiempo que debe ser evangelizada, es capaz a su manera de evangelizar porque su sujeto es el pueblo de los pobres, inmerso de un modo natural en el mismo evangelio [15]. «La religión del pueblo –afirma Puebla– es vivida preferentemente por los pobres y sencillos» (P 320). Las masas están en la religiosidad popular por su «capacidad de congregar multitudes» (P 322). «La Iglesia logra esa amplitud de convocación de las muchedumbres en los santuarios y fiestas religiosas. Allí el mensaje evangélico tiene una oportunidad no siempre aprovechada

[14] C. Floristán, *La liturgia, lugar de educación de la fe:* «Concilium» 194 (1984) 93.

[15] Cf. L. Maldonado, *La religiosidad popular y su dinamismo evangelizador:* «Phase» 190 (1992) 333-340.

pastoralmente de llegar al corazón de las masas» (P 322).

La religiosidad popular evangeliza en la medida que incultura la fe del pueblo, ya que llega a lo más medular de la cultura popular, constituida –según L. Maldonado– por el mundo de los valores, los símbolos, las tradiciones, las creencias, las reglas sociales, las normas de convivencia, las habilidades y las artes del saber-hacer. Es evangelización por impregnación. El sujeto popular evangelizado recibe una orientación básica respecto del dolor, la alegría, el prójimo, la muerte y la vida. La revelación de Dios es acogida por el pueblo sencillo en la religiosidad popular; de este modo son evangelizados popular y religiosamente los pobres, cuyos ritos giran en torno al binomio muerte-vida y enfermedad-salud [16].

6. Imperativos de una liturgia evangelizadora

a) La liturgia es expresión de la fe

La liturgia es «misterio de la fe» [17]. El objetivo último que posee la evangelización es el de suscitar la fe en Jesucristo y la conversión a su evangelio. Para reconocer que la Iglesia nace de la acción evangelizadora de Jesús y que debe evangelizarse continuamente a sí misma, celebra la liturgia y ahí proclama la fe. «La finalidad de la evangelización –afirma *Evangelii nuntiandi*– es precisamente la de educar en la fe de tal manera que conduzca a cada cristiano a vivir y no a recibir de modo pasivo o apático los sacramentos como verdaderos sacramentos de la fe». En resumen, la liturgia es celebración del misterio pascual de Cristo o del tránsito de este mundo al Padre, que es, a su vez, objeto básico de la fe cristiana y de la evangelización. Por eso la evangelización se convierte en expresión de la fe.

b) La liturgia ha de ser genuinamente cristiana

Para que la liturgia sea fuente de misión y ejercicio de evangelización ha de ser auténticamente cristiana. De hecho, algunas liturgias bien celebradas evangelizan a eventuales increyentes o indiferentes presentes en el culto y catequizan a creyentes inmaduros en el evangelio o rudos en la fe.

Para que la liturgia cumpla estos objetivos ha de ser, en primer lugar, *liberadora* en su dimensión personal y social al estar encarnada en la realidad histórica. Todo sacramento, y en especial la eucaristía, es signo de la proximidad del Dios de la alianza más que señal de la distancia sagrada que separa al hombre pecador del Dios presente en las hierofanías del templo. Jesús pasó por el mundo anunciando la buena nueva, liberando a pobres y marginados, curando a enfermos y, en definitiva, haciendo el bien. La acción litúrgica deberá ser tránsito o paso de Jesucristo en el aquí y ahora de la asamblea.

En segundo lugar, la liturgia debe ser *popular* por su inculturación en el pueblo. Muy antiguo es el divorcio entre liturgia oficial y catolicismo popular. Hemos olvidado que el término liturgia abarca etimológicamente pueblo y acción. La liturgia es acción (celebrativa) del pueblo (creyente) o actualización real de la pascua bajo expresiones simbólicas y lenguaje bíblico. A la hora de trazar un balance posconciliar, los liturgistas están de acuerdo en reconocer el exceso de verbalización en el culto y la escasez de adaptaciones a la cultura del pueblo. La liturgia renovada no es suficientemente popular.

En tercer lugar, la liturgia ha de ser *interpelante* por su mensaje evangélico de conversión y su estructura básica dialogal, comunión entre Dios y la comunidad de salvación para la celebración de la alianza. La celebración se desarrolla en tres tiempos: 1) la liturgia de la palabra kerigmática, profética y evangelizadora (el Espíritu manifiesta a Cristo); 2) la plegaria o epiclesis como palabra oracional (el Espíritu transforma en Cristo lo que la Iglesia le presenta), y 3) la comunión, gesto simbólico o acción cultual (Cristo es comunicado al creyente, o el creyente entra en comunión con la acción de

---

[16] Cf. D. Irarrazabal, *Religión popular,* en I. Ellacuría y J. Sobrino (eds.), *Mysterium liberationis,* Trotta, Madrid 1990, II, 345-375.

[17] *Evangelii nuntiandi,* n. 47.

Cristo)[18]. Especialmente evangelizador es el primer momento de la liturgia, constituido por la palabra, el canto y la oración.

c) *La liturgia evangeliza «mistagógicamente»*

Según el *texto-base* del Congreso Eucarístico de Sevilla, «para los que participan sinceramente en la eucaristía, ésta contiene, por su estructura y dinámica, por su sentido y contenido, por su fuerza transformadora y su vida, un auténtico *capital evangelizador,* en el que confluyen y del que dependen todas las acciones evangelizadoras extraeucarísticas» (n. 14)[19]. Ahora bien, la evangelización por medio de la liturgia es necesariamente *mistagógica,* ya que «la liturgia cristiana –escribe L. M. Chauvet–, al desarrollarse según las leyes particulares de la *ritualidad,* funciona de manera eminentemente simbólica»[20]. Recordemos que la liturgia es precisamente *urgia*/acción y no *logia*/discurso. La proclamación de la palabra en el acto litúrgico es un acto doxológico y propiciatorio, histórico y trans-histórico, dramático y ceremonial, personal y comunitario, que suscita memoria, esperanza y compromiso. «No debe olvidarse –afirma el nuevo *Ordo Lectionum–* que la palabra divina leída y anunciada por la Iglesia en la liturgia logra su fin en el sacrificio de la Nueva Alianza y en el festín de la gracia, que es la eucaristía». Para que esto se logre es necesario que la proclamación de la palabra en la asamblea sea justamente una actualización sacramental del mismo acto evangelizador.

---

[18] Cf. L. Maldonado, *La celebración litúrgica,* en D. Borobio (ed.), *La celebración de la Iglesia,* I. *Liturgia y sacramentología fundamental,* Sígueme, Salamanca 1985, 231-237; A. Houssiau, *Le service de la Parole:* «Questions liturgiques» 65 (1984) 203-212.

[19] Texto-base, o. c., 129.

[20] L. M. Chauvet, *La dimension biblique des textes liturgiques:* «La Maison-Dieu» 189 (1992) 143.

13

La iniciación cristiana en la parroquia

Además de la iniciación cristiana de los niños, le incumbe a la pastoral parroquial la iniciación y reiniciación de jóvenes y adultos [1]. Ciertamente, cualquier edad es buena para ser cristiano, pero no se es sin experiencia de fe comunitariamente vivida, testimonialmente expuesta y sacramentalmente celebrada. La iniciación es entrada en la vida cristiana, en la experiencia de una conversión continua y en el proyecto universal de Dios [2]. En unos casos, la iniciación sigue al bautismo; en otros, le precede. De una u otra manera, la iniciación/reiniciación es un cometido pastoral decisivo en la parroquia, ya que en su entorno hay muchos increyentes e indiferentes, y en su interior no faltan feligreses escasamente evangelizados e incluso convertidos sin catequizar suficientemente.

1. La función de iniciar en la fe

Catecumenado es el proceso de iniciación a la fe y a la vida cristiana mediante el misterio del evangelio, la dinámica comunitaria y la regeneración sacramental. Al final del itinerario, el bautizado reconoce a Dios, tal como se ha revelado, no como un Dios todopoderoso o dueño supremo, sino como un Dios al que la Iglesia invoca como Padre, Hijo y Espíritu. Al nombrar a Dios como Padre, descubrimos que somos hijos de Dios; al descubrir la Iglesia de Cristo, la contemplamos como fraternidad fundada en la Trinidad de Dios, y al confesar al Dios Trino como Dios del amor, aceptamos el dinamismo del doble mandamiento. La confesión de fe trinitaria, previa al gesto bautismal –igualmente trinitario–, es la base de la iniciación. Dicho con otras palabras, el núcleo central de la iniciación cristiana es éste: Dios, como Padre, nos invita por medio de Jesucristo, su Hijo y nuestro Señor, a acoger en nosotros su Espíritu, para que seamos, a todos los efectos, hermanos en la Iglesia y en el mundo. Por consiguiente, tenemos acceso al Padre, en el Espíritu, por Cristo (Ef 2, 18).

«La iniciación –afirma L. M. Chauvet– no es del orden de transmisión de un saber intelectual; es pedagogía de entrada en un misterio» [3]. Es un proceso progresivo y global para que los iniciados se apropien de los valores eclesiales de la comunidad. Este proceso o itinerario se articula en cuatro polos: la

---

[1] Cf. C. Floristán, *Para comprender el catecumenado,* Verbo Divino, Estella 1989; id., *El catecumenado,* en *Teología Práctica,* Sígueme, Salamanca 1991, 459-476.

[2] Cf. el número especial sobre *L'initiation chrétienne:* «Croissance de l'Église» 108 (1993).

[3] L. M. Chauvet, *Les sacrements de l'initiation:* «Croissance de l'Église» 108 (1993) 40.

palabra de Dios, la conversión, la oración/celebraciones y la vida en Iglesia [4].

La catequesis fue en el catecumenado primitivo un elemento fundamental [5]. De hecho, la enseñanza cristiana primitiva fue catequesis y, en concreto, catequesis bautismal. En primer lugar, equivalía a la exposición inicial y completa del misterio cristiano, como puede comprobarse en la composición de los símbolos de fe que las Iglesias locales utilizaban como programas básicos de sus instrucciones catecumenales. En segundo lugar, estaba en relación con el bautismo; era iniciación integral al contenido de la fe o a la existencia cristiana. Finalmente, se entendía como catequesis dogmática, moral y litúrgica en correspondencia a la preparación doctrinal, espiritual y sacramental de los catecúmenos. Lo específico de la catequesis de iniciación es su relación con la conversión, su propósito de transmitir las primeras palabras de fe y su vinculación con una comunidad cristiana [6].

2. Los modelos de iniciación cristiana

Los ritos de la iniciación se han sucedido y se suceden de distinta manera en las diversas Iglesias. Los ortodoxos confieren a los infantes el bautismo y la crismación (confirmación), a los que se une la eucaristía en la misma celebración o unos días después, mediante la participación del infante en el cáliz. No conciben que la primera comunión preceda a la confirmación. Los protestantes sólo valoran sacramentalmente el bautismo y la eucaristía, aunque conservan un rito de opción cristiana, de renovación bautismal o de confirmación en los comienzos de la vida adulta. En la Iglesia católica se dan hoy dos modelos de iniciación: de los niños y adolescentes y de los jóvenes y adultos.

a) Iniciación de niños y adolescentes

Este modelo corresponde a la cristianización mediante la *tradición familiar,* propia de los países en los que se implantó la cristiandad [7]. Los hijos hacen suya la religión de los padres. Comienza con el bautismo del infante o recién nacido, al que sigue la catequesis de los niños, para terminar con la primera comunión hacia los 8 ó 10 años. La confirmación se ha retrasado recientemente a la edad de la adolescencia o juventud, precedida de una catequesis más o menos adecuada.

Generalmente, la parroquia promueve únicamente este tipo de iniciación. Sus resultados son muy diversos: se logran en ciertos casos cristianos convencidos, pero la mayor parte no hacen suya personalmente la fe ni se interesan de veras por el evangelio. Este tipo de iniciación exige hoy dar prioridad a la evangelización, tener presente la unidad de la iniciación e iniciar en la comunidad y con la comunidad [8].

b) Iniciación de jóvenes y adultos

El modelo de *iniciación de jóvenes y adultos,* propiciado por la renovación evangelizadora y catecumenal de la Iglesia, se centra en la conversión y en la iniciación o reiniciación cristiana de adultos convertidos, estén bautizados o no. Este proceso –dice H. Bourgeois– logra «una cierta irrupción del mensaje en la conciencia, lo que entraña una reestructuración de conocimientos y de actitudes, y una reorientación de la vida cristiana en función del evangelio de Jesús» [9]. Es un camino no instituido: su desarrollo depende de muchas circunstancias personales y comunitarias.

En el caso de los convertidos que se bautizan al final del proceso, la iniciación comienza con la entrada en la comunidad; sigue el itinerario catecumenal centrado en la educación global de la fe y termina con la celebración de los sacramentos de la

---

[4] Cf. *Repères catéchétiques en catéchuménat:* «Croissance de l'Église» 108 (1993) 45-48.

[5] Cf. J. Daniélou y R. du Charlat, *La catequesis en los primeros siglos,* Studium, Madrid 1975.

[6] Cf. *La catéchèse au catéchuménat:* «Croissance de l'Église» 54 (1980) I-VII.

[7] Cf. H. Bourgeois, *Identité chrétienne,* Desclée de Br., París 1992, 177-204.

[8] R. Falsini, *Les sacrements de l'initiation chrétienne (Echos d'une enquête chrétienne):* «La Maison-Dieu» 153 (1983) 53-57.

[9] H. Bourgeois, *Identité...,* o. c., 179.

iniciación y el ingreso pleno en la comunidad cristiana. Efectivamente, como lo afirma H. Bourgeois, los adultos son «iniciables» [10]. El número de adultos catecúmenos estrictos aumenta en Europa, tanto en la del Este como en la del Oeste. Su ingreso en el catecumenado se debe a multitud de factores: petición del bautismo para su hijo, inscripción del mismo en la catequesis, conmoción producida por un acontecimiento, o deseo de renovar una dimensión religiosa abandonada o apenas ejercida. En este modelo, la petición de ser cristiano es personal, de acuerdo a la experiencia de la vida adulta. Parte de una comunidad y a ella se dirige.

3. La recuperación de la reiniciación

En España podemos hablar más de reiniciación que de estricta iniciación. Se trata de bautizados que quizá tuvieron una infancia cristiana, pero que se alejaron de la práctica religiosa e incluso de la fe. Luego, por una maduración personal, comienzan a creer de nuevo y desean reingresar en una Iglesia de talante comunitario. La conversión de estas personas puede surgir por diversos medios: testimonio de un grupo o comunidad de creyentes que muestran con sus obras una solidaridad evangélica, experiencia religiosa vivida por una asamblea en el caso, por ejemplo, de un casamiento o entierro, propuestas de coherencia cristiana que dan en ocasiones algunos creyentes, etc.

La reiniciación exige descubrir la Biblia y el credo, internarse en ciertas experiencias espirituales (celebración, oración personal, perdón), percibir el significado de la comunidad cristiana e identificarse personalmente como creyente. Ayudan en este proceso los cristianos con experiencia y conocimientos. El recorrido puede estar enmarcado en unas etapas.

La iniciación es más que una formación o una catequesis. No obstante, la catequesis de adultos es una de las tareas básicas de la iniciación en una comunidad [11]. Precisamente el marco habitual de la catequesis es la comunidad cristiana. Recordemos que el término catequesis ha sido liberado en estos años de su vinculación reductiva a la niñez, al catecismo de preguntas y respuestas y a la primera comunión. Hoy no produce extrañeza hablar de catequesis de jóvenes con ocasión de la confirmación o de catecumenado de adultos en relación con la comunidad cristiana.

La catequesis de adultos surgió después de la segunda guerra mundial. De una parte, reapareció la catequesis de iniciación en relación a las exigencias de los adultos del catecumenado, recién renovado. De otra se vio la necesidad de una formación cristiana de los fieles adultos, ya que la mayoría de nuestro pueblo ha recibido una educación en la fe preconciliar o conservadora, infantil o inmadura, individualista o con poco sentido comunitario y centrada en lo eclesiástico o alejada de la realidad social. También podemos considerar catequesis de adultos la desarrollada en la Acción Católica especializada, grupos bíblicos, escuelas de catequistas, centros de cultura religiosa, etc. La demanda se ha hecho urgente a causa del nuevo cuadro cultural propio de la sociedad autónoma y secular. Hoy son necesarios laicos adultos formados en la fe.

Por tratarse de catequesis de adultos o de inspiración catecumenal, es lógico que la catequesis de iniciación se diversifique en modelos correspondientes a los mecanismos de transmisión sociocultural según los contenidos transmitidos, los sujetos que reciben la transmisión y el grupo en donde se lleva a cabo la transmisión [12]. A. Pasquier distingue tres modos de transmisión sociocultural percibidos en la vida cotidiana: la enseñanza, el aprendizaje y la iniciación [13]. M. Lesne, especialista en formación de adultos, habla de tres tipos pedagógicos: «transmisivo con orientación normativa»; «incitativo con orientación personal» y «apropiativo centrado en la

[10] H. Bourgeois, *L'initiation dans l'Église:* «Études» 378 (1993/4) 517-527.

[11] Cf. C. Floristán, *La catequesis de adultos,* en *Teología Práctica,* Sígueme, Salamanca 1991, 445-457.

[12] Cf. L. Ridez, *La corrélation en catéchèse: expérience de la tradition et expériences d'aujourd'hui,* en A. Fossion y L. Ridez, *Adultes dans la foi. Pédagogie et catéchèse,* Desclée-Lumen Vitae, Lille 1987.

[13] Cf. A. Pasquier, *Typologie des mécanismes du transmettre,* en *Essais de théologie pratique. L'institution et le transmettre,* Beauchesne, París 1988, 117-133.

inserción social» [14]. Según estos tres modelos, podemos distinguir otros tantos tipos de catequesis de adultos en la iniciación cristiana [15] : 1) catequesis como «instrucción religiosa» (el catequizando como objeto que se moldea); 2) catequesis como educación personal cristiana (el catequizando como sujeto que comparte); 3) catequesis como proceso cristiano de liberación (el catequizando como agente de transformación). Ciertamente, en estos últimos años han aparecido en la Iglesia diversidad de métodos de formación de adultos a través de catecumenados, cursos de teología y servicios de formación religiosa [16].

La esencia de la catequesis, y sobre todo la de adultos, no consiste en fórmulas o enseñanzas, sino en la iluminación cristiana de la existencia en sus dimensiones más profundas. No olvidemos que el ser humano es el centro de la revelación. Y lo primero que el hombre necesita es comprender el significado de su existencia, sea dolorosa o gozosa. No se trata de proclamar un evangelio abstracto, sino de iluminar la realidad actual con la luz y la fuerza del evangelio. Ningún dominio importante de la existencia humana debe ser excluido, aunque no podamos hallar en la Escritura recetas concretas para cada aspecto vital. De ahí la necesidad de traducir y de actualizar hoy y aquí el mensaje cristiano. Es aconsejable partir de la experiencia para que, apoyándose en ella, sea posible escuchar hoy la buena nueva. Naturalmente, este presupuesto ha de posibilitar un diálogo en la fe, ya que sólo en la fe se puede escuchar la voz de Dios. Se trata de crear un clima dialogante: hablar con los otros, no a los otros, escuchar juntos la voz de los hechos y los hechos de la palabra de Dios, marchar juntos y vivir en común para ser creyentes [17].

[14] Cf. M. Lesne, *Travail pédagogique et formation d'adultes,* PUF, París 1977; id., *Lire les pratiques de formation d'adultes,* Edilig, París 1984.

[15] Cf. Centre National de l'Enseignement Religieux, *Formation chrétienne des adultes. Une guide théorique et pratique pour la catéchèse,* Desclée, París 1986.

[16] Cf. R. Moldo, *Les formations de laïcs dans l' Église de France entre 1970 et 1990:* «Revue des Sciences Religieuses» 67 (1993) 93-104.

[17] Cf. W. Bless, *Líneas directrices para la redacción de un catecismo:* «Concilium» 53 (1970) 408-411.

4. La eucaristía en el proceso de la iniciación cristiana

a) La primera eucaristía de adultos

La iniciación cristiana no es sólo bautismal, sino eucarística. «Los sacramentos del bautismo, de la confirmación y de la santísima eucaristía están tan íntimamente unidos entre sí –afirma el nuevo CIC–, que todos son necesarios para la plena iniciación cristiana» (c. 842, 2). Según J. M. R. Tillard, la iniciación «comprende el catecumenado, los ritos litúrgicos propios del bautismo y de la confirmación y, por último, el sacramento por excelencia, la eucaristía» [18]. La eucaristía es meta del catecumenado y punto de partida de una iniciación continua. Por otra parte, la iniciación cristiana no se reduce a lo litúrgico-sacramental. La plena iniciación se consuma con la participación en la eucaristía de la comunidad cristiana y en la misión de la misma comunidad de creyentes.

Ahora bien, así como el bautismo y la confirmación son sacramentos *puntuales* o únicos (su repetición fue siempre rigurosamente prohibida), la eucaristía es sacramento *duradero* o repetitivo (su recepción frecuente fue estimulada por la tradición de la Iglesia). Entre la actual primera comunión y el viático como último sacramento se suceden diversidad de eucaristías o de comuniones, con acentos particulares según se trate de niños no confirmados, jóvenes que se confirman o adultos que después de un catecumenado estricto se bautizan. Evidentemente, aunque es importante la primera comunión, lo es más la «comunión frecuente» o, si se prefiere, la participación plena, consciente y activa en la celebración comunitaria eucarística. El catecúmeno se integra por los sacramentos de la iniciación en el proceso cristiano de la comunidad a través de una celebración pascual.

b) La primera eucaristía de niños

A partir de la ruptura de los sacramentos de iniciación, al nacimiento siguió el bautismo, la confirmación se celebraba cuando el obispo visitaba la

[18] J. M. R. Tillard, *Los sacramentos de la Iglesia,* en *Iniciación a la práctica de la teología,* III, 2, 396.

parroquia, y fue fijada la primera comunión (a la que precedía una temprana confesión) por el Concilio IV de Letrán en 1215 a la «edad de la discreción» (actualmente hacia los 8 ó 9 años). Recordemos que la comunión del recién bautizado en el cáliz, como inserción en el misterio pascual, perduró en la Iglesia occidental hasta el s. XI; los orientales la mantienen todavía. Se la rechaza porque reduce la eucaristía a simple comunión inconsciente; no es participación plena adecuada a una edad. Por otra parte, en la Edad Media desapareció la costumbre de la comunión de las dos «especies» a los laicos por razones prácticas (es complicada) y teóricas (el laico es un «lego» o miembro del pueblo «inculto»). El Catecismo Romano de Trento dispuso que la confirmación se retrasase a los 12 años (el mínimo debiera ser 7 años) con una catequesis previa. A la confirmación podría seguir la primera comunión. En 1910 decidió san Pío X que a los 7 años ya comienza la edad de la discreción para que un niño pueda confesarse y comulgar, con lo cual la confirmación quedó como sacramento «flotante».

A pesar de los esfuerzos catequéticos desarrollados actualmente en todo el proceso de iniciación cristiana de niños, se observa que la actual primera comunión no es culmen de la eucaristía hacia la que tiende el catecumenado. El niño debe iniciarse a la vida cristiana después de la primera comunión. El momento de la confirmación es ocasión de un proceso catecumenal adecuado, pero el énfasis de la iniciación debe basarse en la conversión evangélica, no en la mera recepción sacramental. La primera comunión no es, pues, un final, sino un comienzo. Los niños pueden participar en la eucaristía de los adultos, pero no como adultos, sino como niños; algo semejante a su participación en la mesa de los mayores. Hay otra «segunda comunión», denominada en la Iglesia francesa «comunión solemne», que corresponde a la eucaristía «plena», al finalizar la iniciación cristiana, que, en muchos casos, acompaña a la confirmación de jóvenes o de adultos.

El nuevo Código señala que la primera comunión se haga «previa confesión sacramental» (c. 914), ya que la obligación de confesar rige para «todo fiel que haya llegado al uso de razón» (c. 989). La obligación de recibir el sacramento de la penitencia antes de la primera comunión ha planteado y plantea en la práctica muchos problemas. «Los pros y contras –escribe N. Mette– hacen evidente que en la cuestión de la edad de la primera confesión y de la confesión de los niños en general aún hay aspectos por clarificar, que no pueden declararse solventados por declaraciones oficiales o reglamentaciones canónicas» [19].

[19] N. Mette, *La confesión de los niños:* «Concilium» 210 (1987) 274.

14

La pastoral juvenil en la parroquia

La parroquia es para los jóvenes el lugar más próximo, permanente y concreto de visibilización de la Iglesia. No es el único. Los medios de comunicación social, sobre todo la televisión, constituyen otras mediaciones de representación religiosa. El tercer canal de mentalización religiosa es para el joven la clase de religión. Recordemos que la mayoría de la juventud ha recibido en la parroquia la preparación a la primera comunión. Posteriormente, algunos jóvenes han frecuentado el recinto parroquial durante un cierto tiempo con ocasión de la confirmación. De vez en cuando hay jóvenes que la visitan por razón de los sacramentos familiares. ¿Qué imagen de la parroquia se da en los jóvenes? ¿Qué presencia tienen los jóvenes en la parroquia? ¿Se puede proponer una pastoral parroquial de cara a la juventud?

1. El mundo de la juventud

Juventud es la fase de la vida previa a la edad de los adultos, caracterizada por la autonomía progresiva de la familia hasta la adquisición de un estatuto profesional. Algunos sociólogos añaden el rasgo de una cultura o subcultura juvenil [1]. El joven se encuentra en edad escolar, depende todavía de la familia e intenta adquirir un trabajo; deja de ser joven cuando tiene un oficio, se independiza de los padres y se casa. La importancia de la juventud ha crecido al aumentar demográficamente y al cobrar relieve su protagonismo social, ya que tiene hoy a su favor la relación con las demás edades. Según algunos sociólogos, los rasgos de la juventud actual, a menudo contradictorios, se traducen en acentuadas relaciones interpersonales, demanda de praxis inmediata en lo social y político, carencia de memoria respecto de acontecimientos recientemente pasados y entendimiento del mundo en términos de *hapening* o de teatro [2]. La mentalidad de los jóvenes es relativizadora, producto del ambiente técnico e industrial que vivimos, sin referencias tradicionales o transcendentes [3]. El mundo de los jóvenes, mundo con futuro incierto por la escasez de trabajo, es eminentemente provisorio. Lo que importa es lo in-

[1] Para conocer el mundo de la juventud, ver E. Ander Egg, *La rebelión juvenil,* Madrid 1980; J. L. L. Aranguren, *Bajo el signo de la juventud,* Salvat, Madrid 1983; J. Torbado, *Jóvenes a la intemperie,* Plaza y Janés, Barcelona 1971; A. de Miguel, *Los narcisos. El radicalismo cultural de los jóvenes,* Kairós, Barcelona 1979.

[2] G. Bianchi y R. Salvi, *Juventud,* en *Diccionario de sociología,* dir. F. Demarchi y A. Ellena, Paulinas, Madrid 1986, 983-992.

[3] Cf. mi reflexión *Cara y cruz de los jóvenes en la parroquia:* «Vida Nueva» 1486/87 (1985) 1336-1339.

mediato, ya que casi todo es efímero; a los jóvenes les atrae lo experiencial y lo experimental. Si algo no ha sido probado o comprobado, no es válido. Los jóvenes acentúan lo relacional, lo psicológico, el cuerpo, el yo, etc. Quieren vivir inmediatamente un modo de existencia elegido libremente, con una sola preocupación: la voluntad de autoafirmarse y la búsqueda de una realización personal.

Hasta hace poco, la juventud era esperanza; hoy es problema. Su distancia social con la edad adulta es manifiesta a causa de la tensión entre el poder del adulto y la sumisión del joven. Los jóvenes se muestran a menudo inestables, escasamente integrados en la sociedad y en ocasiones violentos. No obstante, las organizaciones políticas y sociales los cortejan, las Iglesias intentan atraerlos y los comerciantes ven en ellos clientes atractivos. No hay término medio, se les critica o se les alaba. Tan pronto se dice de los jóvenes que viven en pandillas como que son ferozmente individualistas; unos les acusan de que son indolentes y otros de que se enfrascan laboriosamente en su trabajo o en su carrera; al mismo tiempo que se les recrimina su miedo al futuro, otros piensan que no toman en serio ni su propio porvenir. El individualismo de los jóvenes no está reñido con la búsqueda de un grupo de amigos en la medida que en su interior nadie posee un papel privilegiado, sin normas o reglas rígidas de funcionamiento. Cierto es que los jóvenes no son iguales, aunque se hable de la juventud o de los jóvenes como de una categoría social identificable y unitaria. Hay jóvenes de la clase obrera o campesina sin cualificar, de las clases medias y pequeñas burguesías y de las clases aristocráticas y burguesas. Los jóvenes se distinguen por el origen familiar, los niveles de escolarización o de fracaso escolar, el hábitat urbano o rural y la situación laboral de parados o empleados. Por no encontrar fácilmente trabajo en la sociedad y no poder independizarse, el joven vive con sus padres más tiempo que antes. Se suele señalar la edad de la juventud entre los 15-24 años, los 16-25 e incluso hasta los 30 años [4].

El informe *Juventud en España 1992* revela que el 75% de los jóvenes españoles comprendidos entre los 15 y los 29 años (25% de la población) viven con sus padres y hermanos, con los que están satisfechos, creen en la fidelidad de la pareja, tienen pocos prejuicios con determinadas minorías, son menos religiosos que los adultos y no les interesa mucho la política [5]. Sufren el paro (el 32%), tienen escasa autonomía económica, y en los accidentes de automóvil se encuentra la primera causa de su muerte. Sus principales preocupaciones son el terrorismo, el medio ambiente, las drogas y el sida. Son intransigentes ante el fraude fiscal, la drogadicción y la violencia. Toleran la eutanasia, el aborto y la prostitución, y afirman que no les importa vivir cerca de homosexuales, negros o mendigos. Cuatro de cada diez están contentos con su vida, aunque se sienten frustrados en lo laboral.

2. La religiosidad de los jóvenes

Según recientes encuestas llevadas a cabo a mitad de la década de los ochenta, la juventud española muestra un señalado descenso de la práctica religiosa y del sentido religioso de la vida [6]. Esto se ve al comparar tres generaciones: del nacionalcatolicismo (nacidos antes de 1944), del Concilio Vaticano II (nacidos entre 1944 y 1963) y del cambio (nacidos entre 1964 y 1974). En esta última hay más indiferentes y ateos. En 1991 se declaraban católicos el 68% de los jóvenes españoles, pero sólo el 13% practicaba asiduamente. Comparado con el catolicismo de los adultos, el de los jóvenes se reduce a la cuarta parte. En el Informe de la Fundación Santa María de 1992 se aprecia «un desmoronamiento progresivo de la creencia en los dogmas de la fe y en la doctrina de la Iglesia». En 1992, la asistencia a la misa dominical era cumplida en España

[4] R. Campanini, *Les jeunes d'aujourd'hui. Caractères et diversités:* «Masses Ouvrières» 431 (1990) 2-15.

[5] El *Informe Juventud en España 1992* es el tercero de una serie que comenzó en 1985, realizado por M. Navarro López y M. J. Mateo Rivas, bajo la responsabilidad del Instituto de la Juventud. Ver un resumen en El País, 20 de noviembre de 1993, elaborado por R. Rivas.

[6] Cf. J. M. Riaza Ballesteros, *La religiosité des jeunes espagnols:* «Social Compass» 33 (1986/4) 385-400; P. González Blasco y J. González-Anleo, *Religión y sociedad en la España de los 90,* SM, Madrid 1992; A. de Miguel, *La sociedad española 1992-1993,* Madrid 1992.

por un tercio de los que se confesaban católicos. Los jóvenes no practicantes eran en 1960 el 19%, en 1977 el 23%, en 1982 el 45% y en 1984 el 55%. A misa dominical hoy sólo va un joven de cada cinco. La razón principal dada por los jóvenes para no asistir es «la falta de interés». Según una encuesta de 1984 hecha entre los jóvenes, se consideran ateos el 12%, mientras que se reconocen creyentes el 74%; en los años cincuenta se reconocían creyentes el 95%. Tres de cada cuatro jóvenes se identifican como católicos. Si se compara la práctica religiosa de los jóvenes menores de 24 años y los adultos mayores de 64 años, los datos se invierten: son católicos practicantes el 18% de los jóvenes y el 78% de los muy adultos; por el contrario, se consideran católicos no practicantes el 70% de los jóvenes y el 19% de los mayores de 64 años. A los oficios religiosos nunca va el 34% de los jóvenes y el 7% de los mayores; la asistencia esporádica da el 54% para los menores de 24 años y el 37% de los mayores de 64 años. Los domingos van a misa con regularidad sólo el 9% de los jóvenes, a diferencia del 63% de los que sobrepasan los 64 años. Dentro del mundo universitario, un 20% se declaran no creyentes, un 50% católicos «por libre» y sólo un 24% practican con regularidad en la parroquia, mientras que un 6% pertenece a grupos o comunidades cristianas. A partir de los 17 ó 18 años comienza la desvinculación religiosa de la juventud. Se observa un claro distanciamiento de la Iglesia en las personas comprendidas entre los 18 y los 40 años. Los matrimonios canónicos son en los umbrales de 1990 una cuarta parte menos que en 1975; hay una tendencia lenta de disminución [7].

Como conclusiones sobre la religiosidad de los jóvenes podemos afirmar que en el quinquenio 1984-1989 se ha interrumpido el descenso en picado de la práctica religiosa de los jóvenes. Los análisis de 1989 afirman que creen en Dios el 71% de los jóvenes, y en el pecado el 36%; semanalmente va a misa el 18%. Se observa asimismo que las diferencias de práctica religiosa y creencias entre los chicos y chicas tiende a reducirse; los parámetros de religiosidad son más altos cuanto más a la derecha se posicionan, con excepciones crecientes; los jóvenes religiosos por libre son numéricamente más que los asociados en organizaciones religiosas; dos de cada tres jóvenes tienen poca o nula confianza en la Iglesia; la dimensión religiosa como cualidad importante en la educación del niño y en la elección de compañero/a es escasa y, finalmente, los jóvenes creyentes y practicantes tienen una cosmovisión reflejada en actitudes y valores. En resumen, el cristianismo de la juventud actualmente creyente es más asociativo y grupal, menos gregario y sacramental, más relacionado con la experiencia y la vida, y más libre de regulaciones que el de algunas décadas anteriores [8]. Según A. de Miguel, aunque cada vez hay menos jóvenes religiosos, los que son creyentes son más conscientes y auténticos en su fe que los de las generaciones precedentes. Los jóvenes cristianos son básicamente de dos tipos: uno, conservador, eclesial, espiritualista; otro, progresista, preocupado por la dimensión social de la fe, crítico con lo institucional y libre en la aceptación de los valores.

La Iglesia no cumple hoy en los jóvenes el papel que tuvo en otras épocas respecto de la cosmovisión o de la orientación en la vida. De ahí que una mayoría de la juventud actual es escasamente religiosa y muy alejada de lo eclesial. Según el Informe de 1992, ya citado, hay ruptura «de los modelos tradicionales de transmisión de la fe y del edificio o sistema de creencias». La fe es para el joven un asunto subjetivo, una experiencia con escasa relevancia doctrinal. Los valores religiosos son para los jóvenes valores de un orden cultural antiguo o un modo de pensar adulto: esfuerzo, disciplina, orden, autoridad, etc. [9].

---

[7] Cf. los informes sociológicos: *Juventud española 1960/82,* SM, Madrid 1984; *Juventud española 1984,* SM, Madrid 1985; P. González Blasco, F. Andrés Orizo, J. J. Toharia Cortés, *Jóvenes españoles 89,* SM, Madrid 1989. Ver también los informes «Juventud en España», editados por el Ministerio de Cultura. Para conocer la situación religiosa general, ver P. González Blasco, J. González-Anleo, *Religión y sociedad en la España de los 90,* SM, Madrid 1992; F. Andrés Orizo, *Los nuevos valores de los españoles,* SM, Madrid 1991.

[8] Cf. J. Elzo Imaz, *Actitudes de los jóvenes españoles frente al tema religioso,* en *Jóvenes españoles 89,* 331-333; F. Fernández, *La religiosidad de la juventud española, ayer y hoy,* en *Catolicismo en España,* I.S.A.M., Madrid 1985.

[9] Cf. los números especiales de revistas: *Los jóvenes y el rumbo de la Iglesia:* «Concilium» 106 (1975); *Los jóvenes, hoy:* «Misión Abierta» (1979/4); *Iglesia y juventud:* «Sal Terrae» 68

3. Imagen de la parroquia entre los jóvenes

La parroquia es vista por la mayoría de los jóvenes como una institución eclesial de corte sacramental, situada en el centro del pueblo o del vecindario, dirigida por los curas, a la que se asiste desde la familia para cumplir unos deberes religiosos. En las dependencias parroquiales suele haber un lugar en el que se reúnen grupos reducidos de jóvenes con objeto de desarrollar una actividad.

La mentalidad que refleja la parroquia, salvo excepciones, es poco atractiva para la juventud. Las críticas que los jóvenes hacen a la Iglesia se pueden aplicar a la parroquia: su estructura tradicional es escasamente innovadora; su seriedad adusta está reñida con lo festivo; su dirigismo clerical impide la cogestión laical y juvenil; su talante burocrático de leyes, registros y papeleos está de espaldas a la creatividad; su interés por el dinero en la práctica choca contra el pronunciamiento teórico de la opción por los pobres; y su cercanía a las verdades doctrinales y normas morales está reñida con la sensibilidad de cara a la acción y el compromiso.

En el fondo, los jóvenes desconfían de la imagen de Iglesia que proyecta la parroquia en la medida que la institución sospecha de los jóvenes. Casi masivamente rechazan el culto parroquial por carente de comunicación, uniforme, anónimo, aburrido, triste y alejado de la realidad social y personal. Se juzga producto de la institución parroquial, asunto de los mayores.

En una encuesta hecha a 70 jóvenes entre 16 y 18 años, el término Iglesia les evoca: liturgia a 55, oración a 53, reunión a 30, edificio a 17, Dios a 16, Jesucristo a 12, compartir a 12, jerarquía a 11, fiesta a 11, fe a 7, negativo a 7 y utilidad a 4. Ya dije que la Iglesia es percibida por los jóvenes, sobre todo, a través de la parroquia. La parroquia está lejos de ser la Iglesia que los jóvenes buscan: comunidad de creyentes en Jesucristo y en el evangelio, en estado de búsqueda, fraternal y encarnada, sobre todo en los más pobres. Finalmente, los jóvenes sienten que son buscados no por sí mismos, sino en función de su capacidad de ser ayudantes de los mayores o cantera de futuras vocaciones religiosas o sacerdotales. En definitiva, la mentalidad religiosa actual propia de los jóvenes es la antítesis parroquial.

(1980/2); *Los jóvenes:* «Laicos» 54-55 (1981); *La juventud española hoy:* «Razón y Fe» 210 (1984) n. 1.030-1.031; *Juventud y fe cristiana:* «Pastoral Misionera» 150 (1987).

4. Pastoral de los jóvenes en la parroquia

El mundo parroquial es, de hecho, un mundo de adultos y de ancianos con escasa juventud, consecuencia de los cambios culturales recientes [10]. La parroquia, casi por definición, no es joven. Se desarrolló como institución en una cultura patriarcal y se organizó bajo perspectivas de masificación popular. Los intentos de renovación parroquial han estado en manos adultas. La juventud se ha adentrado casi solamente en los movimientos apostólicos. La juventud parroquial ha sido siempre escasa en comparación con los adultos. La parroquia se ha volcado en la niñez a causa de la iniciación sacramental precozmente adelantada: bautismo de infantes y primera confesión y comunión de niños. La confirmación ha sido hasta hace poco un sacramento poco relevante, en parte por la desaparición del catecumenado de adultos, causa de la escasa atención a la pastoral de juventud. El niño, después de la primera comunión y de la asistencia esporádica con sus padres a las misas dominicales, abandona el recinto parroquial con el rechazo de la práctica religiosa.

De vez en cuando, el joven se acerca a la liturgia parroquial con poca regularidad. Se queda atrás del templo o disperso entre los adultos. A duras penas hace de lector o canta con la asamblea. Rara es su presencia en los funerales (es cosa de mayores) y en los bautizos y primeras comuniones (son cosas de

[10] Cf. J. L. López Aranguren, *Cambios culturales de la juventud con respecto a la religión,* en F. Azcona (ed.), *Cambio social en España,* Fontanella, Barcelona 1975, 165-176; Centro Nacional Salesiano de Pastoral Juvenil, *Juventud y cambio social,* CCS, Madrid 1985.

niños). A las bodas de los amigos asiste con respeto, pero sin apenas ánimo religioso de participación. Mudos e impresionados asisten los jóvenes al funeral de un joven muerto por accidente o por otra causa incomprensible.

Los jóvenes asisten al culto parroquial por una doble motivación: la satisfacción de una necesidad espiritual y el impulso derivado de la influencia paterna, de la costumbre y de la obligación. En general opinan que para ser creyente no es necesario ir a misa (son cristianos sin Iglesia); la misa es en definitiva cuestión de «ganas», no de convicción. Están lejos de valorar la eucaristía como celebración de la fe en común, encuentro personal y grupal con Jesucristo y su evangelio, lugar cristiano de compromiso y momento de acrecentamiento de esperanza. Cuando esto lo descubren, cala profundamente.

Según las conclusiones del congreso *Parroquia evangelizadora* relativas a los jóvenes, la parroquia no se vuelca hacia los jóvenes porque hay pocos cristianos sensibles y conscientes de los problemas de la juventud y de los alejados [11]. Además, la Iglesia reflejada en la parroquia «no ofrece un rostro atractivo y alegre, con una profunda experiencia de vida y de fe». Es Iglesia «no vivencial, anquilosada en los ritos, que ve con miedo a lo joven; que no se renueva en sus formas y en sus ofertas; que no tiene un proyecto atrayente desde la vida y para la vida. Y en consecuencia, no hay referencias personales y comunitarias que inviten a unas opciones que se concreten en la propia historia del joven (profesión, estado de vida, vida afectiva...)» [12]. «La parroquia –afirma Carlos F. Barberá– suele ser una institución con marcada tendencia centrípeta; la proliferación de sus propios servicios da como resultado que la vida de la parroquia comience y termine en ella misma» [13].

A la vista de los rasgos característicos de la parroquia y de la juventud con su particular experiencia religiosa, no es fácil trazar criterios para una pastoral parroquial de juventud. Por supuesto hay que encuadrar esta pastoral en la pastoral de la juventud [14]. Según algunos observadores, los jóvenes que frecuentan la parroquia (algunas encuestas hablan del 3%) buscan en la misma cometidos de participación, pero la encuentran interesada por confirmarles antes que por ofrecerles una adecuada reiniciación.

La parroquia sola no podrá desarrollar una apropiada pastoral de juventud. Es necesaria –escribe J. L. Pérez– «una pastoral juvenil de conjunto planificada y realizada a nivel de zona o sector urbano con un espectro más amplio de movimientos y comunidades, de proyectos de vivencia, celebración y compromiso de la fe, con una presencia más audaz entre los jóvenes, sobre todo entre los obreros, universitarios y marginados» [15]. La pastoral juvenil parroquial debe contar con la escuela y, especialmente, con el centro juvenil [16]. El centro juvenil es un centro cristiano sin cariz estrictamente religioso destinado a los jóvenes, sobre todo a los más abandonados y necesitados. Asume la vida total del joven, especialmente la desarrollada en el tiempo libre. Su ambiente será acogedor, con diversidad de propuestas dirigidas por un equipo de animadores [17]. Ahí puede prender una comunidad cristiana juvenil. En definitiva, en la parroquia debe haber un plan de trabajo pastoral con los jóvenes, de acuerdo a unas directrices diocesanas, que tenga en cuenta a los jóvenes presentes y a los ausentes.

---

[11] Congreso *Parroquia evangelizadora,* Edice, Madrid 1989, 225.

[12] Ibíd., 226.

[13] C. F. Barberá, *La fe de los jóvenes:* «Vida Nueva» 1.486/87, 6/13 de julio de 1985, 28 (1308).

[14] Cf. J. A. Vela, *Pastoral juvenil en América Latina,* Bogotá 1978; Obispos Vascos, *Diálogo con los jóvenes desde la fe,* San Sebastián 1980; A. Larrañaga, *Una pastoral juvenil en línea catecumenal,* Centro Salesiano de Pastoral Juvenil, Madrid 1981; Subcomisión de Juventud C.E.A.S., *Una experiencia de pastoral juvenil,* Madrid 1983; Varios, *La pastoral juvenil: del catecumenado a la comunidad cristiana,* San Pío X, Madrid 1983; S. Movilla, *Ofertas pastorales para los jóvenes,* Paulinas, Madrid 1984; J. R. Urbieta, *Pastoral de juventud,* Secretariado Trinitario, Salamanca 1985; R. Tonelli, *Pastoral Juvenil,* CCS, Madrid 1985; C. Sierra Tobón, *Manual de pastoral juvenil,* Paulinas, Bogotá 1986; A. Martínez, *Pastoral Juvenil Diocesana,* CCS, Madrid 1993.

[15] J. L. Pérez, *La juventud urbana:* «Iglesia Viva» n. 1.486/87, 6/13 de julio de 1985, 17 (1297).

[16] Cf. Equipo Misión Joven, *Un proyecto de pastoral juvenil:* «Misión Joven» 200 (1993) 57-63.

[17] Cf. Centro Nacional Salesiano de Pastoral Juvenil, *Pastoral de hoy para mañana,* CCS, Madrid 1993.

5. Vías parroquiales de convocatoria juvenil

Algunas parroquias y movimientos religiosos han intentado e intentan fomentar una pastoral de juventud mediante tres vías de acercamiento.

a) Vía celebrativa y de oración

La primera vía transcurre en el ámbito de la liturgia, algo inusitado antes del Concilio. Ciertas comunidades celebrativas y asambleas de oración son, paradójicamente, lugares actuales de convocatoria juvenil. Las romerías a los santuarios y ciertas peregrinaciones adecuadamente evangelizadoras pueden servir de gran ayuda. El fenómeno de Taizé es una muestra extraordinaria del interés religioso contemplativo juvenil. La pregunta que congrega a estos jóvenes es simple y directa: ¿cómo vivir de otra manera? Se advierte de antemano el rechazo de algunos valores vigentes en nuestra cultura de adultos, hoy más en crisis que hace unos años. Los jóvenes rechazan contundentemente el poder del dinero, la destrucción egoísta de la naturaleza, la militarización en la sociedad, la carrera de armamentos, los enfrentamiento bélicos, la inseguridad en el trabajo, la manipulación ideológica, el tráfico de drogas y el tedio de vivir. Hoy los jóvenes no son contestatarios de la escuela, la familia, la sociedad o la religión; ni siquiera son activamente *pasotas*. Son indiferentes a las estructuras, e incluso conformistas, preocupados sinceramente de sí mismos y de vivir la vida lo más felizmente posible y en paz. En la renovación carismática y en movimientos similares de oración encuentran algunos jóvenes un tiempo y un modo de satisfacción espiritual.

b) Vía de la acción y del compromiso

La segunda vía es propia de la juventud de todos los tiempos. Abarca todo el ámbito de la actividad. En nuestro caso, los jóvenes presentes en la parroquia demandan cometidos concretos, participación activa, sea en el plano celebrativo, sea en el terreno educativo, en el deportivo o en el de la mera diversión. No les gusta ser peones de los mayores; quieren ser actores de su propia y casi exclusiva obra. Un medio particularmente atractivo es la celebración de la pascua juvenil, mitad proceso contemplativo, mitad actividad extraordinaria grupal en el marco insustituible de la naturaleza. La celebración dominical vivida por los adultos en la parroquia es para los jóvenes aburrimiento, rutina y esterilidad. No hallan allí ninguna fuente de emoción. Por eso escasean en las eucaristías dominicales de la parroquia. Sólo están presentes cuando activamente cantan en el coro o tocan instrumentos apropiados. Ni tan siquiera se hacen presentes en el equipo litúrgico encargado –cuando existe– de preparar la celebración. Otro ámbito de actividad lo desarrollan algunos jóvenes a través del movimiento *Junior* o de los *Scouts*. No olvidemos que la participación juvenil es también escasa en los ámbitos culturales, educativos y políticos.

c) Vía de reflexión y de catequesis

La tercera vía es la evangelizadora, con una preocupación de catequesis de adultos. Recordemos que la pastoral juvenil se ha centrado últimamente en el denominado «catecumenado de confirmación». Los responsables pretenden llevar a cabo un proceso de maduración de la fe, pero los jóvenes candidatos se inscriben con propósitos sacramentales. Después de confirmados, abandonan su preocupación de cara a una opción de fe personal y consciente. En el fondo, esta vía se reduce a un proceso de formación, de difícil acomodación –dada la heterogeneidad de los jóvenes–, a pesar de la evidente ignorancia religiosa que hoy tiene la juventud. Los temas teológicos no constituyen centros de interés ni, por supuesto, existen catequistas preparados para esta difícil tarea educativa religiosa. Los jóvenes necesitan una evangelización que plantee multitud de interrogantes, previos a su catequización. Para que el joven integre en su vida la dimensión religiosa de la fe es necesario que se siga un proceso educativo [18]. «Esta opción –escribe A. Martínez Riquelme– nos exige realizar un proceso educativo global.

[18] Cf. J. R. Urbieta, *Los jóvenes como agentes de evangelización:* «Revista de Pastoral Juvenil» 283 (1990) 4-33.

Un proceso que parte de la oferta salvífica presentada como proyecto de vida y que propone los contenidos catequéticos no en abstracto, sino desde la inserción en su problemática, ayudándoles así a madurar y vivir la fe y a celebrarla sacramentalmente» [19].

6. Criterios de participación juvenil en la parroquia

– A pesar de encontrarse atomizados en la sociedad o diluidos en la masa, los jóvenes forman racimos o reductos grupales con valoraciones culturales propias. Sin creación de grupos de jóvenes no es posible en una parroquia sentar las bases de una pastoral de juventud.

– Toda expresión religiosa juvenil ha de ser espontánea, vivencial, experiencial, afectiva y emotiva. Los contenidos objetivos y nocionales ceden el puesto a las formas subjetivas de singularidad personal.

– A lo largo del año, de acuerdo a un calendario escolar, los jóvenes viven algunos tiempos festivos con especial intensidad. De ahí el despliegue juvenil de la pascua y de pentecostés, superior al del adviento y la navidad. En estos tiempos festivos, el trabajo en común de varias parroquias correspondientes a una zona o sector parece imprescindible.

– Por necesidad básica juvenil, especialmente en las sociedades cerradas a las utopías de futuro, es preciso destacar siempre con los jóvenes la dimensión festiva.

– Los adultos proyectamos con suma facilidad en los jóvenes nuestros deseos no logrados, nuestras aspiraciones escasamente satisfechas o nuestras frustraciones. Hay que dar a los jóvenes vía libre, aunque se tiña con frecuencia –según nuestras apreciaciones– de errores, heterodoxias y juicios amargos. Probablemente ahí reside la mayor dificultad de apertura parroquial al mundo de los jóvenes.

– Los educadores cristianos que trabajan actualmente con los jóvenes llevan a cabo su tarea con dificultad. Se les pide demasiado pronto resultados positivos. Los adultos no se cuestionan el modo de su vida cristiana, escasamente ejemplar para los jóvenes. Sin jóvenes cristianos, la pastoral es de conservación, al paso que las parroquias tienen un futuro incierto.

[19] A. Martínez Riquelme, *Jóvenes en la parroquia. ¿Cómo abordar la ausencia? ¿Cómo organizar la presencia?:* «Misión Joven» 201 (1993) 51.

15

La liturgia parroquial

La parroquia ha sido entendida y vivida durante mucho tiempo de un modo cultual, a saber, como un templo con su correspondiente pila bautismal, en donde se reúne periódicamente la feligresía para los actos litúrgicos. Según el nuevo Código (c. 530), las principales funciones que se encomiendan al párroco son las «administraciones» del bautismo, confirmación en peligro de muerte y unción de enfermos, la «asistencia» a matrimonios y la «celebración» de la eucaristía dominical y de los funerales. Canónicamente, el centro litúrgico de la parroquia es la «celebración eucarística» dominical y festiva [1]. Lógicamente, el primer intento de renovación moderna parroquial procedió de la liturgia. Puede afirmarse, por consiguiente, que sin una liturgia viva no se da una parroquia renovada, aunque para renovar la parroquia no basta con atender esmeradamente el culto. Con todo, después de tres décadas de reforma litúrgica conciliar se advierte en la liturgia de muchas parroquias falta de preparación, rutina y retorno a las exigencias jurídicas. De ahí la importancia de redescubrir la liturgia como acción comunitaria, cohesión de unidad, fuente de compromisos y culmen de vida cristiana [2].

[1] Cf. E. Barcelón, *Identidad teológico-jurídica de la parroquia en el nuevo Código:* «Ciencia Tomista» 111 (1984) 551-573.

[2] Cf. R. Le Gal, *Pour une conception intégrale de la liturgie:* «Questions liturgiques» 65 (1984) 181-202.

1. Deficiencias de la liturgia preconciliar

La liturgia preconciliar, fijada por medio de normas precisas, numerosas y minuciosas, sin posibilidad de cambiar ningún texto o rito, en la lengua latina ininteligible para el pueblo, llevada a cabo por el sacerdote sin la participación de los fieles, e incluso sin su presencia, y exactamente igual en todo el orbe católico, era una liturgia primordialmente *sacral*. Efectivamente, al sacralizar las leyes, el acento recaía en la prescripción y observancia minuciosa de las rúbricas. En algunos casos cobraba visos de magia, superstición o temor servil. La celebración se encontraba alejada de la vida real por corresponder al ámbito de lo sagrado, separado y en oposición a lo profano. A lo sumo se acercaba a las necesidades o deseos individuales. La liturgia no contaba con una visión social ni universal. Todavía se advierte en la asamblea actual el individualismo, la petición personal interesada y el intimismo espiritual heredados.

En segundo lugar, era una liturgia *intemporal*, en la que estaban ausentes la creación y la historia; había que abandonar el mundo y huir de lo terreno. Las afirmaciones sobre Dios o sobre el hombre eran de tipo idealista, de espaldas a la historia. En la liturgia no incidían los acontecimientos del pueblo. Como consecuencia, existía una grave separación entre culto y justicia. Parecía que se había olvidado la afirmación bíblica de que la justicia es el corazón de la liturgia.

En tercer lugar, era una liturgia *clerical,* ya que descansaba casi exclusivamente en el sacerdote como celebrante; los fieles asistían obedientes, sumisos y piadosos. Por no contar con la asamblea, todavía hoy es difícil que los laicos se interesen activamente por la liturgia.

Finalmente, era *interclasista,* no sólo porque en su interior se reproducían las clases sociales (el binomio sacerdote-laico correspondía al módulo aristocracia-pueblo), sino porque pretendía integrar en una unidad difícilmente armonizable los antagonismos sociales. La igualdad entre todos se entendía desde el idealismo (semejantes en el nacer y en el morir), desde la culpa (todos somos igual de pecadores) o desde lo accesorio (gestos idénticos secundarios). Carecían de importancia las diferencias sociales. No es de extrañar que la liturgia fuese vehículo moral de los intereses del sistema, a través de la cual se exaltaban ciertas virtudes pasivas: paciencia, resignación, obediencia y esperanza en el cielo.

En resumen, la liturgia en general, y la parroquial en particular, han vivido durante siglos un peligroso divorcio con la cultura, la piedad popular, la devoción personal y la celebración comunitaria. De un lado estaban las ceremonias de la Iglesia, propias de monjes y de clérigos; de otro, la piedad de los fieles con múltiples devociones populares.

2. Claves de la liturgia renovada

Con la reforma conciliar, la celebración ha mejorado en el ámbito parroquial por ser el culto en la lengua del pueblo. Esto ha facilitado que se escuche más la palabra de Dios, se rece comunitariamente mejor, cante el pueblo según su cultura y se dé una mayor participación. Como contrapartida, hay que señalar que desde hace tres décadas a esta parte se observa que la juventud está ausente de la liturgia parroquial, los dos tercios o las tres cuartas partes de la asamblea son mujeres, predominan las personas de edad madura y el desarrollo celebrativo es cansino y rutinario.

Según H. Denis, la Iglesia de cristiandad entendía la liturgia desde estos cuatro parámetros: la parroquia, el sacerdote, la obligación dominical y el bautismo de infantes [3]. Después del Vaticano II, los ejes pastorales del culto cristiano son la asamblea litúrgica, la participación del pueblo, la convicción de fe y la iniciación cristiana. Examinemos estos parámetros.

a) Frente a la parroquia masificada, la asamblea comunitaria

A diferencia de las liturgias rigurosamente comunitarias, las celebraciones parroquiales no atraen suficientemente. El grupo humano que asiste a la liturgia en el recinto parroquial no es homogéneo, ni se reúne como asamblea, ni constituye una comunidad [4]. Sin embargo, hay en muchas parroquias una minoría de fieles que rechaza la masa cultual abigarrada y amorfa, centra su atención en los valores evangélicos del reino e intenta compartir la fe en grupo, aunque siente la tentación de abandonar el culto por sus visos de inutilidad. Cuando los fieles exigentes encuentran una plataforma celebrativa adecuada, dentro o fuera de su propia parroquia, se adhieren a la misma.

Recordemos que para el Vaticano II el sujeto de la celebración es el pueblo de los bautizados convocados en asamblea, reunión de la comunidad para celebrar. Ahora bien, la liturgia sacramental ha sido y es competencia de la parroquia, institución pastoral escasamente comunitaria. Para que la parroquia se renueve, debe redescubrir la importancia vital de la liturgia como celebración comunitaria, la iniciación como maduración de la fe, el compromiso como diaconía social y la evangelización como misión eclesial. Sin comunidad cristiana viva no hay auténtica asamblea.

---

[3] Cf. H. Denis, *La communauté eucharistique aujourd'hui:* «La Maison-Dieu» 141 (1980) 37-67.

[4] Cf. H. Denis, *Problèmes pastoraux autour de l'eucharistie:* «La Maison-Dieu» 129 (1977) 7-37.

b) *Frente al monopolio cultual sacerdotal, el ministerio compartido*

A pesar de algunos ministerios laicales desarrollados en la liturgia parroquial (con infinidad de trabas, desconfianzas y cautelas), la responsabilidad es casi exclusivamente del clero. Recordemos que hasta la Alta Edad Media el término celebrante se aplicaba a la asamblea; después adquirió un tinte clerical. En realidad, el celebrante principal de la liturgia es Cristo, que bajo los signos está invisiblemente presente y renueva el misterio pascual de culto perfecto al Padre y lleva a cabo la redención liberadora humana. El denominado presidente pertenece a la asamblea y la sirve con su ministerio, sin dominarla. La liturgia ha de tener, pues, un estilo de «co-participación», sin «hieratismos» ni «jerarquismos» [5].

La liturgia no es lo que administra el sacerdote a los asistentes, sino la acción de todos los reunidos, encabezados por el ministerio de la presidencia. La renovación litúrgica exige el despliegue de ministerios y servicios, ya que la asamblea en su conjunto, y no el sacerdote, es el sujeto cristiano de la celebración. Urge la puesta en marcha de equipos litúrgicos de cara a una renovación del culto cristiano. No obstante, la eficacia misionera de la liturgia depende, en gran medida, de quien preside la celebración, a saber, de su formación teológica, vida de fe, compromiso social y capacidad educativa y pedagógica. El papel del presidente es decisivo, sobre todo a la hora de la predicación.

c) *Frente a la obligación dominical, la convicción de fe*

A la liturgia no se debe asistir por obligación dominical, sino por convicción de fe. La asamblea se reúne no tanto porque está mandado jurídicamente, sino porque la participación de los creyentes en el culto es un hecho esencial para la fe. Recordemos que después del Vaticano II se ha relativizado el precepto dominical que descansaba canónicamente en dos obligaciones: oír misa entera en domingo y días festivos, y abstenerse de trabajos serviles. El precepto dominical no es ley de Dios, sino de la Iglesia canónica. A la eucaristía no se debe ir a cumplir, sino a celebrar. En una Iglesia posconciliar que proclama la libertad religiosa, dentro de un régimen democrático de libertades, lo decisivo no es el precepto obligatorio, sino la libre participación litúrgica. Pero quedan todavía muchos lastres de una educación preceptiva anterior, preocupada por la validez (ir a misa), el minimalismo (llegar al ofertorio) y la licitud moral (ausencia de pecado mortal para comulgar). Con todo, la pérdida de la obligatoriedad del precepto no ha supuesto, al mismo tiempo, una ganancia de calidad en la participación.

Recordemos que en estas últimas décadas ha variado el ritmo temporal de la celebración. El domingo, con su anticipación al fin de semana, se ha convertido en día de descanso, ocio cultural, deportes y recreo, con gran actividad en el sector de los servicios. Es un día festivo secularizado. Salvo para una minoría practicante, ya no es el día del Señor [6]. Evidentemente, el domingo posee una fuerza religiosa a causa de su herencia, pero está, como el sábado (Mc 2, 27-28), al servicio del ser humano o de la asamblea. Para los cristianos, lo decisivo no es el lugar ni el día, sino la reunión misma, sacramento primero de la Iglesia, cuyo sentido no le viene dado por el domingo, sino por el Señor del sábado y del domingo [7].

d) *Frente al bautismo ritual, la iniciación cristiana*

La pertenencia a la Iglesia no la debe dar simplemente el bautismo de niños ritualizado y masificado, sino la iniciación cristiana de jóvenes y adultos. Cristiano no es hoy meramente el bautizado, sino el creyente con opción personal evangélica en su conducta, comprometido en el anuncio de la buena noticia en el mundo y participante en la edificación del reino, cuyo sacramento es la Iglesia.

---

[5] Cf. A. Verheul, *L'assemblée célébrante et ses services:* «Questions liturgiques» 65 (1984) 135-152.

[6] Cf. H. Ernst, *Mon souci d'évêque pour la célébration liturgique du dimanche:* «Questions liturgiques» 65 (1984) 129-133.

[7] Cf. C. Floristán, *Pastoral litúrgica,* en D. Borobio (ed.), *La celebración de la Iglesia,* I. *Liturgia y sacramentología fundamental,* Sígueme, Salamanca 1985, 570.

3. El equipo litúrgico y sus servicios

Para preparar cualquier celebración, especialmente la eucaristía, es fundamental el *equipo litúrgico*. Es un grupo reducido de miembros activos de la asamblea (monitores, lectores y músicos), representativo (hombres y mujeres, jóvenes y adultos), relativamente homogéneo (en línea con la pastoral de la comunidad o parroquia), que comparte la responsabilidad del culto (forman parte del mismo los presbíteros celebrantes). Está al servicio de la asamblea y promueve la participación de los fieles [8]. Se supone que los componentes del equipo litúrgico poseen una preparación lejana, en el sentido de conocer los elementos básicos de la liturgia y tener presente la vida de los feligreses para saber interpretarla a la luz de la fe [9].

En su reunión inmediata semanal, el equipo litúrgico prepara la liturgia dominical (sin olvidar las otras liturgias), precisando qué se celebra, qué dicen las lecturas (sobre todo el evangelio), qué ocurre en la vida del pueblo y cuáles son las actitudes de los participantes en el culto. Se trata, en suma, de organizar la acogida, redactar moniciones y oraciones de los fieles, seleccionar cantos, promover el servicio del altar, preparar el lugar, recordar los avisos que se deben dar, etc. Es importante determinar el tema central dominante de la celebración, concretar en una frase evangélica el sentido de la fiesta, precisar los símbolos a tener en cuenta y distribuir las tareas de cada uno. En la evaluación se examinan los distintos elementos de la celebración anterior, su desarrollo, sus logros y sus fracasos. Este grupo de trabajo ha de tener sumo cuidado en relacionar la liturgia con la vida, la catequesis con la celebración y el sacramento con la evangelización [10]. «El equipo litúrgico –afirma D. Borobio– sólo llega a ser y permanece cuando deviene verdadero *grupo de fe*, es decir, cuando se crean unos vínculos no sólo de función, sino también de amor y comunión, de acogida y pertenencia, de relación interpersonal y de compromiso cristiano compartido» [11].

De un modo particular, el equipo litúrgico se encargará de las siguientes tareas:

a) Preparar previamente la celebración

A diferencia con épocas anteriores, en las que se ejecutaba al pie de la letra la liturgia previamente prescrita (sólo se ensayaban las ceremonias), hoy se debe preparar cualquier celebración. Los actuales libros litúrgicos no describen minuciosamente cada rito, sino que dan pie a elecciones de diversos elementos: moniciones, cantos, lecturas, silencios, e incluso gestos. La asamblea no está al servicio de los ritos, sino al revés. De ahí que se estructure cada celebración en relación a la asamblea reunida.

Para preparar bien la liturgia es necesario tener presente el misterio que se celebra (el amor de Dios tiene múltiples facetas), las lecturas que se proclaman (sobre todo el evangelio) y la situación del pueblo (con el relieve de lo social). Se reparten bien las tareas y se organiza todo el trabajo: la recepción y despedida del pueblo, las intervenciones de moniciones y preces, el ministerio de la música y los cantos, el servicio de la mesa y de la colecta, la preparación del lugar y la composición de signos, símbolos, carteles y decoración.

b) Ambientar el lugar de la celebración

Evidentemente, el lugar influye en la celebración. No es lo mismo celebrar en una catedral que en una casa, en la montaña, junto a un río o en un jardín. Hasta tal punto influye el lugar, que con la aparición de las «misas domésticas» se han renovado muchos aspectos relativos a la participación. Se celebra mejor en comunidad, sobre todo de talla humana; por eso el semicírculo favorece más la celebración que la forma rectangular.

Los miembros del equipo litúrgico deben hacer

---

[8] Cf. *La participación en la liturgia:* «Phase» 24 (1984) n. 144.

[9] Cf. CPL de París, *Fiches de formation pour animateurs de célébrations,* París 1977.

[10] Cf. *Concilio e riforma liturgica,* Milán 1984, 59-72.

[11] D. Borobio, *Participación y ministerios litúrgicos:* «Phase» 144 (1984) 526.

bella la iglesia, la sala, el lugar de la reunión. Hay que esmerarse en la decoración, iluminación, distribución de los asientos y preparación de todas las cosas que la liturgia necesita. A la entrada puede haber un cartel apropiado con un texto entresacado del evangelio del día; otro puede estar en el presbiterio. A veces, mejor que el texto es un símbolo: bastón o cayado, silueta de una barca, peces, panes, uvas, jarra de agua, camilla, etc. Es conveniente inspirarse en el evangelio. En un momento dado –en la monición de entrada o en la homilía–, estos símbolos estáticos, puestos en un lugar visible, se insinúan, no se explican.

Conviene decorar el templo con flores, plantas, lábaros, estandartes, colgaduras, etc. La cruz, que se lleva en procesión, ha de situarse en un lugar destacado. Las luminarias han de ser bellas y visibles. Puede haber una mesita para las ofrendas. Se pueden utilizar iconos, sobre todo de la Virgen. Al comienzo cabe una música discreta de ambientación.

c) Acoger a los invitados

Toda fiesta comienza en la entrada, a las puertas de la casa. Facilita el ambiente una música adecuada, que hace más agradable el lugar de reunión. Un grupo de laicos –con el presidente al frente– puede estar en la puerta para saludar, acoger, introducir y dar la hoja o el libro de cantos. Se prestará atención a las personas de edad, a los niños, a los impedidos y a los forasteros. En algunas celebraciones solemnes (como la de jueves santo, vigilias, etc.) cabe dar una insignia sencilla (por ejemplo una *pegatina* con la expresión «Dios es caridad») o una flor. Los cantos se ensayan antes de comenzar la celebración.

A la llegada de los asistentes, todo debe estar ya preparado: las lecturas, los textos presidenciales, los cantos, las intervenciones de los monitores, y todo lo que ayude a los fieles a participar mejor (libros de cantos, hoja multicopiada, etc.)

d) Distribuir las tareas

Para lograr que la asamblea participe son necesarios unos colaboradores decididos. En toda celebración eucarística intervienen, de un modo especial, diversas personas del equipo litúrgico: el *presidente,* cuya función es presidir en nombre de Cristo y de la Iglesia para servir; los *lectores* de la palabra, previamente preparados; los *comentadores,* o monitores, quienes intervienen en la introducción a la eucaristía, en el acto penitencial, en la entrada a las lecturas, en la profesión de fe, en las preces de los fieles y en la acción de gracias; los *ministros del canto,* es decir, director, coro y músicos para ensayar, dirigir, ejecutar y acompañar al pueblo; y los *ayudantes de la mesa* para colaborar en el ofertorio y en la comunión.

e) Promover la participación en el canto

Por su carácter festivo, en la celebración litúrgica intervienen de un modo lírico la música y el canto con objeto de lograr una mayor incidencia de la palabra, expresar con profundidad la confesión de fe, desplegar la plegaria y vigorizar el gesto sacramental de la comunión. El canto amplía el sentido de la palabra (es respuesta y es anuncio), rastrea lo inefable del misterio cristiano, sondea lo profundo de la interioridad y ayuda a que la fe se enraíce en el mundo de la afectividad [12]. Es importante en el canto la participación del coro, del cantor individual o salmista y del pueblo. Aunque no hay una música específicamente cristiana, cualquier canto no es apto para la celebración. Después del Vaticano II se han compuesto muchos cantos nuevos. Hay que valorar en ellos su calidad musical, el contenido cristiano, la expresión literaria, el ritmo popular y el entronque secular y cultural.

Aunque el canto es el elemento principal en la música ritual de los cristianos reunidos en asamblea, existe también la música ambiental y la mera audición. Debido a la técnica moderna y a la cultura actual, en general escuchamos más que cantamos. También cabe en la liturgia la audición de música y de cantos previamente seleccionados. Pa-

[12] Cf. L. Maldonado, *La celebración litúrgica,* o. c., 247-258; *Quel chant pour l'assemblée?:* «La Maison-Dieu» 145 (1981); J. Gelineau, *La música de la asamblea cristiana, veinte años después del Vaticano II:* «Phase» 144 (1984) 529-539.

ra el buen desarrollo de la música y el canto, es necesario el ministerio del *animador del canto*, que dirige al pueblo y al coro, y es puente entre la asamblea, el presidente, la schola, los músicos y el organista. Finalmente, a la hora de preparar los cantos es necesario tener en cuenta el conjunto de la celebración y su distribución: el de comunión debe estar relacionado con el evangelio, el interleccional sigue a la lectura previa en la que se inspira, el canto de entrada convoca a marcha o a reunión, y el canto final recalca lo vivido en la celebración.

f) Dar vida a la celebración

Dar vida o animar un grupo es comunicarle un soplo vital de entusiasmo. Para que la liturgia sea viva es necesario dotarla de un ritmo adecuado, para lo cual hay que tener en cuenta los momentos de intensidad y de descanso y los contrastes percibidos por los sentidos. Son importantes los silencios en función de las vivencias personales, el tono adecuado en la comunicación religiosa, el proceso de interiorización de valores, la creación de solidaridad y la iniciación a la oración [13].

Pero, en última instancia, la liturgia no puede ser evasión o huida de la vida, rito de cumplimiento, tranquilizante del alma o mera unión individual con Dios sin conversión hacia los hermanos. La liturgia exige tener presente el amor y la justicia [14].

[13] Cf. J. Lebon, *Para vivir la liturgia,* Verbo Divino, Estella 1987; L. Deiss, *Les ministères et les services dans la célébration liturgique,* Levain, París 1981; id., *Las personas en las celebraciones litúrgicas,* World Library Publications, Chicago 1981; F. Favreau, *La liturgie,* Desclée, París 1983.

[14] Cf. J. A. Pagola, *La eucaristía, experiencia de amor y de justicia,* Sal Terrae, Santander 1990 (Aquí y ahora, 5); D. Borobio, *Dimensión social de la liturgia y de los sacramentos,* Desclée, Bilbao 1990.

g) Fomentar la creatividad litúrgica

El Vaticano II habló de «adaptación». Hoy expresamos este término conciliar con la palabra «inculturación». Es el fenómeno en virtud del cual la liturgia se encarna en la cultura (sin misa no hay ciertas fiestas populares), o la expresión cultural se introduce en la liturgia (se aplaude en la celebración). Recordemos que la liturgia dio origen al teatro, forma parte de la cultura, le proporciona un espacio específico y se expresa con un lenguaje cultural. La celebración cristiana, en sus diversas formas, ha de adaptarse al genio cultural y religioso del pueblo, al nivel de fe de la asamblea y a la capacidad de orar. Pero la liturgia posee siempre unas leyes o estructuras permanentes que la califican como oración de la Iglesia o plegaria de la comunidad. No es fácil celebrar bien desde la tradición y la creatividad. En la liturgia se canta, pero no es concierto; hay movimiento sin ser ballet; dramatizamos con gestos sin llegar al teatro, y oramos juntos sin quedarnos en un mero ejercicio piadoso.

La creatividad litúrgica no es un fenómeno nuevo. En la antigüedad, las liturgias eran locales, inculturadas. Por esta razón hubo familias litúrgicas diversas. Hoy se repiten las condiciones primitivas. La liturgia posconciliar es comunitaria, se adapta al lugar de la celebración, utiliza expresiones nuevas y tiene posibilidades de optar por unas fórmulas u otras.

En toda celebración hay signos litúrgicos en parte repetitivos (signos conocidos) y en parte renovados (signos cambiantes). Repetitivos son los símbolos esenciales de los sacramentos o ciertos signos religiosos cuya fijación es necesaria (algunos signos corporales). Hay aspectos cambiantes, como la homilía, moniciones, oraciones, cantos y signos. En definitiva, la creatividad es necesaria para encarnar mejor la fe y la adoración de Dios en la savia más profunda de la vida sacramental de un pueblo.

16

El compromiso liberador de la parroquia

Centrada en el ámbito de lo sacramental, la parroquia atiende insuficientemente el mundo de los pobres y marginados, es decir, el régimen del compromiso liberador, cuya raíz cristiana está en la justicia y en la caridad [1]. Sin embargo, la vocación de globalidad cristiana que posee la parroquia le exige ser Iglesia del pueblo en un lugar concreto que da testimonio de fe, esperanza y caridad entre la gente sencilla y se compromete con su liberación. Los feligreses de una parroquia deben testimoniar la caridad de la Iglesia, derivada de la caridad de Cristo, como comunidad de amor, que implica promover la justicia, la solidaridad, la comunión y la paz [2]. Sólo así podrá la parroquia llegar a ser comunidad cristiana significativa en medio de la sociedad [3].

1. Evangelización y compromiso liberador

A partir del Vaticano II puede afirmarse que la evangelización –distinta de la liberación/promoción humana, a la que no se reduce– es inseparable de la liberación [4]. Dicho de otro modo, la salvación incluye a la liberación, pero la transciende. «Aunque hay que distinguir cuidadosamente progreso temporal y crecimiento del reino de Cristo –dice la *Gaudium et spes*–, sin embargo el primero, en cuanto puede contribuir a ordenar mejor la sociedad humana, interesa en gran medida al reino de Dios» (GS 39).

Un paso importante en esta dirección lo dio el tercer Sínodo de Obispos sobre *La justicia en el mundo,* al afirmar que «la acción en favor de la justicia y la participación en la transformación del mundo se nos presenta claramente como una *di-*

[1] Para la redacción de este capítulo he tenido en cuenta mis dos trabajos: *Teología Práctica,* Sígueme, Salamanca [2]1993, cap. 21: El compromiso, y *Para comprender la evangelización,* Verbo Divino, Estella 1993, cap. 7: Evangelización y liberación integral.

[2] Cf. *Sollicitudo rei socialis,* n. 40.

[3] Cf. F. Placer Ugarte, *La animación cristiana de la realidad: una interpelación de la parroquia actual:* «Lumen» 37 (1988) 419-437.

[4] R. Belda, *Promoción humana y evangelización,* en Fe y Secularidad, *Fe y nueva sensibilidad histórica* (XVIII Semana de Misionología de Bérriz), Sígueme, Salamanca 1972, 315-337. Cf. L. González-Carvajal, *Con los pobres contra la pobreza,* Paulinas, Madrid 1991, 181-182; L. Saravito, *Quale rapporto tra evangelizzazione e promozione umana:* «Credere oggi» 30 (1985) 75-85; Ch. M. Murphy, *Action for Justice as Constitutive of the Preaching of the Gospel: What Did the 1971 Synod Meand?:* «Theological Studies» 44 (1983) 298-311.

mensión constitutiva (tanquam ratio constitutiva) de la predicación del evangelio, es decir, la misión de la Iglesia para la redención del género humano y la liberación de toda situación opresiva» [5]. Por medio de la misión de la Iglesia, Dios llama a la conversión cristiana y a la fraternidad humana. En otro momento dice el tercer Sínodo que «la misión de predicar el evangelio en el tiempo presente requiere que nos empeñemos en la *liberación integral* del hombre ya desde ahora, en su existencia terrena. En efecto, si el mensaje cristiano sobre el amor y la justicia no manifiesta su eficacia en la acción por la justicia en el mundo, muy difícilmente obtendrá credibilidad entre los hombres de nuestro tiempo» [6].

Recordemos que la afirmación sinodal de que la lucha por la justicia es «dimensión constitutiva» de la evangelización causó estupor por su novedad y produjo algunas discusiones. R. Torrella, secretario entonces para el tema de la justicia en el Sínodo de 1971, aclaró en el Sínodo de Obispos de 1974 que dicha «dimensión constitutiva» es «parte integrante», pero no «parte esencial». En la Declaración final del Sínodo de 1974 se afirma «la conexión íntima que existe entre la obra de la evangelización y la mencionada liberación». En otra parte de esta declaración se dice «que la Iglesia, cumpliendo con mayor fidelidad su tarea evangelizadora, anuncie la salvación integral del hombre, o sea, su plena liberación, y ya desde ahora comience a realizarla». Por último, reconoce este texto que, «fiel a su misión evangelizadora, la Iglesia, como unidad realmente pobre, orante y fraterna, puede hacer mucho en favor de la salvación integral o plena liberación de los hombres» [7].

La exhortación apostólica *Evangelii nuntiandi* de 1975 afirmó que «entre evangelización y promoción humana –desarrollo, liberación– existen efectivamente lazos muy fuertes. Lazos de orden antropológico, porque el hombre que hay que evangelizar no es un ser abstracto, sino un ser sujeto a los problemas sociales y económicos. Lazos de orden teológico, ya que no se puede disociar el plan de la creación del plan de la redención que llega hasta situaciones muy concretas de injusticia, a la que hay que combatir, y de justicia que hay que restaurar» (EN 31). «La evangelización –dice en otro texto la *Evangelii nuntiandi*– lleva consigo un mensaje explícito, adaptado a las diversas situaciones y constantemente actualizado, sobre los derechos y deberes de toda persona humana, sobre la vida familiar, sin la cual apenas es posible el progreso personal, sobre la vida comunitaria de la sociedad, sobre la vida internacional, la paz, la justicia, el desarrollo; un mensaje, especialmente vigoroso en nuestros días, sobre la liberación» (EN 29). En un pasaje posterior afirma el citado documento que la Iglesia «tiene el deber de anunciar la liberación de millones de seres humanos, entre los cuales hay muchos hijos suyos; el deber de ayudar a que nazca esta liberación, de dar testimonio de la misma, de hacer que sea total. Todo esto no es extraño a la evangelización» (EN 30).

La Comisión Teológica Internacional recordó en 1977 la afirmación de R. Torrella de que la acción por la justicia «es una parte integrante, pero no esencial», de la evangelización [8]. Al inaugurar la Conferencia de Puebla, dijo Juan Pablo II –de acuerdo a la exhortación *Evangelii nuntiandi*– que la «misión evangelizadora tiene como *parte indispensable* (el subrayado es mío) la acción por la justicia y las tareas de promoción del hombre, y que entre evangelización y promoción humana hay lazos muy fuertes de orden antropológico, teológico y de caridad». Precisamente uno de los objetivos centrales de la Conferencia de Puebla –señala M. A. Keller– fue «aclarar el nexo existente entre *evangelización* y *liberación/promoción humana,* planteando el auténtico sentido y exigencia de una evangelización liberadora» [9]. Recientemente, la encíclica *Redemptoris missio* dice que la lucha por la justicia es «parte integrante» de la evangelización (n. 60).

En resumen, la lucha por la liberación es «parte integrante», «parte indispensable» o «dimensión

---

[5] Introducción a *La justicia en el mundo. Los documentos del tercer Sínodo,* PPC, Madrid 1971, 42.

[6] Ibíd., II, 51.

[7] Cf. estos textos en «Ecclesia» 34 (1974) 1463-1465.

[8] Comisión Teológica Internacional, *Promoción humana y salvación cristiana,* Ed. Católica, Madrid 1978, 202.

[9] M. A. Keller, *Evangelización y liberación. El desafío de Puebla,* Biblia y Fe, Madrid 1987, 277.

constitutiva» de la evangelización. Evidentemente, la evangelización puede realizarse siempre, incluso con escasa promoción humana, pero en este caso tiene la fe el riesgo de ser mágica o de no madurar satisfactoriamente. Sin embargo, aunque en la evangelización tiene prioridad la liberación –y en concreto la liberación social–, no debemos olvidar que la evangelización no se reduce a liberación social, que la liberación social se da dentro de la evangelización (no es exterior) y que la evangelización empuja y critica a la misma liberación. La evangelización es, pues, liberación total y real del ser humano en todas sus dimensiones, incluida la política. Por consiguiente, la misión de la Iglesia, evangélicamente entendida, abarca conversión y justicia, revelación de Dios y liberación de oprimidos, vida cristiana y vida de la humanidad entera. La meta de la evangelización es, pues, la liberación integral o la salvación total.

2. El compromiso liberador de los cristianos

Se entiende por compromiso la tarea personal o colectiva, libremente aceptada y conscientemente pensada a partir de unos imperativos éticos, para ayudar a los demás, sobre todo a los necesitados, cuando la sociedad carece de algo fundamental relativo a la igualdad o a la libertad. Comprometerse equivale a luchar por un cambio importante, dada una situación de dependencia o de opresión. Ordinariamente, el comprometido defiende los derechos humanos y opta a favor de los pobres y oprimidos; está con la parte más débil. Para comprometerse no basta la palabra, sino que es necesaria la acción, concreta y vinculante, disciplinada y organizada o encuadrada dentro de un proyecto o plan.

Recordemos que la fe se ha entendido a menudo sin compromiso, como algo meramente religioso, espiritual o ritual. Por esa razón se ha contrapuesto, en un dilema falso, al compromiso. Lo contrario de la fe no es el compromiso, sino la no-fe, y lo contrario del compromiso no es la fe, sino el no-compromiso. Dicho con otras palabras, la fe se enraíza o toma cuerpo en el compromiso a secas. Recientemente, la fe ha sido entendida como causa o motor del compromiso: creer es comprometerse. Por supuesto, existe el compromiso sin fe. Lo que se pretende es que la fe se entienda como compromiso porque es conversión, y que el compromiso de los cristianos cobre una dimensión explícita desde la fe. En definitiva, el compromiso cristianamente entendido es una exigencia ineludible de la fe.

En la práctica, el creyente no hace distinciones; cree y se compromete políticamente al mismo tiempo. La fe y la política son instancias totalizadoras que no se excluyen, que se interpelan y que se encarnan en una persona concreta. Incluso la teología posconciliar aprecia la necesidad de la acción política, reacciona contra el carácter privatizador del cristianismo peculiar de algunos cristianos, señala la acción política como lugar de liberación histórica, acentúa el papel crítico y profético de la Iglesia, no separa (aunque no confunde) liberación histórica de salvación religiosa y sostiene que el cristianismo posee, desde la esperanza, una fuerza renovadora social. La fe y la política se interrogan mutuamente. Existen ciertas exigencias de la fe en el campo político y ciertas exigencias políticas en el dominio de la fe. De hecho, la opción política influye en la fe, y la fe influye en la opción política.

De una parte, aunque la dignidad de la persona humana y los derechos sociales no son patrimonio exclusivo de la fe cristiana, sí es propio del cristianismo la afirmación de la vocación divina del hombre; la persona no se reduce a un conjunto de relaciones. También es propio del cristianismo la concreción de la culpa como pecado delante de Dios. Precisamente porque la política engendra a menudo tensiones, conflictos, odios y guerras, la fe nos revela el origen de las disensiones y la llamada a la reconciliación. Además, por su función utópica, la fe no sólo reconoce los intentos y esfuerzos de los seres humanos para construir una sociedad cada vez más libre y más justa, sino que nos propone la edificación de un reino definitivo, que está aquí, aunque todavía no en su plenitud.

El compromiso social de los cristianos –primero denominado *temporal* y luego *político*– cobró relieve en el campo del apostolado seglar al tomar los laicos conciencia activa de ser miembros de la Iglesia. Se generalizó con la presencia de los cristianos en el campo de la política. Hoy se entiende como presencia activa de los creyentes y de la Iglesia en la sociedad al poner de relieve las exigencias sociales del evangelio y de la fe. En resumen, los creyentes se comprometen en comunidad eclesial con la causa de Jesús, que es el reino de Dios. Es un compromiso de ser hijos de Dios, servir al necesitado y ser responsables y solidarios.

3. El compromiso liberador de la parroquia

a) Dimensión comunitaria de la caridad

A lo largo del tiempo, la Iglesia ha ejercido su función pastoral caritativa a través de sus comunidades de muy diferentes maneras. La primera ayuda fraternal cristiana nació en la celebración de la eucaristía (AA 8). Los apóstoles instituyeron siete diáconos como ayudantes del servicio del altar y de los pobres en una misma mesa. Pero no se circunscribió la caridad a la propia comunidad, sino que trascendió, por medio de las colectas, a otras iglesias o comunidades pobres (Rom 15, 25ss; 2 Cor 8, 2ss; 9, 1ss). Esta caridad comunitaria, entendida como un servicio social, se funda en la diaconía del Señor y de su reino, forma parte de la liturgia dominical y es un testimonio de la Iglesia primitiva, incluso con los paganos. Sin compromiso de caridad no hay comunidad cristiana verdadera.

En el mundo actual, la caridad se ha socializado; no son suficientes los esfuerzos individuales. Las ayudas se realizan por instituciones permanentes, organizadas, con subvenciones diversas. Incluso el servicio social se ha convertido en una profesión: ayudar al bienestar social del necesitado. En el nivel estructural y organizativo es necesario que se establezca para todos un sistema de previsión social. La acción social frente a las necesidades sociales es competencia de los organismos estatales, mediante una planificación democrática y participada para erradicar la marginación de personas y colectivos sociales.

No obstante, ante la demanda de ayudas inmediatas y urgentes que se dan en algunos sectores de la sociedad, son necesarias ciertas instituciones de ayuda y de promoción social. La asistencia sigue siendo necesaria, aunque inscrita en un proyecto y servicio que indague la raíz del problema y encare la situación colectiva a través del caso individual.

b) El despliegue caritativo parroquial

Como organización católica, *Caritas* se propone desarrollar el amor de Dios a través del amor fraterno [10]. En sus primeras etapas, el objetivo de Caritas se basó en la beneficencia y asistencia. Hoy se entiende como institución que intenta llevar a cabo la tarea de compartir que posee la comunidad cristiana como respuesta a la pobreza y marginación actuales. Respecto de la acción social, Caritas es una institución de servicio en relación con la política del bienestar.

Mas la comunicación de bienes no es una tarea que corresponde exclusivamente a Caritas, sino que pertenece a la misión de toda persona y, por supuesto, de todo cristiano; puede y debe desarrollarla todo grupo organizado, sea confesional o no, y es una obligación del Estado. Naturalmente, el Estado debe promover la comunicación de bienes teniendo en cuenta estos dos principios: el respeto a la libertad de las iniciativas particulares y el principio de subsidiariedad, a saber, el Estado interviene positivamente en el dominio económico respetando la función primordial de los grupos libremente constituidos.

La encuesta del congreso *Parroquia evangelizadora* señala que los dos tercios de las parroquias españolas y el 90% de las situadas en la ciudades tienen *Caritas*. Incluso en la mitad de las parroquias hay alguna obra de promoción social en favor de los parados, marginados sociales, drogadictos, enfermos o ancianos. Pero en general –señala la encuesta citada– la generosidad cristiana a la hora de compartir los bienes es baja en el 28,2% de las parroquias, regular en el 49%, alta en el 17,6% y muy alta en el 2,9% [11]. «La comunicación cristiana de bienes para con los más necesitados –afirma la primera ponencia del congreso *Parroquia evangelizadora*– no es la nota dominante de nuestras parroquias,

---

[10] Cf. *Estatutos de Cáritas Española,* Madrid 1968; R. Echarren, *Caritas, ¿qué es?,* Madrid 1977.

[11] Ponencia segunda: *¿Evangelizan nuestras parroquias?,* en *Parroquia evangelizadora,* Edice, Madrid 1989, 86.

al no tener suficientemente en cuenta que el test de la fe auténtica es la caridad vivida, y que evangelizar a los pobres y dejarse evangelizar por ellos es el signo de la presencia del reino entre los hombres» [12]. Un juicio parecido se encuentra en la ponencia tercera del congreso *Parroquia evangelizadora* al afirmar que no hay en las parroquias «demasiadas acciones dirigidas a transformar un determinado ambiente, a humanizar una realidad social concreta, a hacer presentes y operativos los valores del reino en la sociedad. Faltan gestos colectivos y tomas de posición de la parroquia ante situaciones y hechos sociales claramente contrarios al evangelio. La mayoría de las parroquias impulsan a sus fieles a una conducta cristiana correcta y un testimonio de vida ejemplar, pero no logran llevarlos a comportamientos y compromisos más transformadores» [13].

c) Criterios pastorales de acción social en la parroquia

«Si la educación de la fe en la parroquia tradicional ha sido una de las causas de la falta de conciencia cívica de los ciudadanos –escribe R. Belda–, es preciso renovar la pastoral parroquial a fin de subsanar este defecto» [14]. La parroquia ha de educar la conciencia de los feligreses a partir de las exigencias sociales del evangelio, tanto en la predicación como en la catequesis. La opción por los pobres deberá ser en la parroquia un criterio fundamental. Por supuesto, la educación cristiana ha de ser inductiva, a partir de la vida, para descubrir en la misma la acción de Dios. «La programación pastoral de las parroquias –dice el documento episcopal *La caridad en la vida de la Iglesia*–, en el contexto de la planificación de la acción pastoral de toda la diócesis, incluirá la formación para la caridad y la justicia, así como la promoción de ambas» [15].

– En cuanto comunidad cristiana, la parroquia –afirma el citado documento– «ha de asumir un compromiso activo de denuncia y lucha contra las diversas situaciones de pobreza y marginación, y también contra el fraude y la corrupción, como comportamientos antievangélicos de la vida individual y pública» [16]. Asimismo, «impulsará la participación en las estructuras de la vida pública y estimulará la presencia activa de los cristianos en las asociaciones que trabajan en la construcción de una sociedad justa y solidaria» [17].

– La parroquia deberá promover en concreto y de hecho el compromiso social de los cristianos en la vida pública, ayudando al desarrollo de la militancia cristiana. Esto exige un estrecho contacto con los movimientos apostólicos evangelizadores que trabajan en los diversos ambientes y con los movimientos, actividades y asociaciones de los diversos sectores sociales cercanos a la parroquia.

– La parroquia desplegará sus actividades caritativas, no sólo de Caritas, sino de otras labores asistenciales y de promoción con presos y ex-presos, jubilados, parados, drogadictos, enfermos afectados por el sida, etc. Deberá acoger con particular atención a los más pobres y necesitados. Asimismo hará tomar conciencia «sobre las necesidades de los países en vías de desarrollo, para que los países ricos hagan lo posible por contribuir al desarrollo de los más pobres y alcancen la cuota del 0,7% del PIB como aportación al desarrollo de los países más necesitados» [18].

– En una palabra, «la educación en la fe de las comunidades cristianas y de sus miembros, los procesos formativos, los catecumenados juveniles y de adultos, la educación familiar y la formación religiosa en centros educativos, debe ayudar a hacer de las comunidades cristianas signo de la buena noticia de Dios a los pobres» [19].

---

[12] *Parroquia evangelizadora,* Edice, Madrid 1989, 87.

[13] *¿Cómo renovar nuestras parroquias?,* en *Parroquia evangelizadora,* Edice, Madrid 1989, 171.

[14] R. Belda, *La comunidad parroquial y el compromiso cívico,* en *Parroquia urbana, presente y futuro* (V Semana Nacional de la Parroquia), Comisión Episcopal de Pastoral, Madrid 1975, 229-230.

[15] *La caridad en la vida de la Iglesia,* documento de la LX Asamblea Plenaria de la Conferencia Episcopal Española (19-11-93), II, 1, b.

[16] Ibíd., I, 2, a.

[17] Ibíd., I, 4, a.

[18] Ibíd., II, 4, a.

[19] Ibíd., III, 1, a.

IV

EL MINISTERIO SACRAMENTAL DE LA PARROQUIA

17

El bautismo, sacramento de la fe

Conversión, profesión de fe y bautismo no son tres caminos diferentes, sino una sola vía de respuesta libre y personal a la llamada de Dios para ser cristiano en el seno de la Iglesia. En un momento determinado de la conversión de un adulto, el candidato a devenir cristiano es sellado con un gesto sacramental: la inmersión en agua o rito del bautismo, que expresa de forma simbólica la acogida y el don de una vida nueva pascual, en presencia de la comunidad eclesial. Es «el baño regenerador y renovador» (Tit 3, 5).

1. Razones que dan los padres para bautizar a sus hijos

En los países de cristiandad, la mayor parte de los bautismos son hoy de niños; es excepcional el de adultos. Además, son bautizados la inmensa mayoría de los recién nacidos. Solamente se niegan a bautizar a sus hijos algunos no creyentes convencidos y, paradójicamente, ciertos cristianos militantes partidarios del bautismo de adultos. Los demás, sean creyentes no practicantes, católicos festivos de las cuatro estaciones sacramentales (bautismo, primera comunión, casamiento y rito funerario) o cristianos de misa dominical, bautizan a sus hijos sin grandes dificultades. Se presentan también casos bautismales especiales, como los hijos de matrimonios mixtos, parejas casadas por lo civil, cónyuges separados o divorciados y madres solteras. Si se niega el bautismo por unas u otras razones, se produce un conflicto, ya que este sacramento se ha convertido en un derecho de los padres por no ejercer la Iglesia debidamente las exigencias de admisión.

Recordemos, con todo, que la libertad religiosa ha crecido, así como el agnosticismo y la indiferencia, y que consecuentemente descenderá la práctica bautismal y se cuestionará cada vez más la justificación masiva del bautismo de niños. Los padres que actualmente hacen bautizar a sus hijos no tienen las mismas convicciones religiosas que sus padres, hoy abuelos. En un porcentaje alto ha decrecido el interés por lo ritual y sacramental; en otros casos ha aumentado la autenticidad de la fe y del compromiso, sin entender bien los gestos sacramentales. A la hora de bautizar se advierte esta paradoja: el bautismo tiene una razón de ser, derivada del Nuevo Testamento y de la tradición de la Iglesia, que a veces no coincide con la razón de ser que expresan más o menos veladamente los padres deseosos de bautizar a sus hijos. En una palabra, los padres dan unas razones; la Iglesia ofrece otras [1].

---

[1] Cf. D. Cervera, *¿Quiénes nos piden el bautismo?:* «Phase» 10 (1970) 85-92; J. Ancion y S. Bonnet, *Baptême, pastorale et so-*

Aunque últimamente han variado mucho las razones para bautizar a los niños, podemos señalar estas tres:

a) Razones sociales

En primer lugar están las razones *sociales:* el bautismo de niños es un acto bien visto que se hace por costumbre; es hábito familiar que justifica una fiesta; al bautizar al niño, los padres se quedan más tranquilos, e incluso se evita el conflicto con los abuelos u otros familiares tradicionalmente muy religiosos; el niño bautizado podrá hacer la primera comunión y casarse por la Iglesia. Evidentemente, con la libertad religiosa y civil estas razones tienen menos peso. Cada vez influye menos la coacción familiar o social.

b) Razones religiosas

En segundo lugar están las razones *religiosas:* el bautismo asegura una cierta protección sobrenatural; el niño bautizado gozará de buena salud, será mejor; se alejarán las fuerzas maléficas; en caso de muerte, irá al cielo; si no es bautizado, queda pagano, salvaje, «moro». En ocasiones se pide el bautismo desde un sentimiento religioso para poner de relieve el origen misterioso de la existencia. Con la cristianización del sentimiento religioso se purifican algunas de estas razones.

c) Razones cristianas

Finalmente se dan razones *cristianas:* el bautismo borra el pecado original; transmite la fe heredada; es recepción de la gracia de Dios; es sacramento de salvación; es entrada en la Iglesia; es unión con Cristo o acto de Dios que nos hace hijos suyos. Estas razones han crecido en la medida que ha mejorado la pastoral bautismal.

---

ciologie: «La Vie Spirituelle» 125 (1971) 214-273; J. Potel, *Les Français et le baptême:* «La Maison-Dieu» 112 (1972) 84-95; id., *Moins de baptêmes en France. Pourquoi?*, Cerf, París 1974; J. E. Vives, *Dos encuestas sobre el bautismo de niños:* «Phase» 13 (1973) 383-387.

2. Justificación popular del bautismo de niños

a) El bautismo borra el pecado original

La primera razón proviene de la convicción profundamente arraigada de que el bautismo borra el pecado original. Recordemos que la teología del pecado original fue desarrollada por san Agustín en sus discusiones con los pelagianos para justificar la práctica del bautismo de niños ya existente. Para nuestro pueblo creyente, el bautismo borra un pecado con el que nace toda criatura. En los medios populares, las familias se sienten tranquilas cuando han bautizado a sus hijos, ya que su aspiración es ponerlos en las manos de Dios cuanto antes. Se teme la muerte de un niño sin bautizar como se teme el entierro sin sepultura religiosa. El niño sin bautizar no es persona completa del todo.

El pueblo sencillo cree en el pecado original porque tiene experiencia del mal en el mundo e, incluso, del mal injusto. Durante siglos no han sido satisfechas las aspiraciones populares relativas a la salud, tesoro codiciado pero quebradizo. Sólo Dios salvador puede dar la salud con justicia y gratuidad. Por eso hay que erradicar toda amenaza de fondo que atente contra la salud: se bautiza al niño para «borrar» el pecado original. Así se sana de raíz el nacimiento a una vida llena de injusticias y de males.

b) El bautismo es un rito de tránsito

A. Van Gennep denominó «rito de tránsito» («rite de passage») al rito simbólico que en las religiones se da en momentos críticos o etapas decisivas, como es nacer, formar parte de la comunidad adulta, casarse y morir. El bautismo tiene que ver con la generación del ser humano, el embarazo y el alumbramiento. En los medios populares, el bautismo es un rito sagrado en el que se apela a Dios en un momento transcendente y frágil de la vida. Recordemos que durante siglos muchos niños morían recién nacidos. Con el bautismo de sus hijos, los padres desean simbolizar –la mayoría de las veces inconscientemente– el deseo de protección divina, la consagración de la vida, la esperanza en el futuro transcendente, el reconocimiento de lo que han hecho y la referencia sagrada a Dios. No se consagra sólo el nacimiento, sino el futuro, a saber, lo que tiene la vida recién nacida de aspiraciones y valores. Por esta razón se celebra el bautismo de un niño con una fiesta. Los padres pertenecientes a la religiosidad popular no tienen conciencia de que atentan contra la voluntad de su hijo al bautizarlo. Deciden por sus hijos sin problemas.

c) *El bautismo es sello del catolicismo popular*

Para los medios populares, el bautismo afilia al niño al grupo religioso para integrarlo cultural y socialmente. Según R. Pannet es «rito de la consagración del nacimiento y de la primera infancia», «acto que autentifica e integra en lo social y cultural», o «investidura católica» más que agregación a la comunidad cristiana [2]. El niño es agregado a un catolicismo popular más que a una Iglesia, a no ser que ésta sea concebida como grupo religioso. En el bautismo se hace visible la pertenencia religiosa de la familia. No se echa en falta en ese momento a la comunidad. Con la presencia del sacerdote –garante de la sacralidad oficial–, el rito bautismal hace eficaz la adopción del niño como hijo de Dios. Desde su nacimiento, el bautismo consagra a un niño a la familia humana bajo la protección de Dios.

3. Debate sobre el bautismo de infantes

En la generalización del bautismo de niños han influido diversas razones sociológicas (coherencia de la unidad familiar), sanitarias (frecuencia de mortalidad infantil), teológicas (necesidad de perdón radical) y pastorales (la implantación de la cristiandad). De hecho, el actual bautismo generalizado de niños no equivale siempre al sacramento de la fe, sino que en ocasiones es un rito sacramental más o menos religioso o sagrado.

Las controversias surgidas en la Iglesia católica sobre el bautismo de niños –o en estricto rigor de infantes– no proceden tanto de la teología como de la acción pastoral [3]. No olvidemos que, en el ámbito litúrgico, la práctica precede de modo ordinario a la teología. De una forma ostensible, ningún teólogo católico niega la justificación doctrinal del bautismo de niños. Histórica y teológicamente, el bautismo de niños es cierto y válido. Aunque le falte la respuesta inmediata, el bautismo de niños es válido, ya que el infante es bautizado con fe «vicaria» o «aliena», como ya lo expresó san Agustín. Según la *Instrucción sobre el bautismo de niños,* de la Congregación para la Doctrina de la Fe de 1980, «aunque no puedan aún profesar personalmente su fe», la Iglesia bautiza a los niños «en su propia fe» (n. 14) [4]. Evidentemente se necesita «el consentimiento de los padres y la garantía seria de que el niño bautizado recibirá la educación católica» (n. 15). No se puede bautizar a un niño sin que sus padres queden implicados. Aquí está el problema, en la garantía de una educación cristiana posterior, con objeto de que el bautizado «se confirme» más adelante en la fe. Al seguir la iniciación cristiana a la celebración bautismal, se corre el peligro de que todo quede en un mero ritualismo sacramental con promesas de buena voluntad.

Las discusiones han sido y son propiamente pastorales. Comenzaron en Francia antes del Concilio, al acabar la segunda guerra mundial. En 1946 se manifestaron dos tendencias: los partidarios del «laxismo» y los defensores del «rigorismo». En 1951 publicó el episcopado francés un *Directorio para la pastoral de sacramentos,* en donde se constata la tensión existente entonces entre «los defensores de la severidad y los de la indulgencia», entre «los partidarios de los derechos del individuo y los de los derechos de la comunidad», o entre «los

[2] R. Pannet, *El catolicismo popular,* Marova, Madrid 1976, 117.

[3] Cf. J. J. von Allmen, *Réflexions d'un protestant sur le pédobaptisme généralisé:* «La Maison-Dieu» 89 (1967) 66-86; id., *Pastorale du baptême,* Ed. Universitaires-Cerf, Friburgo-París 1978, 71-125; P. A. Liégé, *Le baptême des enfants dans le débat pastoral et théologique:* «La Maison-Dieu» 107 (1971) 7-28; C. Floristán, *Controversias sobre el bautismo de niños:* «Phase 55 (1970) 39-70.

[4] Cf. el texto latino en «Osservatore Romano» del 22 de noviembre de 1980 y en AAS 77 (1980) 1137-1156; la trad. al castellano en «Phase» 122 (1980) 145-161.

apóstoles de la evangelización y los defensores de la práctica sacramental» [5]. En este directorio se señala que el bautismo de párvulos sólo puede ser celebrado si se da un *compromiso* de enviar al niño, en su momento oportuno, a la catequesis.

La tensión se produjo entre una pastoral de cristiandad y una pastoral misionera. La discusión brotó de nuevo al acabar el Concilio [6]. En 1965 publicó el episcopado francés una nota titulada *La pastoral del bautismo de niños,* en la que se centra la responsabilidad en los padres. Se propone una pastoral de la «dilación» entre el nacimiento del niño y el bautismo propiamente dicho [7]. Se hizo eco de las controversias la *Instrucción* ya citada. A partir de las discusiones sobre el bautismo de niños, puede hacerse un balance de argumentos a favor y en contra.

a) Argumentos a favor

– El bautismo de niños *concede la gracia,* signo de la victoria de Cristo sobre el pecado. Hoy no aparece tan importante como en tiempos pasados la idea del pecado original que borra el bautismo. Pero no puede olvidarse la teología agustiniana desarrollada en las controversias con los pelagianos, según la cual el bautismo borra el pecado original. La entrada en la Iglesia, realizada por el bautismo, es «remisión de pecados» y recepción de Espíritu. Este argumento lo expone con toda claridad la *Instrucción* de 1980, en donde se citan testimonios favorables de los concilios de Cartago, Viena, Florencia y Trento (n. 6-8).

– El bautismo es *signo de la gratuidad de Dios* que invita al hombre a su alianza, le regala la fe y le hace miembro de su pueblo. Dicho de otra manera, el bautismo de niños manifiesta claramente la iniciativa de Dios. Es signo de que «él nos amó primero», como dice san Juan. La citada *Instrucción* afirma que el bautismo de niños es «manifestación del amor gratuito de Dios, participación en el misterio pascual del Hijo, comunicación de una nueva vida en el Espíritu» y agregación «al cuerpo de Cristo, que es la Iglesia» (n. 10). Como fundamento bíblico se cita a Jn 3, 5 (diálogo de Jesús con Nicodemo).

– El bautismo de niños es *signo de la solidaridad eclesial,* que es más fuerte que la solidaridad en el pecado. Con este bautismo se celebra el compromiso de la Iglesia en la encarnación. Es un signo de la realidad en desarrollo o un lazo de unión entre la salvación y la totalidad del universo.

b) Argumentos en contra

– El bautismo generalizado de niños normaliza lo excepcional. No se sigue en dicha práctica el orden evangélico normal, a saber, proclamación del evangelio, aceptación del mismo por medio de la fe y bautismo. Según el Nuevo Testamento, es necesario creer para ser bautizado. En el caso de los niños que se bautizan se advierte que en ellos no se da conversión, fe personal, confesión de fe y deseo de bautizarse. Es necesario prestarles la fe. Pero hoy no vivimos en un régimen de cristiandad, en el que la fe se vivía en grupo. Hoy se estima más la libre elección personal que la mera aceptación social.

– El bautismo generalizado de niños es un *gesto de otra época cultural.* Recordemos el cambio cultural producido en la sociedad occidental con el advenimiento del mundo moderno. En la cristiandad había un clima cristiano dentro de la familia, profesión, escuela y cultura. Han cambiado profundamente las circunstancias pastorales. Es cierto que los padres quieren lo mejor para sus hijos y que los más conscientes desean seriamente unos hijos cristianos. Pero al mismo tiempo se observa que hoy no se hereda como ayer el estilo familiar, la profesión, la decisión matrimonial, la opción política, las pautas de comportamiento y los usos y costumbres religiosas. No es fácil garantizar para los hijos la posterior aceptación personal de la fe, ni aun en el caso de familias rigurosamente cristianas. El niño era considerado antes como un adulto en pequeño. Hoy se le concede más autonomía.

– Al reducirse a una práctica familiar o social, *el bautismo de niños se devalúa* convirtiéndose en cos-

---

[5] Cf. *Directoire pour la pastorale des sacrements à l'usage du clergé adopté par l'assemblée plénière de l'épiscopat pour les diocèses de France,* París 1951.

[6] Cf. *Les sacrements livrés à l'incroyance:* «Parole et Mission» 25 (1964).

[7] Cf. el texto en «La Documentation Catholique» 48 (1966) 457-465.

tumbre tradicional o en convención social. Dicho de otro modo, disminuye su significado de compromiso en la fe identificando fe o religión con nacimiento, y engendrando muchos más hijos bautizados que la paternidad responsable de la Iglesia puede admitir para su posterior y adecuada educación. Si Dios lo hace todo, devaluamos la acción humana y podemos llegar a una concepción mágica del sacramento. De otra parte, la práctica bautismal con infantes favorece una visión individualista de los sacramentos y de la salvación, al pensar que el sacramento opera instantáneamente según una concepción ontológica estática. En una palabra, se confunden las funciones de la palabra de Dios y del sacramento.

– Un cuarto argumento afirma que *se agrede a la libertad humana*. Aparece como un abuso; algunos han hablado de «violación». Otros creen que el bautismo de niños debe ser planteado en términos de libertad más que en perspectivas de tradición. De hecho, hay jóvenes que reprochan a sus padres la decisión que un día tomaron de bautizarlos. La afirmación de que el bautismo de niños atenta contra la libertad es juzgada por la *Instrucción* de 1980 como «absolutamente ilusoria», ya que «no existe la pura libertad humana que esté exenta de todo condicionamiento» (n. 21).

– Finalmente, con el bautismo generalizado de niños se corre el riesgo de *destruir la imagen misionera de la Iglesia*. Hay una desproporción abrumadora entre el número de bautizados y el número de creyentes y practicantes convencidos. Se perjudica la Iglesia confesante. Con esta práctica, algunos padres se hacen irresponsables. Todo lo confían a las estructuras eclesiales y sacramentales, como si Dios obrara automáticamente.

4. Significado neotestamentario del bautismo

a) Nuevo nacimiento en el Espíritu de Dios

El bautismo cristiano es designado en el NT «baño de agua» (Ef 5, 26) o «baño regenerador y renovador» (Tit 3, 5), en el sentido de «nuevo nacimiento» que opera por el agua y el Espíritu (Jn 3, 5).

«A todos nosotros –afirma san Pablo–, ya seamos judíos o griegos, esclavos o libres, nos bautizaron con el único Espíritu para formar un solo cuerpo, y sobre todos derramaron el único Espíritu» (1 Cor 12, 13). El bautizado penetra en el señorío de Dios, en su reino, en la nueva creación. Al renacer de nuevo, su existencia es una vida en el Espíritu, don de los últimos tiempos (Jl 3, 1-5; cf. Hch 2, 17s). No es sólo un don particular, sino de la comunidad. Bautizarse es participar en el Espíritu de la comunidad, recibido como don de Dios y experimentado en la vida y en las celebraciones litúrgicas en el nombre del Señor. Es una acción trinitaria: se celebra en el nombre del Padre, del Hijo y del Espíritu Santo.

Por nacer del espíritu de Dios, el convertido *es* bautizado. Recibe la gracia de la identificación con Cristo al hacerse miembro del Señor (Rom 6, 5), de quien recibe una nueva vida, una reconciliación y una comunión. La gracia es, en definitiva, acción de Dios y, en este sentido, el bautismo es gracia, acto simbólico con plenitud de eficacia y de significación. Apenas hay un documento apostólico que no relacione el bautismo con la fuerza o el don del Espíritu. Sin embargo, no debe concebirse la gracia bautismal como magia que opera por sacralización de cosas o palabras. El peligro de un sacramentalismo es evidente. Pablo (1 Cor 10, 1s) y Pedro (1 Pe 3, 21) se yerguen contra la sacralización pagana de los elementos. El bautismo salva por la resurrección de Jesucristo. Al agua nunca se le da en el Nuevo Testamento fuerza mágico-sacramental. La fuerza bautismal proviene del nombre de Cristo, de su resurrección, del Santo Espíritu o de la palabra de Dios.

b) Sello de la fe-conversión

El bautismo define al hombre como creyente. Sella y vigoriza la fe. La teología de la relación entre fe y bautismo fue elaborada por san Pablo. Para el apóstol de los gentiles, no hay otro camino de salvación que a través de la fe en la acción salvadora de Dios en Cristo Jesús. Sabemos que el hombre es justificado por la fe. La fe hace eficaz el bautismo, no al revés. Lo que sucede en la fe se visibiliza en el bautismo. «El bautismo sin fe –dice R. Pesch– es un baño de agua inexpresivo, y la fe sin el bautismo una fe inexpresada» [8]. Pero no debemos tomar la palabra expresión como puramente simbólica: el bautismo es un suceso objetivo, una participación en el acontecimiento salvador, en la muerte y resurrección de Jesús. Todo lo que san Pablo afirma de la fe puede ser aplicado al bautismo. Inmediatamente antes o después del bautismo, el bautizado profesa la fe, confiesa que «Jesús es Señor» (Rom 10, 9). Esta confesión de fe es expresión idéntica a la de bautizarse en nombre del Señor Jesús, como puede observarse en las confesiones de fe y bautismos de los Hechos.

La fe cristiana, íntimamente conexa con el evangelio (Rom 10, 17), es al mismo tiempo confesión. Por eso abarca un contenido básico: el reconocimiento de Jesús como *Kyrios*. Al mismo tiempo es la fe fundamentalmente una *obediencia,* ya que es aceptación de Dios. El evangelio proclamado y la fe aceptada forman en el bautismo un acto único, acto de gracia y de fe, de Dios y del hombre, ya que la fe y el bautismo no son sino las dos caras, una exterior y otra interior, de un mismo acontecimiento. La fe y el bautismo, íntimamente ligados, son dones de Dios aceptados por el creyente que se hace bautizar.

El signo bautismal debe ser auténtico para que no engañe o haga desaparecer la eficacia que lleva consigo en relación con la conversión y la fe. Ha de expresar, por tanto, la metanoia o la conversión. La conversión es una renovación radical del ser y del hacer, no una simple mudanza exterior de formas o cambio interior pero inactivo. En este sentido operativo y vital de la conversión cristiana se sitúa hoy la fe, que no se reduce a un gesto, ni a una ideología, ni a una moral, ni a un sentimiento. La fe cristiana es una fe de conversión que se empeña en el cambio personal y en la transformación del mundo, porque intenta subvertir los valores establecidos por el sistema, con la esperanza de alcanzar el reino de la justicia de Dios. No se deben reducir la fe y la conversión a una cuestión individual e intimista que provoque la huida del mundo.

El bautismo cristiano se lleva a cabo desde sus comienzos «en nombre de Jesús» (Hch 2, 38; 8, 16; 10, 48; 19, 5; 22, 16). En esta fórmula original no se trata simplemente de una mera *intención*. Al pronunciarse el nombre de Jesús, el bautizado pertenece al *Kyrios,* se une a él y a él sólo debe obediencia. Así se señala un cambio de señorío. La pertenencia a Cristo, que se hace plena en el bautismo, es una identificación con Cristo. El bautismo es compromiso en el sentido que exige una actitud de vida que abarca al hombre entero. De tal modo compromete toda la vida, que sin conversión y sin fe de nada sirve. Por eso el candidato confiesa que Jesús es Señor y proclama su fe en el evangelio (Rom 10, 9). Solamente bajo estos presupuestos puede ser bautizado el creyente.

c) Gesto de incorporación a la Iglesia

Pertenece a san Pablo la primera teología cristiana de la relación entre bautismo e Iglesia. El bautismo no es rito de iniciación individual, sino acto de incorporación al «cuerpo de Cristo» (1 Cor 12, 13). Bautizarse es formar parte de la comunidad de Jesús, penetrar en el recinto de la libertad del Espíritu, llegar a ser nueva creación. «En el bautismo –dice J. M. R. Tillard– no se pueden separar la incorporación a Cristo y la incorporación a la Iglesia. En un solo e indivisible proceso, el creyente es hecho miembro de Cristo y miembro del cuerpo de Cristo y, por tanto, de la única Iglesia de Dios» [9].

Las consecuencias del bautismo no son menos importantes para la comunidad cristiana. Bautizarse no es cuestión meramente familiar, sino eclesial y comunitaria. Justamente la tradición ha recalcado siempre la importancia de bautizar en presencia de la asamblea, ya comprometida previamente en el catecumenado. Si todos los bautizados, incorporados a la comunidad, han de tener preocupación por el cuerpo entero, la comunidad ha de preocuparse profundamente por la totalidad de la iniciación cristiana.

---

[8] R. Pesch, *Zur Initiation in Neuen Testament:* «Liturgisches Jahrbuch» 21 (1971) 103.

[9] J. M. R. Tillard, *Los sacramentos de la Iglesia,* en *Iniciación a la práctica de la teología,* III/2, Cristiandad, Madrid 1985, 386.

d) Participación en la muerte y resurrección de Cristo

El bautismo y la muerte salvífica de Cristo aparecen íntimamente relacionados en la teología paulina. San Pablo transmite el cuerpo central de la confesión cristiana en forma de credo primitivo (1 Cor 15, 3-5), en donde afirma: «el Mesías murió por nuestros pecados». Aceptado el sentido primitivo del bautismo «en remisión de los pecados», era fácil extraer una relación estrecha entre la muerte de Cristo y el bautismo cristiano. Por el bautismo –afirma san Pablo– «habéis sido lavados, consagrados y rehabilitados por la acción del Señor, Jesús Mesías, y mediante el Espíritu de nuestro Dios» (1 Cor 6, 11). La relación entre bautismo y crucifixión es señalada al comienzo de la primera carta a los Corintios (1 Cor 1, 13). Pero el lugar clásico, aunque difícil y discutido, está en la carta a los Romanos (Rom 6, 1-11). El sacramento del bautismo hunde sus raíces, según Pablo, en el protosacramento Jesucristo o en su misterio pascual.

5. Pastoral del bautismo de niños

La Iglesia no sólo tiene la costumbre milenaria de bautizar a infantes, sino que al hacerlo adecuadamente no contradice ni a la palabra de Dios ni a la tradición. En el nivel de los principios, la celebración bautismal con niños es respetable, pero en el de la práctica se plantean hoy serios problemas, ya que no vivimos las condiciones sociológicas de la cristiandad. En el bautismo de niños se plantean, en principio, dos cuestiones: si las familias que bautizan hoy a sus hijos son suficientemente cristianas como lo exige la fe de la Iglesia, y si los recién bautizados serán mañana previsiblemente creyentes, dada la secularización no sólo de la sociedad, sino de muchos bautizados. De hecho, no se toma en serio el criterio tradicional de bautizar solamente a niños que sean hijos de padres cristianos, siempre que se dé una «seguridad moral» de su iniciación cristiana futura. En muchos bautismos actuales no se cumple este requisito.

Se pueden señalar cuatro dificultades en la pastoral del bautismo de niños: 1) La *libertad personal,* que se cumple claramente en el bautismo de adultos y que puede hipotecarse fácilmente en el de niños. La libertad ha de ser siempre respetada (que uno pueda elegir libremente) y conquistada (que la situación sea libre). 2) El *crecimiento de la fe,* que supone asumir en un momento determinado la fe depositada en el bautismo de un niño, fe abierta al crecimiento. En muchos casos, este embrión de fe no se desarrolla. 3) La *existencia comunitaria,* ya que el bautismo no es mero sacramento del individuo o de la familia, sino de la Iglesia en estado de comunidad. La ausencia de comunidades adultas facilita la infantilización del bautismo. 4) El *proceso de iniciación,* puesto que el bautismo de niños es un comienzo, no un fin; es punto de partida, no de llegada; es un primer paso. En muchas ocasiones no se inserta el bautismo en el proceso de la iniciación cristiana, que requiere tiempo [10].

Hoy se admite que la alternativa no es bautismo de niños o bautismo de adultos, como tampoco es válida la contraposición entre bautismo de niños y educación indiferente. El criterio reside en asegurar una adecuada iniciación cristiana después del bautismo. Pero dada la situación de nuestra sociedad y las posibilidades pastorales de la educación cristiana, cabe preguntarse: ¿Es posible asegurar hoy la iniciación cristiana a la mayoría de los niños después de su bautismo? ¿Hay responsabilidad de fe en los padres que desean bautizar a sus hijos y mediaciones de educación cristiana en nuestras parroquias? ¿Se dan auténticas condiciones pastorales para que se verifique lo que la teología afirma (muchas veces en abstracto) sobre el bautismo de niños? Recordemos que la teología del bautismo procede del bautismo de adultos, mientras que los criterios de acción pastoral bautismal se extraen del bautismo de niños.

En las orientaciones doctrinales y pastorales del Ritual del bautismo de niños se aduce el texto de Jn 3, 5 para justificar el bautismo, tanto de adultos como de párvulos. Se afirma asimismo que la Iglesia, «ya desde los primeros siglos», bautizó a niños «en la fe de la misma Iglesia, proclamada por los padres, padrinos y demás presentes», que representan a la Iglesia local y universal, según la doctrina de san Agustín. Ciertamente, después de la aparición

[10] Cf. A. Ganoczy, *Devenir chrétien. Essai sur l'historicité de l'existence chrétienne,* Cerf, París 1973.

del Ritual del bautismo de niños puede decirse que en general ha mejorado la preparación al sacramento (catequesis prebautismal) y la celebración bautismal (mejor comprensión de los signos). La pastoral del bautismo de niños constituye un reto pastoral de la parroquia, cuya solución se busca por dos caminos: articular las *significaciones* del bautismo mediante una adecuada preparación y ofrecer ocasiones de *experiencia cristiana* para descubrir el sacramento de la fe mediante encuentros y celebraciones significativas [11].

Podemos señalar tres modalidades en la pastoral del bautismo de niños [12]:

a) *Pastoral de la «dilación»* (Catecumenado de padres)

Al acabar el Vaticano II, y después de promulgada la constitución sobre la liturgia, publicó en 1965 el episcopado francés un documento titulado *La pastoral del bautismo de niños,* en donde se propone un intervalo de tiempo, sin precisar su duración, entre la inscripción y la celebración, para llevar a cabo una catequesis adecuada con los padres [13]. La experiencia demostraba que esta catequesis era imposible después del bautismo del niño o antes de su nacimiento. De ahí nació la pastoral de la *dilación* o del retraso del bautismo de párvulos, con objeto de llegar a una verificación más cuidadosa y a una exigencia mayor de disposiciones. Sin tiempo adecuado no hay libertad de fe ni toma de conciencia. Se trata de sensibilizar a los padres mediante el contacto personal (catequesis prebautismal), concienciar a la comunidad cristiana mediante la catequesis de adultos, la predicación dominical y algunas conferencias ocasionales, y dar un nuevo sentido a la liturgia del bautismo con la colaboración del equipo litúrgico parroquial. Este proyecto pretende revisar la teología bautismal, cambiar una mentalidad introyectada preconciliar y dar un giro misionero a la pastoral de la iniciación. Debe insistirse, sobre todo, en este punto: el bautismo es sacramento de la fe y entrada en la comunidad cristiana.

La pastoral del bautismo de párvulos fue estudiada en España en las jornadas nacionales de responsables diocesanos de liturgia de 1968 [14]. En las orientaciones finales, fruto de estas jornadas, se constata que «el tema del bautismo de los párvulos interesa como problema vivo en nuestros días en amplios sectores de nuestra geografía». Se afirma «que la actitud verdadera no es la de bautizar a cualquier precio a los hijos de padres, incluso descristianizados, valorando rápida y quizá injustamente su petición». Finalmente se admite, aunque con ciertas reservas, «dilatar el tiempo de preparación al bautismo».

En el Ritual del bautismo de niños se recomienda que se tenga en cuenta «el tiempo suficiente para preparar a los padres» (n. 44), para lo cual «es necesario que a la preparación del bautismo preceda el diálogo con un sacerdote o con otras personas responsabilizadas en la pastoral bautismal» (n. 57). En otra parte se habla de «cursillos o conferencias» (n. 58). La *Instrucción* de 1980 llama a la dilación «demora pedagógica» (n. 31). De momento, esta pastoral produce buenos resultados, pero no soluciona los problemas de la iniciación cristiana ni la formación de la comunidad. Es necesaria una catequesis de inspiración catecumenal con los padres, más estricta, más prolongada y con mayores exigencias.

b) *Pastoral del bautismo por «etapas»* (Catecumenado de niños)

Hacia 1948 se propuso en la Iglesia anglicana bautizar solamente a los niños de familias rigurosa-

[11] Cf. P. Thomas, *Baptiser. Diverses manières de baptiser aujourd'hui,* Ed. Ouvrières, París 1986, 16.

[12] Cf. P. De Clerck, *Réflexions sur les diverses pastorales du baptême des petits enfants:* «Paroisse et Liturgie» 53 (1971) 514-528; R. M. Roberge, *Un tournant dans la pastorale du baptême;* «Laval Théologique et Philosophique» 31 (1975) 227-238 y 33 (1977) 3-22, trad. y condensado en *Un giro en la pastoral del bautismo:* «Selecciones de Teología» 69 (1979) 15-32.

[13] Cf. *La pastorale du baptême des petits enfants. Document épiscopal:* «La Maison-Dieu» 88 (1966) 43-56. Ver también el documento canadiense *Guide pastoral du baptême des enfants de 1970,* semejante al francés.

[14] Cf. las actas en *Bautizar en la fe de la Iglesia,* Marova, Madrid 1968.

mente cristianas; a los otros infantes se les admitiría con un rito de admisión, de acción de gracias o de bendición para hacerlos catecúmenos. Dentro de la pastoral de la dilación favorecida por el Ritual del bautismo de niños, surgió en países misioneros y europeos la necesidad de un «rito de inscripción» [15]. En la diócesis de Arras se hicieron las primeras experiencias en 1969, continuadas en otras dieciséis diócesis francesas. No se trata simplemente de retrasar el bautismo de niños, sino de escalonarlo en varias etapas. En realidad, más importante que la inscripción del niño es la acogida de los padres. Un infante no puede ser catecúmeno; sólo puede serlo el adulto o el niño llegado al uso de razón. Lo que se pretende con esta pastoral es inscribir al niño y acoger a los padres en un primer momento, después del nacimiento. Luego educar posteriormente al niño en una catequesis semejante a la que hoy se da en la primera comunión, y finalmente hacerle participar en los tres sacramentos de la iniciación, hacia los doce años en la noche pascual. Según J. Ph. Bonnard, esta propuesta no reniega de la tradición de la Iglesia, sino que pretende situar el bautismo en una nueva situación cultural [16]. Las «celebraciones de acogida» pretendían salir al paso del todo o nada, es decir, bautismo o no bautismo. Se trata en esta pastoral de pasar del catecumenado de padres al de niños y adolescentes. En la acogida se le hace al niño la señal de la cruz y se le da el nombre. La segunda etapa correspondería a la liturgia de la palabra dominical. Se terminaría todo el proceso con el bautismo, la confirmación y la eucaristía en la vigilia pascual.

Esta propuesta suscitó críticas en los medios conservadores. El cardenal Daniélou reaccionó de un modo enérgico en contra al afirmar que el rechazo del bautismo de niños supone la negación en el fondo del pecado original y el falseamiento del mismo bautismo. Galot dijo que el bautismo concierne al ser antes que al obrar, ya que actúa en las raíces más profundas de la psicología humana. Naturalmente, todos insistían en la importancia de la fe de los padres y en la responsabilidad de la comunidad. La asamblea episcopal francesa de 1971 no alentó el camino de la «inscripción», sino que afirmó la pastoral tradicional del bautismo de niños, como lo habían indicado los obispos alemanes un año antes y lo haría en 1980 la *Instrucción* de la Congregación para la doctrina de la Fe [17]. Esta *Instrucción,* en general restrictiva, desestima la «inscripción» del niño, así como un rito apropiado a ese momento como entrada en el catecumenado, independiente del rito bautismal.

c) *Pastoral del bautismo «aplazado»* (Catecumenado de jóvenes)

Según esta pastoral, defendida por D. Boureau, el bautismo sigue a un proceso de evangelización y catecumenado con adolescentes y jóvenes [18]. Según Boureau, las etapas son soluciones a medias. Hay que respetar la decisión personal, favorecer la opción por un catecumenado y, en definitiva, aplazar el bautismo a una «edad conveniente». Se comienza por un rito de acción de gracias que celebra el nacimiento del niño a la vida o la apertura del hombre al misterio de la creación. Es un rito que no tiene nada de sacramental; es un simple gesto «doméstico y privado» de acogida que concierne a la familia. Se trata de lograr, por medio de una adecuada evangelización, que el niño sea catecúmeno cuando llegue al uso de razón. La entrada en el catecumenado se hará cuando el niño o el adolescente hayan aceptado el mensaje cristiano. Por último, el convertido y catequizado es bautizado, confirmado y eucaristizado. En realidad se sigue el esquema del catecumenado de adultos y se preconiza el bautis-

[15] Cf. Cf. P. Reinhard, *Note sur la necessité pastorale d'un rite d'accueil des enfants au Nord-Togo:* «La Maison-Dieu» 98 (1969) 59-62; A. Albarrán, *Celebración cristiana de la vida: un rito de acogida:* «Pastoral Misionera» 6 (1976) 7-10; Comisión de pastoral sacramental del Centro-Este de Francia, *Célébration de l'accueil par l'Église en vue du baptême:* «Communautés et Liturgie» 62 (1980/2) 155-164.

[16] Cf. J. Ph. Bonnard, *Le temps du baptême. Vers un catéchuménat des enfants:* «Etudes» 333 (1970) 431-442.

[17] Cf. *Déclaration des évêques de France sur le baptême des petits enfants* (20.11.1971): «La Documentation Catholique» 53 (1971) 1063s.; *Pastoralanweisung der Deutschen Bischofskonferenz über die Einführung eines Tagesprächs mit den Eltern vor der Spendung der Taufe* (24.9.1970): «Kirchlicher Anzeiger Köln» 110 (1979) 323-325.

[18] Cf. D. Boureau, *El futuro del bautismo,* Herder, Barcelona 1973.

mo de jóvenes, aunque dentro de un pluralismo pastoral para el bautismo. En dos trabajos importantes, J. Moingt propone una «estrategia misionera» y un nuevo itinerario sacramental [19]. Después de una petición adecuada, el niño sería bautizado entre los 6 y 12 años, cuando pueda apropiarse el lenguaje de la fe. La penitencia sería en el tiempo de la crisis de la adolescencia, y la eucaristía entre los 10 y los 14 años, cuando comienza su socialización. El proceso sería coronado con la confirmación en la edad adulta, es decir, cuando se pueden expresar los compromisos definitivos. El pastoralista alemán N. Greinacher se mostró de acuerdo con las tesis de J. Ph. Bonnard y J. Moingt [20].

Aunque actualmente se manifiesta una cierta calma en torno al bautismo de niños, los problemas pastorales de fondo siguen abiertos. No sólo resulta difícil la transmisión familiar de la fe, sino que cada vez se dan más casos de bautismos de niños, hijos de padres apenas creyentes y lejanamente practicantes o simplemente indiferentes e incluso increyentes. Por otra parte, crecerá previsiblemente el número de niños cuyo bautismo se aplaza para otro momento que nunca llega [21]. Dentro de pocos años comenzará entre nosotros el bautismo de niños en edad escolar y de adultos convertidos, siempre que se proceda con una pastoral rigurosamente evangelizadora. Entretanto preocupa gravemente el bautismo generalizado de niños sin que le preceda o le siga en muchos casos una acción pastoral adecuada [22]. Se impone la necesidad de una catequesis de jóvenes y adultos de inspiración catecumenal.

[19] Cf. J. Moingt, *Le devenir chrétien. Initiation chrétienne des jeunes,* DDB, París 1973; id., *La transmission de la foi,* París 1976.

[20] Cf. N. Greinacher, *Zur Eingliederung des jungen Menschen in der Kirche:* «Theologische Quartalschrift» 154 (1974) 48-67.

[21] Cf. la encuesta de la diócesis de Bilbao hecha en 1982, *El sacramento del bautismo;* X. Basurko, *Hacia una pastoral del bautismo:* «Teología y catequesis» 18 (1986) 249-260.

[22] Para conocer las directrices pastorales del bautismo de niños en algunas diócesis españolas, cf. la revista «Actualidad Catequética» en sus números 106 (1982), 110 (1982), 111 (1983) y 114 (1984). Ver asimismo A. Rada y J. Riquelme, *Pastorales bautismales existentes:* «Medellín» 15 (1974) 93-114.

6. La celebración bautismal

a) El gesto de bautizar

El gesto cristiano de bautizar, que apareció con la Iglesia, tenía semejanzas con el rito bautismal de los movimientos bautistas en la Palestina del tiempo de Jesús. Entre estos movimientos destacó el de Juan Bautista, eminentemente popular (distanciado del poder autoritario), universalista (no estaba ligado a una clase social, raza o país), escatológico (anunciaba el fin de los tiempos) y profético (predicaba una conversión radical para acoger el don de Dios). Jesús aceptó el bautismo de Juan, aunque lo modificó: no se retiró al desierto, sino que recorrió las aldeas con un grupo de discípulos, predicando el reino de Dios hasta sus últimas consecuencias. Bautizarse significa en los evangelios morir y resucitar en función del reino de Dios predicado por Jesús [23].

Los nuevos miembros de la Iglesia primitiva se incorporaban mediante el bautismo, como gesto de nuevo nacimiento y como rito de agregación que sustituía a la circuncisión. Por estas razones, desde sus comienzos el bautismo fue perdón de los pecados y llamada a una vida cristiana. Para justificar una práctica ya existente, los evangelios ponen en boca de Jesús la orden de hacer discípulos (primacía del evangelio), bautizar (signo de fe, conversión y pertenencia) y guardar los mandamientos (disposición divina) (Mt 28, 18-20). El bautismo va ligado a la confesión de fe trinitaria. En definitiva, es un don de Dios (nadie se bautiza a sí mismo) que hace cristianos (es un sello de fe) en Iglesia (es acto comunitario cristiano).

El bautismo realiza el aspecto de la vida cristiana que significa: iniciación a la vida de fe, incorporación en la Iglesia, nacimiento a la vida de Dios y participación en la muerte y resurrección de Cristo [24]. Es cierto que la vida sobrepasa en riqueza a cualquier símbolo, incluso al sacramental, pero no es menos verdadero que sin una expresión pública y simbólica la vida no sería plena. Los valores de la vida, al relacionarlos sacramentalmente con los del

[23] Cf. J. Mateos, *El bautismo de Juan a Jesús,* Fundación Santa María, Madrid 1987; id., *El bautismo, nuevo nacimiento,* Fundación Santa María, Madrid 1987.

[24] *Ritual del bautismo de niños,* n. 3-6.

Señor, adquieren valor cristiano de plenitud. En el bautismo se subraya, sobre todo, el valor fundamental del comienzo o de la iniciación.

b) Los signos del bautismo

El gesto tradicional del bautismo es la inmersión en agua de ríos o piscinas practicada por las comunidades primitivas, según el rito de Juan Bautista. Su simbólica es evidente: el agua apaga la sed, limpia la suciedad, produce vida y origina muerte. De ahí que exprese el origen de la vida, el seno materno, el nacimiento y la perennidad. Es fuerza violenta que destruye o arrasa, signo de muerte; es fuente de vida y de fecundidad que apaga la sed y hace germinar, signo de vida; es elemento que limpia y purifica, signo de perdón. Usada en el bautismo, el agua es purificación y regeneración; su simbolismo se expresa por el descenso a las aguas de la muerte, para salir de las mismas con nueva vida renovada. El gesto bautismal más antiguo y expresivo reside en sumergirse en el agua (consepultura con Cristo) para emerger después (conresurrección). Evidentemente, el sacramento no es el agua bautismal, sino el gesto del baño acompañado de la palabra de Dios, en nombre de Jesucristo, con la fuerza del Espíritu. Sólo se puede hablar de la sacramentalidad del agua en virtud del mandato de Cristo de bautizar.

La celebración del bautismo, que culmina con el rito del agua y la profesión de fe, es precedida por la bendición del agua, en la que se celebra el misterio del amor de Dios hacia los hombres. Al invocar al Espíritu y proclamar la muerte y resurrección de Cristo, se muestra que el baño del nuevo nacimiento nos hace participar en esta muerte y en esta resurrección, así como en la santidad divina. La ablución del agua adquiere así una significación religiosa al poner de relieve el misterio de la vida nueva.

Antes del bautismo propiamente dicho destaca, como primer gesto, el *signo de la cruz,* sobre la frente del bautizando, hecha por el celebrante, los padres y padrinos, equivalente a un rito de acogida que expresa la vinculación con Cristo y con la comunidad cristiana. Jesús entregó en la cruz su vida por toda la humanidad. La signación expresa la recepción de ese don. Por otra parte, cristiano es quien oye la palabra de Dios, a la que responde con fe y con la aceptación del bautismo. A los bautizandos adultos *se les entrega el libro de los evangelios,* como expresión del compromiso en orden a conocer mejor la persona, palabras y hechos de Jesucristo. Además, el bautizando se compromete a ser fiel en su profesión de fe en una dura lucha contra el pecado y sus consecuencias injustas. La *unción con óleo de los catecúmenos* en el pecho o en las manos significa que uno se apresta a estar en forma y a tornarse escurridizo en la pelea.

Después del bautismo se suceden tres gestos. El primero es la *unción con el santo crisma* o crismación en la cabeza del recién bautizado, que expresa el sacerdocio real de los cristianos y la entrada en el pueblo de Dios. El segundo es la *imposición de la vestidura blanca,* símbolo de la dignidad nueva de los bautizados. Por último, la *entrega del cirio encendido* significa la misión de los cristianos en el mundo como portadores de la luz de Cristo.

c) Los rituales del bautismo

Como consecuencia de la reforma litúrgica del Vaticano II existen tres rituales del bautismo: el de infantes, el de niños en edad escolar y el de adultos [25]. Corresponden a tres modos de llevar a cabo la iniciación cristiana. En los tres casos se exige una *personalización* de la demanda, bien por parte de los mismos bautizandos, bien por parte de los padres. Además, deben cumplirse unas ciertas *etapas,* la primera de las cuales es el diálogo inicial, a la que siguen los encuentros de preparación. La etapa final del bautismo de niños guarda una relación con el domingo; en el caso de jóvenes y adultos, con Pascua o Pentecostés. En todo caso, la liturgia bautismal debe transmitir estos significados: la iniciativa de Dios, manifiesta en Cristo, perdonador, liberador y salvador; la invocación al Espíritu, presente en la creación (por consiguiente en toda vida recién nacida) y en la nueva creación del bautizado; el compromiso de fe en relación al compromiso de Jesús que nos amó hasta el final; y la profesión de fe como adhesión personal y grupal a la comunidad atestiguadora de esperanza.

---

[25] Cf. P. Thomas, *Baptiser. Diverses manières de baptiser aujourd'hui,* Ed. Ouvrières, París 1986.

– La forma más habitual del bautismo es con infantes. El *Ordo baptismi parvulorum* de 1969 apareció en castellano en 1970 con el título de *Ritual del bautismo de niños*. Los comentaristas del nuevo ritual del bautismo de niños, sin controversias destacadas, están de acuerdo en señalar estas apreciaciones: 1) no es una abreviación del antiguo ritual, sino un rito nuevo para párvulos, tal como lo expresó el Concilio; 2) su estructura es lógica y sencilla: acogida, servicio de la palabra, celebración bautismal y rito de despedida; 3) se adapta a la situación real del párvulo; 4) tiene en cuenta la participación y responsabilidad de los asistentes: padres, padrinos y asamblea; 5) no desciende a mínimos detalles; de ahí la posibilidad de diversas adaptaciones; 6) se basa en la doctrina bíblica del bautismo como sacramento de la fe, incorporación a la Iglesia, nacimiento a la vida de Dios y participación en el misterio pascual.

– El capítulo V del *Ritual de la iniciación cristiana de adultos* trata de la iniciación de los niños en edad catequética, dividido en tres etapas: entrada en el catecumenado, escrutinios o ritos penitenciales y celebración de los sacramentos de la iniciación. Posteriormente, algunos episcopados han publicado un *Ritual del bautismo de niños en edad escolar (7-12 años)* [26]. El ritual francés propone cuatro etapas repartidas en dos o tres años, según el proyecto de catequesis del grupo de preparación: acogida, catequesis, decisión personal y celebración sacramental. El fenómeno de niños que se bautizan en edad escolar «es un auténtico reto –señala J. Aldazábal– a la creatividad y a la capacidad pedagógica a unas situaciones diversas de fe» [27]. El bautismo de niños entre los 7 y los 12 años crecerá entre nosotros en la medida que disminuyan los bautismos de infantes, se conceda al niño más autonomía y se trabaje pastoralmente con estos niños no bautizados.

– El *Ordo Initiationis Christianae Adultorum*, promulgado en 1972, fue editado en castellano en 1976 con el nombre de *Ritual de la Iniciación Cristiana de Adultos*. Los comentaristas señalan estos criterios: 1) es el Ritual de mayor alcance eclesial y pastoral; 2) presenta una excelente visión global de la iniciación cristiana; 3) concede una gran importancia a la comunidad de fe; 4) su teología se basa en la historia de salvación; 5) no tiene en cuenta suficientemente las diversidades culturales; 6) presenta el caso estricto de la iniciación, no el de la re-iniciación.

d) Desarrollo del bautismo de niños

Afirma el *Ritual del bautismo de niños* que «la naturaleza de este sacramento y la misma estructura del rito exigen una celebración comunitaria», caracterizada por «la participación activa de la comunidad local» (n. 61). Esto requiere la «corresponsabilidad» de «los miembros más activos de nuestras comunidades» (n. 12). Al ser el bautismo agregación a una comunidad viva, el lugar del bautismo se debe celebrar donde los padres viven comunitariamente su fe. El sitio más común es «el templo parroquial, que debe tener su fuente bautismal» (n. 49). No son lugares bautismales «las casas particulares» (n. 51).

La liturgia del bautismo «consta de cuatro partes, íntimamente unidas entre sí, formando una unidad de celebración con un ritmo progresivo que culmina con el sacramento propiamente dicho» (n. 66). La primera parte es el *rito de acogida* o «recepción de los niños» por medio de «la signación en la frente de los niños» (n. 67). Tiene por objeto lograr que los fieles «constituyan una comunidad y se dispongan a oír como conviene la palabra de Dios y a celebrar dignamente el sacramento»; se trata de «crear un ambiente de celebración comunitaria» mediante un «tono cordial» (n. 68) o un clima adecuado. La *liturgia de la palabra* pretende que «se avive la fe de los padres y padrinos y de todos los presentes, y se ruegue en la oración en común» (n. 69). Consta de unos o varios textos del leccionario, homilía, oración de los fieles, unción con el óleo de los catecúmenos e imposición de manos. Ha de ser «cuidadosamente preparada» (n. 70). La *celebración del sacramento* es precedida por una oración del ce-

---

[26] Cf. *Rituel du baptême des enfants en âge de scolarité*, Chalet-Tardy, París 1977; *Die Eingliederung von Kindern im Schulalter in der Kirche*, Herder, Friburgo 1986; Comisión Episcopal de Liturgia, *La iniciación cristiana de los niños no bautizados en edad escolar*, 16 de septiembre de 1992.

[27] J. Aldazábal, *Qué hacer con los niños no bautizados:* «Phase» 195 (1993) 199.

lebrante mediante la cual bendice el agua o recuerda su bendición, a la que sigue la renuncia de padres y padrinos (compromiso en positivo) y la profesión de fe, y a la que se añade «el asentimiento del celebrante y de toda la comunidad» (n. 73). El rito de ablución termina con los tres signos de ratificación: crismación, vestidura blanca y cirio encendido. Los *ritos conclusivos* se hacen en torno al altar, donde se reza un padrenuestro «para prefigurar la futura participación en la eucaristía» (n. 77); finalmente, el celebrante da la bendición.

7. La catequesis bautismal

a) Con los padres de los niños

El problema de fondo del bautismo de niños no es de orden litúrgico o sacramental, sino catequético y evangelizador [28]. En la Iglesia primitiva se bautizaba al convertido; hoy debemos convertir al bautizado, es decir, en nuestro caso, a los padres que desean bautizar a sus hijos, muchos de los cuales son escasamente creyentes o no practicantes habituales. La catequesis debe ser prioritariamente evangelizadora para ayudar a que despierte o madure la fe; no basta una enseñanza religiosa. El problema reside en que muchos padres aceptan la catequesis bautismal como un requisito impuesto, del que, si pudieran, se librarían de buena gana. No están en disposición de ser evangelizados y catequizados. Lo que desean es bautizar a su hijo. Sin duda, no son las mejores condiciones para favorecer el diálogo y suscitar una decisión. Naturalmente, también hay padres practicantes habituales, para los cuales el cursillo puede ser eminentemente catequético. Para aquellos padres excepcionales que tienen alguna actividad eclesial, el diálogo puede centrarse en la dimensión litúrgica del bautismo. En todo caso, es necesario plantearse algunas cuestiones para debatirlas en el cursillo: ¿Qué es un bautizado? ¿Qué significa ser cristiano? La función de los padres y padrinos. El papel de los gestos litúrgicos y sacramentales.

[28] Cf. J. M. Ochoa, *Catequesis prebautismal,* Secretariado Diocesano, Vitoria 1982; J. Romayor, *Bautizar es cosa de creyentes. Plan de evangelización para los padres,* Ed. Tres Medios, Madrid 1982.

Podemos estructurar tres esquemas de catequesis prebautismal susceptibles de ser combinados entre sí.

- *Esquema evangelizador*
  (para poco practicantes)

¿Por qué razones deseáis bautizar a vuestro hijo? Motivos para decidir algo importante.

¿Qué significa para vosotros tener un hijo? ¿Qué cambios introduce este nacimiento en la vida familiar? Conciencia de ser padres y responsabilidad que se adquiere al engendrar una vida.

El niño es persona y tiene derecho a crecer, desarrollarse y madurar. La importancia de una educación adecuada. Elementos morales y religiosos en la maduración del niño. Su educación en la fe.

La corresponsabilidad social, cultural y política nos atañe a todos, también a los padres. ¿Qué lugar ocupa ahí la fe?

¿Qué significa ser cristiano? Bautizar es introducir al niño en un proceso de iniciación cristiana.

- *Esquema catequético*
  (para practicantes ordinarios)

El bautismo agrega al nuevo pueblo de Dios. Importancia de la comunidad cristiana y del proceso de educación en la fe.

El bautismo nos injerta en Cristo. Descubrimiento del mensaje y de la praxis de Jesús.

El bautismo es un nuevo nacimiento. Importancia y dimensiones del reino de Dios y del Dios del reino.

El bautismo, sacramento de la fe. Las exigencias de una fe personal y comunitaria.

El bautismo infunde el Espíritu de Dios. La vieja y nueva creación, la antigua y nueva sociedad. La función del Espíritu Santo.

- *Esquema litúrgico*
  (para cristianos militantes)

Dimensión sacramental de la vida cristiana. Los sacramentos, signos de liberación salvadora.

El bautismo, sacramento del compromiso del creyente.

Bautizados en la causa del reino de Dios.

La celebración bautismal, acción de la comunidad.

Los compromisos bautismales y la profesión de fe.

b) Con niños en edad escolar antes de su bautismo

El ritual del bautismo de niños en edad escolar prescribe un rito de acogida que corresponde a la entrada en el proceso de la catequesis. Los padres presentes deben dar la palabra a su hijo. No deben sentirse culpabilizados por no haberlos bautizado antes. Por su parte, el niño ha de manifestar su propia decisión. La «entrada en el catecumenado» se desarrolla en el marco de una liturgia de la palabra, en donde se hace el signo de la cruz y se entrega el libro de los evangelios. A partir de ahí, empieza una nueva etapa que entraña elementos espirituales (aprender a orar) y eclesiales (encuentros con otros cristianos). Otra etapa se sitúa algunas semanas antes del bautismo, que ayuda a tomar conciencia de la globalidad cristiana. Por último, el bautismo y la primera comunión se celebran en la vigilia pascual. La confirmación puede darse más tarde. Será la última etapa de la iniciación.

Se comprueba que esta experiencia es muy beneficiosa para el niño que se bautiza y para su familia y amigos. El número de niños entre los 7 y los 12 años que se presentan al bautismo se incrementa en Francia cada año hasta ser una realidad pastoral importante, en razón de que el 30% no son bautizados al nacer. De hecho, hay niños de 9 y 10 años que piden personalmente el bautismo, aislados o en grupo, acompañados o no de sus padres, como consecuencia de un deseo religioso, del descubrimiento de Cristo, de querer entrar en un grupo o comunidad, o simplemente de cambiar de religión.

c) Con jóvenes y adultos que se preparan a su bautismo

En los países de cristiandad donde se da un número todavía escaso pero significativo de conversiones de adultos, el deseo de ser cristianos obedece a diversos motivos. Hay jóvenes y adultos que quieren ser como algunos creyentes bautizados que conocen. Incluso aceptan el catecumenado para dar a la vida un sentido religioso. También se dan los que descubren el evangelio y la figura de Jesús; quieren conocer su identidad más a fondo. En otros casos desean entrar en un grupo cristiano, al tener noticia de la experiencia común que viven esos bautizados; buscan una comunión, no un mero grupo de amistad. Incluso no faltan los que aspiran a dar sentido transcendente al compromiso social o político que ya tienen. Hay casos de no bautizados que oran, leen el evangelio y viven como cristianos, y que terminan por pedir el bautismo. En todos estos casos se trata de un proceso de evangelización y de catequesis o de conversión que finaliza con la vida cristiana en comunidad, bien al participar en los sacramentos de la iniciación (catecúmenos estrictos), bien al recuperar de nuevo la eucaristía (reiniciación).

El bautismo de adultos en un proceso adecuado catecumenal, propio de las Iglesias de misión y de ciertas evangelizaciones tenidas en algunas Iglesias de cristiandad, da lugar a testimonios ejemplares. Especialmente porque el bautismo es, en estos casos, celebración de una comunidad cristiana que señala la entrada en la misma de un creyente que ha descubierto el evangelio y se siente llamado a vivir y testimoniar a Cristo. Es gesto humano hecho responsablemente y reconocimiento del don de Dios para comenzar un itinerario en el Espíritu de Jesús. El adulto bautizado experimenta una vida nueva y gozosa, compartida con otros hermanos en la fe. Muchos afirman: «estoy feliz de haberme hecho bautizar», «creo que he llegado a ser otro», etc.

Naturalmente, también se presentan a estos nuevos bautizados algunas dificultades. Una, no trivial, es precisamente el mismo bautismo de niños tal como se lleva a cabo: Algunos no acaban de ver por qué hay esas diferencias bautismales. Otros se decepcionan al comprobar la falta de testimonialidad de muchos bautizados. No faltan los que pensaban que el bautismo lo arreglaría todo, cosa que no sucede. Finalmente, están los que entienden mejor el bautismo como relación con Dios que como solidaridad con los hermanos, especialmente con los pobres y marginados.

18

La confirmación del bautismo

El sacramento de la confirmación, celebrado de ordinario en la parroquia con jóvenes en edad escolar después de la primera comunión, plantea infinidad de problemas. No es reconocido por las Iglesias protestantes, se discute en la Comunión Anglicana y lo entienden de diversa manera los ortodoxos y los católicos. En realidad debiéramos hablar de confirmaciones más que de confirmación, dada la variedad de edades de los confirmandos (entre los 10 y los 18 años), de vinculaciones sacramentales (con la gracia o con el compromiso), de ritos (imposición de manos y unción), de oportunidad (antes o después de la primera comunión), de lugares (colegio o parroquia) y de acentos teológicos (sello del Espíritu, comunión eclesial, madurez cristiana, plenitud bautismal, etc.).

La confirmación tiene relación con una comunidad cristiana en comunión con otras comunidades dentro de la Iglesia local, bajo el servicio del ministerio episcopal. El lugar litúrgico de la confirmación es una asamblea que celebra la venida del Espíritu bajo la presidencia del obispo. Pero al ser la Iglesia local Iglesia del Señor inculturada en un espacio humano, la confirmación ha de tener dimensión cultural y social. Por consiguiente, según cómo se sitúe la Iglesia local en la sociedad, así será la confirmación.

Pastoralmente se plantean estas preguntas: ¿Qué significa para un cristiano ser confirmado? ¿Qué representa para la parroquia celebrar la confirmación? ¿Qué lugar ocupa este sacramento en la iniciación cristiana? [1]. Empecemos por analizar la situación de la confirmación en el ámbito parroquial, para estudiar después su teología, catequesis, liturgia y pastoral.

1. Situación actual de la confirmación

a) Su recuperación

Hasta hace poco tiempo, la confirmación tenía escaso relieve en la catequesis y en la liturgia. Parecía un sacramento insignificante, ya que no se explicaba ni se preparaba, e incluso se impartía masivamente. Se daba a todos los niños bautizados –hubieran hecho o no su primera comunión– con ocasión de la visita pastoral del obispo a las parroquias, junto a unos padrinos ficticios para todos los confirmandos. Curiosamente, de la confirmación sólo recuerdan los mayores la bofetada o «cacheta-

---

[1] Cf. R. Coffy, *La confirmation aujourd'hui:* «La Maison-Dieu» 142 (1980) 7-40; H. Bourgeois, *La place de la confirmation dans l'initiation chrétienne:* «Nouvelle Revue Théologique» 115 (1993) 516-542.

da» del obispo, hoy suprimida, y el cierre de las puertas del templo para que no escapara ningún confirmando y peligrara la integridad sacramental. Los gestos esenciales de la confirmación pasaban inadvertidos. Era un sacramento degradado, el pariente pobre sacramental. Aunque imprime carácter, no se consideraba necesario para la salvación. Se celebraba maquinalmente, oscurecido por los otros dos sacramentos de la iniciación, totalmente familiares: el bautismo y la primera comunión. Con ocasión de la confirmación, no se hablaba suficientemente ni del Espíritu ni de la Iglesia. Sucintamente se decía que la confirmación –uno de los siete sacramentos– da el Espíritu con sus siete dones para combatir como soldados de Cristo el pecado. Los confirmandos debían conocer las verdades de fe, saber los mandamientos y estar confesados. Hubo largos períodos históricos en los que no se celebró. Algunos han llegado a pensar que la confirmación sobra, carece de valor; otros pretenden sustituirla por la decisión personal de la fe, en el sentido de que uno se confirma como cristiano constantemente mientras acepta el señorío de Cristo.

El cambio respecto de la confirmación se ha operado después del Vaticano II, aunque el movimiento litúrgico hizo en este campo notables aportes. El *Ritual de la confirmación* de 1976 ha exigido un gran esfuerzo pastoral. Al entrar en crisis la Iglesia de cristiandad y reaparecer la pastoral misionera, cobró relieve la confirmación, situada en la edad escolar y en relación con la pastoral de juventud. La confirmación ha comenzado a suscitar un inusitado interés teológico y pastoral. No posee las presiones sociales del bautismo o de la primera comunión; su celebración es, por consiguiente, más personal. Situada al final de la adolescencia o al comienzo de la juventud, tiene que ver con la madurez del cristiano. Su catequesis se ha enriquecido notablemente, al mismo tiempo que ha ayudado a valorar el bautismo y, en definitiva, a renovar el catecumenado y la reiniciación cristiana. Interesa, sobre todo, por su relación con la comunidad eclesial, la diócesis y el don del Espíritu. Sin duda ha influido la Iglesia de Oriente, Iglesia del Espíritu. Incluso ha contribuido también, con todas sus ambigüedades, la renovación carismática por su énfasis respecto del «bautismo en el Espíritu». Recordemos, finalmente, la importancia que hoy tiene la preparación a los sacramentos, las exigencias de su celebración y las insistencias en la libertad religiosa, en la fe confesada, en la asamblea constituida y en el servicio que entraña vivir la fe.

La confirmación confirma al bautismo y a la Iglesia local. Importan su dimensiones misioneras, su dinamismo compromisual y el testimonio de vida que entraña. La confirmación intenta dar sentido personal a una fe escasamente acompañante en el bautismo de niños o levemente madura en la primera comunión. Nos encontramos en el seno de una Iglesia que quiere renovarse sacramental y evangelizadoramente. Por todas estas razones es un sacramento que atañe a la parroquia en estado de comunidad.

b) Su lugar en la iniciación

La tradición sitúa la confirmación entre el bautismo y la eucaristía. Los exégetas e historiadores están de acuerdo en afirmar que «el rito de iniciación, cualquiera que sea su nombre, bautismo, sello o iluminación, abarca el baño de agua y la comunicación del Espíritu» [2]. San Pablo o san Juan jamás separan bautismo y confirmación. Asimismo, la mayor parte de los estudios teológicos recientes muestran que la confirmación está ligada esencialmente al bautismo. Los dos símbolos forman, en realidad, un único sacramento, que en Occidente se dividió en dos etapas. «En la Iglesia primitiva y hasta entrada la alta Edad Media –afirma S. Regli– no hubo, ni en Oriente ni en Occidente, una celebración peculiar de la confirmación. Tampoco existía en este tiempo la idea de que la celebración única de la iniciación abarcase dos sacramentos» [3]. La confirmación no tiene sentido fuera del bautismo. Debe situarse en la perspectiva de una vida bautismal en continuo perfeccionamiento. En realidad es el sacramento de la plenitud de la vida bautismal.

Actualmente, el lugar de la confirmación en la

---

[2] A. Hamman, *Je crois en un seul baptême. Essai sur Baptême et Confirmation,* Beauchesne, París 1970, 158.

[3] S. Regli, *El sacramento de la confirmación y el desarrollo cristiano,* en *Mysteriurm Salutis,* Cristiandad, Madrid 1984, V, 286.

iniciación cristiana está sin resolver satisfactoriamente. Claro está, la confirmación no puede solucionar el hondo problema del bautismo de niños. Además, no le corresponde sacralizar ninguna etapa humana ni ningún compromiso especial. Parece lógico que la confirmación se sitúe inmediatamente después del bautismo o antes de la primera eucaristía. Es la posición de la Iglesia ortodoxa. Pero dada la generalización del bautismo de niños y la precocidad de la primera comunión, hay razones pastorales para celebrar la confirmación en la vida adulta, después del bautismo y de la eucaristía. Cuando un adulto se bautiza, la confirmación no ofrece ninguna dificultad. En el caso del bautismo de niños, el intento de confirmar (sea a los 7 años o a los 12) será parcial, ya que la totalidad de la iniciación cristiana tiene sentido pleno con los jóvenes y adultos que se bautizan [4]. Produce extrañeza el rigorismo de la confirmación frente al laxismo bautismal y eucarístico. Por otra parte, asistimos a una inflación eucarística y a una recesión bautismal, al mismo tiempo que se valora el compromiso. Da la impresión de que le pedimos a la confirmación más de lo que puede dar.

c) Su identidad

Desde que la confirmación se separó del bautismo y de la eucaristía en el s. V, se ha intentado justificar su identidad teológica. Entonces aparecieron dos corrientes: la *ascética* de Fausto de Riez (la confirmación como ayuda al combate) y la *apostólica* de Cirilo de Jerusalén (la confirmación como sacramento de la plenitud bautismal). Muchos teólogos de los s. XII y XIII oscilaron entre estas dos posiciones. De hecho se impuso más la idea de la confirmación como don del Espíritu y fuerza para el combate cristiano. Se convirtió en un gesto individualizado en una sociedad cristianizada. En la «catequesis del catecismo» transmitida entre nosotros por el Ripalda y el Astete, la confirmación es uno de los siete sacramentos que imprime carácter, aumenta la gracia de los bautizados y concede el Espíritu Santo, con sus siete dones, como fuerza para la lucha.

En el s. XIX entró en crisis la identidad de la confirmación. Después de la segunda guerra mundial discutieron sobre la confirmación los anglicanos [5]. En 1946 afirmó G. Dix que el bautismo de agua y la confirmación eran un único bautismo, un bautismo de Espíritu. Según él, el bautismo de agua es preliminar y accesorio. Sólo la confirmación tiene efectos positivos: da el Espíritu y la gracia. Una posición contraria mantuvo G. N. H. Lampe en 1951 al afirmar que el bautismo da la gracia y el Espíritu, mientras que la confirmación no da nada o casi nada. En 1954, L. S. Thorton criticó a Lampe y se puso a favor de Dix. Esta discusión pasó al campo católico. Según A. G. Martimort, la confirmación da la misión del Espíritu: fuerza y lucha. L. Bouyer, en 1954, influido por Dix, puso de relieve la unidad del rito bautismal: la confirmación es el sello de la iniciación.

En una palabra, hay teólogos que afirman que la identidad de la confirmación no ha existido nunca; otros creen que se perdió a lo largo del tiempo. Pero de un modo u otro se busca conocer hoy su identidad.

d) La edad de la confirmación

Los problemas teológicos y pastorales de la confirmación provienen del bautismo de infantes separado de la confirmación después de muchas dificultades y dudas. La ruptura se consumó hacia los s. IV y V. Sabemos por una homilía de Fausto de

[4] Cf. J. Llopis, *La edad de la confirmación. Estado actual del problema:* «Phase» 69 (1972) 237-249; G. Biemer, *La controversia sobre la edad de la confirmación, caso típico de controversia entre la teología y la pastoral:* «Concilium» 132 (1978) 283-292.

[5] Los principales teólogos que han intervenido en las modernas discusiones sobre la confirmación son: G. Dix, *The theology of Confirmation in relation to Baptism,* Westminster 1946; G. W. H. Lampe, *The Seal of the Spirit,* Londres 1951; L. S. Thorton, *Confirmation. Its place in the baptismal mistery,* Westminster 1954; P. Rupprecht, *Die Firmung als Sakrament der Volendung:* «Theologische Quartalschrift» 127 (1947) 262-277; L. Bouyer, *On the meaning and importance of Confirmation,* en *Concerning the Holy Spirit.* The Eastern Church Quarterly, 2.: «Supplementary Issue» 7 (1948) 95-102; id., *Que signifie la confirmation?:* «Paroisse et Liturgie» 34 (1952) 3-12; id., *La signification de la confirmation:* «Supplément à la Vie Spirituelle» 29 (1954) 162-179; P. Th Camelot, *La théologie de la confirmation à la lumière des controverses récentes:* «La Maison-Dieu» 54 (1954) 79-91.

Riez, del s. V, que el bautismo lo celebraba el diácono o el presbítero, mucho antes que la confirmación, rito reservado al obispo. Los términos *confirmar* o *confirmación* indicaron en el s. V la intervención del obispo mediante unos ritos posbautismales: unción, imposición de manos y signación. Pero el primer ritual de la confirmación es del s. VIII. La teología de la confirmación, separada del bautismo, se desarrolló hacia el s. XI.

En el s. XIII se confirmaba a la edad de los 7 años. Después de la promulgación del Catecismo de Trento (1566), la confirmación se hacía a los 12 años. Incluso en el s. XIX hubo confirmaciones en Francia y Alemania a los 14 y 15 años. Pero al adelantar san Pío X en 1910 la primera comunión a la edad de la razón, se adelantó la confirmación, incluso antes de la primera comunión. Mediante una instrucción, la Congregación de los Sacramentos preconizó el retorno al orden tradicional de la iniciación: bautismo, confirmación y eucaristía. Por estas razones, la mayor parte de los cristianos formados antes del Vaticano II no tienen conciencia personal de su confirmación. Actualmente, la edad de la confirmación oscila entre los 10 y los 18 años. Todo depende del criterio elegido: confirmar a todos los niños de un curso escolar a una edad temprana (prima el criterio de la gracia sacramental y de la pastoral de cristiandad), o celebrar este sacramento con unos pocos, más maduros, preparados y decididos (prima el criterio de la pertenencia a la Iglesia y la opción de la pastoral misionera). En definitiva, es la alternativa entre confirmar a los más posibles o confirmar mejor. En todo caso, hay dos criterios de discernimiento a la hora de confirmar: poseer un cierto grado de fe personal (experiencia) y haber adquirido una preparación catequética adecuada (conocimiento). Sin olvidarnos de que en la actual situación de descristianización o de no cristianización la confirmación exige un cierto grado de madurez cristiana.

2. Teología y catequesis de la confirmación

El Vaticano II, al recuperar la iniciación cristiana, ha podido situar mejor el sacramento de la confirmación. Con todo, no sólo ha sido y es un problema la práctica de la confirmación, sino que se han dado y se dan opiniones teológicas diversas sobre el segundo sacramento.

a) La confirmación, sello del Espíritu

La Iglesia aparece en Pentecostés como la comunidad cristiana de los últimos tiempos que recibe el don del Espíritu. Está formada por los discípulos que aceptan el bautismo «en el nombre de Jesús», a saber, en su muerte y resurrección. Es bautismo «de agua y de Espíritu». Son dos aspectos inseparables que darán origen a dos ritos: el del agua, procedente de la corriente bautista, y el del Espíritu, producido por el gesto de la imposición de manos. Ambos gestos, que suplantaban a la circuncisión (Col 2, 11), confieren el don del Espíritu. Con todo, los dos textos de los Hechos que se han interpretado como fundantes del sacramento de la confirmación (Hch 8, 12-17 y 19, 6-7) indican más bien que la imposición de manos es un gesto de agregación social. En el s. II no sólo acompaña la unción a la imposición de manos, sino que incluso la suplanta. En la Iglesia de Roma del s. III –según refiere Hipólito– se ungía al bautizado con estas palabras: «Yo te unjo en nombre de Jesucristo». Es el óleo de los catecúmenos. Al final del rito bautismal, el obispo ungía con crisma en la cabeza de los bautizados. Estas dos unciones eran signos del Espíritu.

Por estas razones, no faltan teólogos para quienes la confirmación es una *plenitud bautismal*. Distinguen entre bautismo y confirmación como se diferencian los sucesos pascuales de los pentecostales [6]. Así como la Iglesia, surgida del costado del nuevo Adán, muerto en la cruz, se manifiesta plenamente con el Espíritu de Pentecostés enviado al mundo, el bautismo adquiere pleno vigor con la confirmación. Pentecostés es la confirmación de la Iglesia, como la confirmación es el pentecostés del cristiano. Bautismo y confirmación deben ser entendidos a la luz de los dos tiempos o polos del misterio de Cristo: Pascua y Pentecostés, o, si se prefiere, en relación a dos momentos de la actuación del

---

[6] Cf. R. Cabié, *La Pentecôte. L'évolution de la Cinquantaine pascale au cours des cinq premiers siècles*, Desclée, Tournai 1965.

Espíritu: encarnación (bautismo en el Jordán) y Espíritu pascual. La teología escolástica habla de un «aumento de la gracia bautismal» mediante un «don especial del Espíritu Santo». El Vaticano II señala que «todos los cristianos, dondequiera que vivan, están obligados a manifestar con el ejemplo de su vida y el testimonio de la palabra el hombre nuevo de que se revistieron por el bautismo, y la virtud del Espíritu Santo, por quien han sido fortalecidos con la confirmación» (AG 11). Esta opinión reduce inevitablemente la función del Espíritu Santo en el bautismo y en la eucaristía [7].

b) La confirmación, comunión eclesial

La entrada en la comunidad cristiana primitiva era evidente a través del bautismo. Pero al surgir sectas y grupos paralelos que copiaban el ritual cristiano, hubo necesidad de desarrollar un gesto de pertenencia a la Iglesia verdadera. Para reconciliar a los cismáticos se emplearon, precisamente, los gestos de la imposición de manos y de la unción. Pronto fue la confirmación gesto reservado al obispo.

Algunos teólogos consideran la confirmación como *signo sacramental de la sucesión apostólica* de toda la Iglesia [8]. Dicho de otro modo, es el sello de la profesión de fe ortodoxa. No se trata de acentuar en la confirmación ningún aspecto nuevo, en la línea de una intensificación, sino de mostrar, por el gesto de la imposición de manos hecho por el obispo, la unión mutua de todos los bautizados en la gran Iglesia, en virtud del mismo y único Espíritu pentecostal. Así se puede poner de relieve la visibilidad del misterio de la Iglesia como protosacramento [9]. La confirmación dimensiona el acontecimiento bautismal de un modo específico: expresa y realiza la unidad de la Iglesia o manifiesta a la Iglesia su proceso de unificación y de crecimiento. Es decir, pone de manifiesto la dimensión misionera de la Iglesia, su apertura al mundo. El Vaticano II lo afirma expresamente: «Por el sacramento de la confirmación se vinculan (los fieles) más estrechamente a la Iglesia, se enriquecen con una fuerza especial del Espíritu Santo, y con ello quedan obligados más estrictamente a difundir y defender la fe, como verdaderos testigos de Cristo, por la palabra juntamente con las obras» (LG 11).

Cabe preguntarse: ¿Y si la confirmación es celebrada por el presbítero? Recordemos que según el Vaticano II el obispo es «ministro originario» *(minister originarius)* de la confirmación (LG 26), el cual «hace resaltar más el vínculo que une a los confirmados con toda la Iglesia». Pero también puede confirmar por delegación especial el presbítero, como ocurre habitualmente en las Iglesias orientales católicas (OE 13). Por otra parte, ¿no posee también el bautismo esta perspectiva que se pretende reservar a la confirmación?

c) La confirmación, sacramento de la madurez cristiana

En la Edad Media se acentuaron dos aspectos eclesiales necesarios: el combate de la vida y el acceso a la edad adulta. Para mantenerse fiel se puso el énfasis de la lucha en el interior mismo de la Iglesia. Según se expresa santo Tomás, la confirmación concede «fuerza para la lucha» [10]. Dicho de otro modo: «Este sacramento da el Espíritu Santo para fortalecernos en el combate espiritual» [11]. En resumen, el bautismo da el nacimiento, y la confirmación sostiene el combate de la vida adulta.

La distinción y separación entre bautismo y confirmación ha inducido a la teología occidental a considerar la confirmación como *sacramento de la madurez cristiana* [12]. Si el bautismo da el Espíritu

---

[7] Cf. W. Breuning, *El lugar de la confirmación en el bautismo de los adultos:* «Concilium» 22 (1967) 274-290.

[8] Cf. J. P. Bouhot, *La confirmation, sacrement de la communion ecclésiale,* Chalet, París 1968.

[9] Cf. H. Mühlen, *Die Firmung als sakramentales Zeichen der Heilsgeschichtlichen Selbstüberlieferung des Geistes Christi:* «Theologie und Glaube» 57 (1967) 263-286.

[10] Cf. L. Latreille, *L'adulte chrétien ou l'effet de la confirmation chez Saint Thomas:* «Revue Thomiste» 57 (1957) 5-28; M. Magrassi, *«Confirmatione baptisma perficitur»: dalla «perfectio» dei Padri alla «aetas perfecta» di San Tomasso,* en *La confermazione,* Turín 1967, 137-152.

[11] *Suma Teológica,* III, q. 72, a. 4, res.

[12] Cf. O. Betz (ed.), *Sakrament der Mündigkeit. Ein Symposium über die Firmung,* Pfeiffer, Munich 1968.

por el nuevo nacimiento de la inmersión, la confirmación hace posible –en el bautizado de niño– personalizar la decisión que en su momento tomaron por él sus padres y padrinos. El confirmado acepta la vocación apostólica para ser testigo de Cristo ante el mundo mediante la fuerza del Espíritu. En este sentido, la confirmación es la aceptación personal del bautismo [13].

Algunos han considerado la confirmación como sacramento del cristiano adulto, del apostolado e incluso de la Acción Católica. La sitúan consecuentemente después de la eucaristía. El segundo de los sacramentos confirma el carácter cristiano o consagra la capacidad de asumir, de forma responsable, la tarea de la Iglesia, a saber, su misión evangélica. También se ha intentado dar a la bofetada o «cachetada» que daba el obispo en la confirmación, desde el s. XIII, el sentido medieval de armar a un candidato «caballero cristiano». En realidad, al principio el obispo besaba a los ya confirmados; esto cesó hacia el s. V cuando surge un cierto reparo con el beso a mujeres jóvenes. Se sustituyó por la «cachetada». Hoy ha desaparecido. El rito termina con el deseo de paz que da el obispo al confirmado.

Ahora bien, si la confirmación se celebra inmediatamente después del bautismo en un mismo acto pascual como lo realizan los orientales, o cuando sigue al bautismo de adultos, ¿cómo puede hablarse entonces de una *madurez* o de un crecimiento? Evidentemente, esto es válido para la iniciación cristiana. De algún modo se hace eco el Vaticano II de esta visión teológica cuando dice que los laicos, «insertos por su bautismo en el Cuerpo místico de Cristo, y robustecidos por la confirmación en la fortaleza del Espíritu, es el mismo Señor el que los destina al apostolado» (AA 3).

d) La confirmación, sacramento de la iniciación

La teología actual de la iniciación retorna a una concepción neotestamentaria: el bautismo y la confirmación constituyen la *única iniciación cristiana,* presupuesto exigido para la participación eucarística. El Vaticano II sugiere que en la celebración de la confirmación se manifieste «más claramente la íntima relación de este sacramento con toda la iniciación cristiana» (SC 71). Preocupado el Concilio por tener en cuenta la práctica oriental que acentúa la unción, a diferencia de la occidental que hace hincapié en la imposición de manos, afirma que «por el sacramento de la confirmación se vinculan más estrechamente (los fieles) a la Iglesia, se enriquecen con una fortaleza especial del Espíritu Santo, y de esta forma se obligan con un mayor compromiso a difundir y defender la fe con su palabra y sus obras como verdaderos testigos de Cristo» (LG 11). El Vaticano II acentúa, pues, tres elementos: el vínculo eclesial, la dinámica de la gracia bautismal y el testimonio de vida, siendo el primero el más importante. Así lo expresa *Ad gentes:* «Todos los fieles, como miembros de Cristo vivo, incorporados y asemejados a él por el bautismo, por la confirmación y por la eucaristía, tienen el deber de cooperar a la expansión y dilatación del Cuerpo de Cristo para llevarlo cuanto antes a la plenitud» (AG 14). La confirmación se sitúa en la perspectiva sacramental de la iniciación, sin que se la considere el sacramento del Espíritu [14]. La confirmación es, pues, un sacramento dependiente del bautismo. Así lo entiende Puebla: «Como tiempo fuerte para la maduración de la fe –que necesariamente lleva a un compromiso apostólico– hay que destacar la celebración consciente y activa del sacramento de la confirmación, precedida de una esmerada catequesis» (Puebla 1202). «En el movimiento ecuménico –afirma J. M. R. Tillard–, las Iglesias, aun constatando sus diferencias, han hecho un progreso inestimable al situar bautismo, confirmación y eucaristía en el marco de la *iniciación,* cuya necesidad reconocen todos» [15].

---

[13] H. J. Spital, *Taufe und Firmung aus der Sichts der pastoralen Praxis:* «Liturgisches Jahrbuch» 21 (1971) 84.

[14] Cf. J. Amagou-Atangana, *Ein Sakrament des Geistempfangs? Zur Verhältnis von Taufe und Firmung,* Friburgo 1974; H. Küng, *La confirmación como culminación del bautismo,* en *La experiencia del Espíritu* (Hom. E. Schillebeeckx): «Concilium» (1974) 99-126; id., *Was ist Firmung?,* Einsiedeln 1976.

[15] J. M. R. Tillard, *Los sacramentos de la Iglesia,* en *Iniciación a la práctica de la teología,* III/2, Cristiandad, Madrid 1985, 395. Cf. A. G. Martimort, *Dix ans de travaux sur le sacrement de confirmation, 1967-1977*: «Bulletin de Littérature Ecclésiastique» 79 (1978) 127-139; E. Lanne, *Les sacrements de l'initiation chrétien-*

3. Liturgia de la confirmación

La constitución apostólica de Pablo VI, *Divinae consortium naturae,* del 15 de agosto de 1971, sobre el sacramento de la confirmación, que precede al *Ritual de la confirmación,* afirma de un modo categórico: «El sacramento de la confirmación se confiere mediante la unción del crisma en la frente, que se hace con la imposición de la mano, y mediante las palabras: *Recibe por esta señal (signaculum) el don del Espíritu Santo».* Junto a esta fórmula de la liturgia bizantina, hay tres símbolos:

a) Imposición de manos

La persona se expresa por sus manos, que obran, acarician, descubren y comunican [16]. Nos ayudan a ponernos en contacto. En las religiones sirven para transmitir lo sagrado. En algunas culturas primitivas denotan poder. De un modo especial sobresale la imposición de manos en su doble significación: integración y embajada. Al transmitir con las manos un calor vivo, se asemejan al seno materno o al ave que cobija bajo sus alas a los polluelos; son manos integradoras, protectoras, de adopción. Pero también se imponen las manos como gesto de delegación o, si se prefiere, de sustitución. Quien impone las manos delega en quien recibe la imposición: es gesto de ordenación. En definitiva, sea gesto de adopción o de envío, la imposición de manos tiene que ver con el nacimiento, con el origen vital.

La imposición de manos es un gesto común en los siete sacramentos. De ordinario significa bendición, curación o integración. El ministro de la confirmación impone las manos con invocación del Espíritu Santo, por medio de una oración epiclética, que explica el sentido del gesto. «La imposición de manos –afirma J. M. R. Tillard– expresa al mismo tiempo bendición, designación, transmisión de una autoridad y de un poder» [17]. Evidentemente, un poder de autoridad (interior y moral), no imperial (exterior y de coacción). Ese signo, basado en la imposición de manos apostólica, expresa en la confirmación la donación del Espíritu. Según A. Rouet, la imposición de manos de la confirmación significa «nacimiento a una plenitud» [18]. Según la constitución apostólica *Divinae consortium naturae,* «si bien (la unción) no pertenece a la esencia del rito sacramental, debe tenerse muy en cuenta».

b) Unción con el crisma

Occidente y Oriente han debatido sobre el gesto esencial de la confirmación. Los occidentales han destacado la imposición de manos y los orientales la unción. Recordemos que para los egipcios antiguos la unción con óleo hacía brillar los cuerpos bañándolos de luz y de buen olor. Para los nómadas, la unción era sinónimo de vida, una necesidad para atravesar el desierto. El aceite usado en la unción penetra, empapa e impregna, mientras que el agua resbala. Además, el aceite sirve para que alumbre la lámpara. Incluso es alimento y condimento, medicina y ungüento, lubrificante y tonificante. Unido al perfume, su unción revela una presencia agradable, casi invisible, que atrae. Su olor despierta sentimientos fundamentales. En una palabra, la unción ayuda a poner de relieve la personalidad. El olivo, del que procede el aceite, es árbol de hojas perennes. Un rama de olivo es símbolo de paz y de triunfo, de vida perpetua.

En todas las culturas primitivas, la unción real significaba la adopción divina del rey. En el pueblo judío equivalía a una consagración al servicio de Dios y de su pueblo, en función de la justicia y del derecho para eliminar injusticias y liberar a oprimidos. Saúl fue ungido por Samuel (1 Sm 10, 1), David por los jefes de la tribu (1 Sm 2, 4; 5, 3) y Salomón por el sacerdote Sadoc (1 Re 1, 39). Cuando los reyes ungidos traicionaron su misión, surgieron los profetas, quienes sin estar materialmente ungidos tenían el Espíritu de Dios. Después del exilio son ungidos también los sacerdotes, al asumir las funciones reales. La unción mesiánica del Antiguo Testamento equivalía a la consagración por el Espíritu para «practicar la justicia» y salvar a los pobres

---

ne et la confirmation dans l'Église d'Occident: «Irénikon» 57 (1984) 196-214 y 324-346.

[16] A. Rouet, *La confirmation, sacrement de la plénitude,* Centre Jean Bart, París 1982, 8-17.

[17] J.M. R. Tillard, *Los sacramentos de la Iglesia,* en *Iniciación a la práctica de la teología,* III/2, Cristiandad, Madrid 1985, 398.

[18] A. Rouet, *La confirmation,* o. c., 17.

(Sal 72, 1) hasta la llegada de la plenitud de los tiempos, cuando se derrame la totalidad del Espíritu. El ungido del Señor por antonomasia será el Mesías-Cristo. Significa que tendrá totalmente el Espíritu, como lo prueban las escenas del bautismo y de la transfiguración, anticipos de la unción real de Jesús en su cruz y resurrección.

De acuerdo a la simbólica de la Biblia, la unción de la confirmación significa acogida e integración. El ungido llega a ser cristiano. Los Hechos afirman que *antes* del bautismo está presente el Espíritu (bautismo de Cornelio: Hch 10, 44-48), como también lo está *después* (bautismo de los samaritanos: Hch 8, 14-17). Esto ha dado lugar al desarrollo de dos unciones: la de los catecúmenos y la del crisma. La unción de la confirmación es signo sacramental en sentido estricto. Según una tradición milenaria, este gesto es esencial [19]. «En la Escritura –dice J. M. R. Tillard–, la unción conserva el sentido que tiene en varias culturas: expresa cuidado, belleza del cuerpo, pero también inmersión de la persona en una fuente de fuerza para una misión que supera las tareas normales» [20]. El *Ritual de la confirmación* afirma que «en la unción del crisma y en las palabras que la acompañan se significa claramente el efecto del don del Espíritu Santo. El bautizado, signado por la mano del obispo con el aceite aromático, recibe el carácter indeleble, señal del Señor, al mismo tiempo que el don del Espíritu, que le configura más perfectamente con Cristo y le confiere la gracia de derramar el *buen olor* entre los hombres» (n. 9). En definitiva, la unción ratifica en la confirmación lo que significa la imposición de manos: adopción, integración, delegación y embajada, bajo el signo de la penetración. Tradicionalmente, la consagración de los óleos es prerrogativa del obispo en la misa crismal del jueves santo.

c) El signo de la cruz

La crismación se hace siempre mediante el signo de la cruz en la frente de los confirmandos. Es signo de pertenencia y de reconocimiento, al modo como se señalaban en la antigüedad, mediante la *sphragis* o signación, personas, animales o cosas que pertenecían a una misma corporación o propiedad. El don del Espíritu es unción y sello: «En la adhesión al Mesías, es Dios que nos ungió; él también nos marcó con su sello y nos dio dentro el Espíritu como garantía» (2 Cor 1, 21-22).

d) Símbolos complementarios: el viento y el fuego

En la Biblia, el viento puede ser soplo de vida o huracán violento. Creado por el soplo de Dios, el hombre muere cuando le falta el viento (desde fuera) o el aliento (desde dentro). Pero Dios promete un soplo nuevo, un Espíritu nuevo (Ez 36, 26): es soplo de creación (Gn 1, 2) y de resurrección (Jn 20, 22).

Asimismo, el *fuego* es un símbolo ambivalente: destruye, ilumina y calienta. Significa el juicio en tanto que purifica, al mismo tiempo que muestra la santidad de Dios por la iluminación que produce. El bautismo de fuego (Lc 3, 16) es bautismo de entrada en la comunidad escatológica.

---

[19] Cf. A. de Halleux, *Confirmation et «Chrisma»*: «Irénikon» 57 (1984) 490-515.

[20] J. M. R. Tillard, *Los sacramentos de la Iglesia,* o. c., 397-398.

19

La eucaristía dominical

Uno de los mayores cambios de la Iglesia en la etapa posconciliar, tanto en la práctica litúrgica como en la teología sacramental, se ha llevado a cabo en la eucaristía, que para una comunidad de creyentes es fiel reflejo de su vida cristiana [1]. Aunque es manifiesto y significativo el descenso de la práctica eucarística dominical, no menos ostensible y esperanzador es el reciente enriquecimiento teológico y litúrgico del sacramento central de la Iglesia. Sin duda alguna, en la comprensión y realización de la eucaristía reside una gran parte de la vitalidad del catolicismo. Según la Ordenación General del Misal Romano (n. 1), la celebración eucarística «es el centro de toda la vida cristiana para la Iglesia universal y local, y para todos los fieles individualmente» [2]. Precisamente por ser la eucaristía «fuente y cumbre de toda la vida cristiana» (LG 11), «centro de toda la asamblea de los fieles» (PO 5) y «fuente y culminación de toda la predicación evangélica» (PO 5), la celebración de la eucaristía es fundamental en la vida parroquial [3].

[1] Tengo en cuenta aquí mis artículos: *¿Interesarse en la eucaristía sin interesarse en la Iglesia?:* «Sal Terrae» 67 (1979) 783-790; *Teología y pastoral de la eucaristía. La comunidad eucarística,* en *Los sacramentos hoy: teología y pastoral.* XIII Jornadas de Pastoral Educativa, San Pío X, Madrid 1982, 27-51; *La misa del domingo:* «Lumieira» 6 (1991) 189-197.

[2] *Ordenación General del Misal Romano,* Madrid 1969, n. 1.

[3] Cf. L. Gerosa, *Die Pfarrei als Grundtyp der eucharistischen Gemeinde:* «Trierer Theologische Zeitschrift» 98 (1989) 297-310.

1. La reunión eucarística dominical

La celebración de la eucaristía es una práctica que la Iglesia reconoce haber recibido de una tradición que se remonta al mismo Jesús. Los cristianos se reúnen cada domingo en apretada asamblea [4]. El verbo *reunirse,* citado cuatro veces en 1 Cor 11, 17-34 (avisos para las celebraciones eucarísticas) y repetido en varios pasajes de los Hechos (1, 15; 2, 1; 20, 7, etc.), queda reflejado en la palabra *ekklesia,* que significa convocatoria o asamblea local. Sin reunión de creyentes en asamblea no hay eucaristía cristiana. Lo decisivo no es, pues, el local, ni la obligación, ni el ministro (presidente y servidor de la asamblea), sino el sacramento cristiano de la asamblea, en la medida que los creyentes reunidos por la fuerza de la palabra escuchan, oran, cantan, alaban e interceden. La asamblea litúrgica es la comunidad cristiana concreta que se reúne para celebrar. El término asamblea ha sido recuperado después del Vaticano II; hasta hace poco hablábamos más de oír misa o de asistir a los oficios. La asamblea es el principal signo de la Iglesia, a la que se agregan los

[4] Cf. C. Floristán, *La asamblea y sus implicaciones pastorales:* «Concilium» 12 (1966) 197-210; A. Martimort, *La asamblea,* en *La Iglesia en oración,* Herder, Barcelona 1987, 3ª ed., 114-136; Th. Maertens, *La asamblea cristiana,* Marova, Madrid 1964; P. Massi, *La asamblea del pueblo de Dios,* Verbo Divino, Estella 1968; Conférences Saint-Serge, *L'Assemblée liturgique et les différents rôles dans l'assemblée,* Ed. Liturgiche, Roma 1977.

creyentes por el bautismo y forman una unidad por la eucaristía.

La asamblea litúrgica ha de tener los rasgos constitutivos de toda asamblea humana: presidencia ordenada, comunicación fluida, eficacia comprobada, tarea educativa, ritmo adecuado y pertenencia o afiliación de los miembros que la componen. La asamblea exige acogida mutua como personas y como creyentes, preparación del acto y del lugar, reparto de funciones, adecuación de palabras y símbolos, y plegaria común. No olvidemos que en la asamblea litúrgica, precisamente cuando es viva, se producen ciertas tensiones entre unidad y diversidad, participación y pasividad, pureza litúrgica e inclinación devocional, misión en el mundo y refugio en el santuario, compromiso y fiesta, apertura indiscriminada y exigencias de entrada. La asamblea exige, por tanto, una adecuada pastoral.

En la eucaristía dominical se reúnen hombres y mujeres creyentes con su personalidad, cultura, problemas, aspiraciones, etc., que deben ser tenidos en cuenta y respetados. Todos tienen el derecho de ser acogidos, sobre todo los más pobres, marginados o discriminados. Se reúnen los creyentes por encima de sus diversidades, aunque sin ignorarlas, para celebrar dominicalmente la cena del Señor.

La eucaristía como acción simbólicamente operativa, de la que nace la Iglesia y que la Iglesia celebra, se ha desarrollado de muchas maneras. Asimismo son evidentes los altibajos de la participación del pueblo cristiano. A punto estaba de disminuir la práctica eucarística en algunos ambientes o lugares cuando precisamente fue convocado el Vaticano II. Recordemos que el descenso cultual ha coincidido, a partir de la década de los sesenta, con los proyectos conciliares de reforma litúrgica y revitalización eucarística. Dicha reforma ha incidido profundamente en la práctica eucarística al renovarla a partir de la Escritura, tradición litúrgica, reflexión teológica y exigencias pastorales de la Iglesia en el mundo [5]. A través de las constituciones sobre la palabra de Dios, la liturgia, la Iglesia y el mundo, el Vaticano II abrió las puertas a una práctica eucarística y a una pertenencia eclesial en consonancia con una teología basada en una exégesis rigurosa, una mejor interpretación de la tradición y un acercamiento al mundo y a los problemas de la sociedad.

Con todo, la presencia de fieles en las misas dominicales ha disminuido en estos años posconciliares, en los que se advierte un descenso general de prácticas religiosas, aunque diversificado. Son varias las razones que se aducen para explicar este fenómeno. De una parte, el Concilio consagró un cambio de prácticas –ya iniciado tímidamente por Pío XII– que parecían inmutables: ayuno de cuaresma, abstinencia de los viernes y ayuno eucarístico. Se hizo menos rígida en la conciencia católica «la obligación de oír misa los domingos y fiestas de guardar» y creció inusitadamente la libertad religiosa, proclamada precisamente por el Vaticano II. De otra parte, son evidentes el influjo de la secularización en la sociedad nordatlántica, la importancia de los medios de comunicación, el crecimiento de la urbanización, emigración y turismo, el ascenso del confort en la sociedad de consumo y la aparición de las competencias que ejercen en todos sus niveles las *sociedades abiertas* [6]. En resumen, las prácticas sacramentales han sufrido una crisis en determinados sectores o edades, sobre todo en la juventud por los cambios culturales, la crisis sacerdotal, el desplazamiento que hoy padece la religión y la purificación de la fe en el interior de la Iglesia.

Sin embargo, al mismo tiempo que se da una disminución cuantitativa se observa un aumento cualitativo, ya que la reforma litúrgica ha conseguido una participación más «consciente, plena y activa» de los fieles [7]. El uso de la lengua del pueblo, la lectura más selectiva y abundante de la palabra de

---

[5] Cf. J. Aldazábal, *La eucaristía,* en D. Borobio (ed.), *La celebración en la Iglesia,* II. *Sacramentos,* Sígueme, Salamanca 1988, 181-436; L. Alonso Schökel, *Meditaciones bíblicas sobre la eucaristía,* Sal Terrae, Santander 1986; D. Borobio, *La eucaristía para el pueblo,* 2 vol., Desclée, Bilbao 1981; A. Fermet, *La eucaristía. Teología y praxis de la memoria de Jesús,* Sal Terrae, Santander 1980; M. Garmendia, *Eucaristía: tradición y perspectivas pastorales,* Sociedad de Educación Atenas, Madrid 1990; M. Gesteira, *La eucaristía, misterio de comunión,* Cristiandad, Madrid 1983.

[6] Cf. *Quand les Églises se vident,* Desclée-Bellarmin, París-Montreal 1974.

[7] Cf. M. Gesteira, *La participación activa de los fieles en la Eucaristía según el concilio Vaticano II:* «Revista Española de Teología» 47 (1987) 61-105.

Dios, la importancia dada a la homilía, la restauración de las preces de los fieles, el apoyo de las moniciones y la introducción de nuevos cantos han repercutido en el logro de una celebración eucarística dotada de un ritual más simple, un marco comunitario más exigente y un entronque mayor con la vida. Por otra parte, hoy son más tenues las presiones externas para practicar y mayores las exigencias de autenticidad. Las misas *domésticas,* la búsqueda de una identidad cristiana, la preocupación por el compromiso sociopolítico y, en general, la renovación del mundo comunitario –fuera y dentro de la parroquia– son factores importantes añadidos al crecimiento cualitativo de la celebración eucarística. El descenso numérico, a secas, no es totalmente negativo. Se ha venido abajo –arrastrando, eso sí, ciertos valores muy estimables– todo un sistema cultual insostenible.

2. Catequesis de la eucaristía

El cambio en el lenguaje teológico de la eucaristía se ha dado con el Vaticano II. Las nuevas interpretaciones de la eucaristía, que han enriquecido el significado del sacramento a partir de algunas consideraciones exegéticas, teológicas y litúrgicas, han dado lugar a una renovada catequesis sacramental [8].

a) La eucaristía como cena

Los actuales estudios exegéticos e históricos sobre la misa insisten en acentuar el aspecto sacramental de la comida o de la cena para comprender en profundidad la eucaristía [9]. Recordemos que en tanto que algunas religiones privilegian el ayuno o la privación del alimento para entrar en contacto con la divinidad, el gesto cristiano fundamental para entrar en comunión con Dios es una comida compartida en memoria de Jesús. La comida fraterna es acto de comunidad que simboliza la solidaridad del ser humano con el mundo, con los hermanos más pobres y con Dios. El pan y el vino –como bocado y trago– son, a su vez, símbolos del cuerpo y de la sangre, de la naturaleza y de la historia, de la cultura y del culto, de la dispersión y de la unidad, del trabajo y de la fiesta, de lo masculino y de lo femenino, del hambre y de la sed de los pobres. Recordemos que los dos primeros nombres de lo que hoy llamamos misa o eucaristía fueron «cena del Señor» (1 Cor 11, 20) y «fracción del pan» (Hch 2, 42). Ambos nombres suponen una reunión con comida fraterna y rito eucarístico en relación con las comidas comunitarias del Jesús histórico, en función del mandato que dio Jesús en la última cena y en conexión con la comidas pascuales de Cristo resucitado.

Las comidas de Jesús con los pobres en las que multiplica el pan tuvieron un signo liberador. En realidad, la última cena tiene un relieve especial: se celebra la liberación adquirida, al tiempo que se abre la perspectiva futura de una salvación venidera. A los gestos tradicionales judíos de bendecir y partir el pan y de bendecir la copa, Jesús añade un nuevo contenido: el pan es su cuerpo entregado a la muerte y el vino es su sangre derramada como nueva alianza.

La eucaristía primitiva cristiana mantuvo hasta la segunda mitad del s. II su unión con una comida, ya le precediese o le siguiese. Lo más probable es que la eucaristía se celebrase en los primeros tiempos a continuación de una comida, introducida por el beso de paz, al que precedía la lectura de los relatos sobre Jesús, al principio orales y poco después escritos. Puede que la comida ordinaria y la eucaristía se separasen a causa de ciertos abusos, tal como es sugerido en la primera carta a los corintios. Precisamente en esta carta está el texto más antiguo de las palabras de Jesús en la última cena, escrito por Pablo hacia los años 54-56, palabras en forma de texto litúrgico. Anticipemos que en Corinto, según la teología paulina, el grupo cristiano se verifica como *ekklesia* y comunidad, al celebrar la cena en memoria de la vida y muerte de Cristo en espera de su retorno glorioso, participando en una

[8] Cf. D. Borobio, *Eucaristía para el pueblo,* 2 vol., Desclée, Bilbao 1981; J. Aldazábal, *Claves para la eucaristía. Catequesis de la eucaristía,* CPL, Barcelona 1982 (Dossiers 17); X. Basurko, *Compartir el pan. De la misa a la eucaristía,* Idatz, San Sebastián 1987; L. Deiss, *La Cena del Señor,* Desclée, Bilbao 1989.

[9] X. Basurko, *Compartir el pan. De la misa a la eucaristía,* Idatz, San Sebastián 1987; L. Deiss, *La Cena del Señor,* DDB, Bilbao 1989; J. Jeremias, *La última cena. Palabras de Jesús,* Cristiandad, Madrid 1980; X. Léon-Dufour, *La fracción del pan. Culto y existencia en el NT,* Cristiandad, Madrid 1983.

comida común, signo de un compartir con los hermanos en Cristo la totalidad de la existencia, borrando las fronteras entre ricos y pobres. Según J. A. Jungmann, la supresión de la cena como soporte de la eucaristía fue el cambio más transcendental en la historia de la misa.

b) La eucaristía como acción de gracias

El agradecimiento, junto con el perdón, son actitudes humanas básicas. Dar gracias es reconocer algo que se ha recibido como don, de un modo gratuito o desinteresado, de otra persona que por su actitud o su capacidad nos supera. No es fácil el agradecimiento en la sociedad actual por su nivel de técnicas calculadas y eficacias productivas, en donde la naturaleza está dominada (y desencantada), con el énfasis social en el derecho (lo que se nos da es obligado, nos pertenece), y en la que no nos reconocemos indigentes, puesto que tenemos de todo. En esta situación, sin sorpresa y sin admiración, no surge con facilidad el agradecimiento. Las gracias surgen cuando se valora cualquier don, desde la sencillez y la simplicidad, con admiración y gozo, a partir de una conciencia de limitación.

Al separarse la cena fraternal del rito eucarístico, desaparecen en el s. II las expresiones «cena del Señor» y «fracción del pan», y se denomina el acto central cristiano *eucaristía,* según los testimonios de la *Didajé,* san Ignacio de Antioquía y Justino. El punto de partida es la *beraká* o bendición judía producida por los sentimientos de adoración y de gozo frente a las maravillas de Dios. La palabra eucaristía significa precisamente *acción de gracias,* derivada de las raíces *jaris* (alegría o todo aquello de lo que uno se alegra) y *eu* (bien, bueno, justo y conveniente). Equivale, por otra parte, a alabanza (del verbo *aineo,* que significa mencionar, prometer, hacer votos, aprobar o aplaudir) [10]. Toda la liturgia, no sólo la eucarística, es bendición, alabanza, doxología. La bendición es, en primer lugar, don de Dios. Dios bendice, y su bendición es vida; los hijos son, por ejemplo, bendición de Dios. Pero la bendición es también alabanza. El creyente agradecido le devuelve a Dios la bendición que previamente ha recibido. Termina por ser adoración, al agradecer repetidamente a Dios lo que es, sobre todo cuando por la fe se reconoce que Dios se da a sí mismo en Jesucristo. El Dios cristiano no es un Dios en sí mismo, sino un Dios «con nosotros». Para bendecir y alabar a Dios hay que saber lo que ha hecho, hace y hará a partir de la alianza. De ahí el valor de la palabra de Dios.

c) La eucaristía como memorial del sacrificio

El término *sacrificio,* tradicionalmente ligado a la eucaristía, tiene hoy una connotación negativa, ya que indica renuncia o privación. Su carga negativa le viene por su asociación con el pecado o la expiación, perspectivas teológicas empleadas durante mucho tiempo para explicar la acción sacrificial de Cristo. Etimológicamente viene de *sacrum facere,* hacer algo sagrado o consagrar lo que antes era profano para darle plena dimensión. En realidad, el sacrificio cristianamente entendido es, en primer lugar, donación o entrega personal (no mutilación) para relativizar lo que se tiene y uno es. Es un presupuesto para encontrarse a los demás, para acceder al otro cuando el prójimo es punto de referencia; sin sacrificio no hay encuentro ni servicio. Pero en definitiva el sacrificio es encuentro con Dios como actitud autodonante de reconocimiento y de comunión. Sólo de este modo puede entenderse con san Pablo que el cristiano vive cultualmente por el servicio y la ofrenda de su vida. Toda la vida cristiana es una liturgia viva, un «sacrificio espiritual» (Rom 12, 1) en relación con el sacrificio de Cristo, que fue la total entrega de su vida.

Jesús explica a sus discípulos en la última cena, a modo de homilía pascual, el significado del pan y del vino referidos a su persona cuando habla de su carne y de su sangre, a saber, cuando habla de sí mismo como víctima o cordero pascual. El pan partido es signo del destino de su cuerpo y la copa entregada es signo de la sangre derramada, ya que Jesús es –escribe J. Jeremias– «el cordero pascual es-

---

[10] Cf. L. Maldonado, *La plegaria eucarística,* Ed. Católica, Madrid 1967; J. P. Audet, *Fe y expresión cultual,* en J. P. Jossua/Y. Congar (eds.), *La liturgia después del Vaticano II,* Taurus, Madrid 1969, 385-437.

catológico cuya muerte inaugura el tiempo de salvación»[11].

Sin los relatos de la pasión no se entienden la última cena ni la eucaristía cristiana. Jesús tuvo presente en la cena pascual la inminencia de su muerte violenta, por lapidación o crucifixión. El primer relato de la pasión apareció en el contexto eucarístico cuando hubo necesidad de instruir a discípulos que no habían conocido a Jesús. Lo mismo cabe decir de todos los evangelios. Ahora bien, importa sobremanera narrar el modo con el que Jesús fue conducido a la muerte o el proceso religioso y político que decretó su crucifixión doblemente cruel, al morir como líder político quien desestimó el poder y como falso mesías quien rechazó este título[12].

Las cristologías recientes de tipo ascendente han puesto de manifiesto el trasfondo histórico de la muerte de Jesús, sin el que no es posible elaborar una teología de la eucaristía como sacrificio. Evidentemente, a Jesús lo mataron por sus opciones proféticas o, si se prefiere, por su tenor de vida. La lectura pascual de la pasión de Jesús da un paso más: Dios ratifica el sentido de su vida y de su muerte, que por supuesto es expiatoria, mediante la resurrección e implantación del reino. La celebración eucarística no es, pues, memoria de una muerte en general, sino memoria de la muerte profética de Jesús, justificada en la acción pascual. Dios constituye Mesías y Señor a quien su mesianismo y señorío le condujo a morir por todos en defensa de la justicia, quintaesencia del reino.

d) La eucaristía como nueva alianza

Alianza es un concepto bíblico clave para expresar las relaciones entre Dios y los hombres o entre Dios y su pueblo. Radicalmente equivale a «decisión irrevocable» que nadie puede anular o a compromiso de uno a favor de muchos. Así son los pactos de Yahvé con Noé (Gn 6, 18), Abrahán (2 Re 13, 23) y David (Jr 32, 21) o las alianzas de Dios con el pueblo (Ex 24, 1-11 y Sm). La historia de la alianza es, en definitiva, historia de salvación. Dicho de otro modo, la alianza es base del evangelio, al ser creadora de una comunidad de vida presente y definitiva a partir de la fidelidad de Dios, en contraste con la desobediencia humana[13].

La segunda o «nueva alianza», expresión que aparece por primera vez en Jeremías (31, 31-34), se hace efectiva por un sacrificio, el de Cristo en su muerte (Heb 9, 15). En los cuatro relatos de la última cena, el concepto de alianza es central (1 Cor 11, 23-25; Mc 14, 22-24; Mt 26, 26-28; Lc 22, 19-20), unido siempre a la copa por su conexión con la sangre. Marcos y Mateo (ámbito palestino) actualizan la expresión judía «sangre de la alianza»; Pablo y Lucas (ámbito antioqueño) añaden la fórmula «alianza nueva». De todas formas, en el NT alianza y reino de Dios son conceptos correlativos. La palabra y el espíritu de Jesús en su sacrificio por el reino hacen presente la alianza nueva como memorial y profecía en acción que se simboliza en el ágape fraterno, última cena y eucaristía cristiana.

Los efectos de la nueva alianza son manifiestos: perdón (o rehabilitación) y salud (o salvación liberadora), como evidentes son las exigencias derivadas de la fidelidad a un compromiso en la edificación del reino de Dios. En las perspectivas de la comunidad pospascual, la nueva alianza se traduce por una misión o evangelización liberadoras.

e) La eucaristía, presencia real de Cristo

El hecho de la presencia real de Cristo en la eucaristía se advierte en los textos neotestamentarios correspondientes a la cena del Señor o a la fracción del pan. La tradición cristiana la ha admitido siempre en virtud de la *epiclesis* o invocación al poder santificador del santo Espíritu. Lo que se ha discu-

[11] J. Jeremias, *La última cena,* o. c., 246.

[12] Cf. H. Cousin, *Los textos evangélicos de la pasión. El profeta asesinado,* Verbo Divino, Estella 1981; P. Benoit, *Pasión y resurrección,* Madrid 1971; H. Schürmann, *¿Cómo entendió y vivió Jesús su muerte?,* Sígueme, Salamanca 1982; X. Léon-Dufour, *Jesús y Pablo ante la muerte,* Cristiandad, Madrid 1982; M. Gourgues, *Jesús ante su pasión y su muerte,* Verbo Divino, Estella 1980.

[13] Cf. el concepto de *Alianza* en DTNT I, 84-93; A. Aubert, *La Notion d'Alliance dans le Judaisme aux abords de l'ère chrétienne,* París 1963.

tido y se discute es el modo de esa presencia, ya que en la interpretación intervienen inevitablemente concepciones filosóficas y teológicas.

La presencia humana de alguien reviste muchas formas, según sea por medio de un regalo, carta, fotografía, conversación telefónica, video o directamente. Cristo se hace presente entre los cristianos de dos modos eminentes: cuando se reúnen en su nombre y cuando practican con los desvalidos el mandamiento de la caridad. De un modo especial se hace presente el Señor en la celebración de la eucaristía, al ser reunión de creyentes y al simbolizar la mesa la totalidad de la caridad. Esto se advierte claramente en las palabras y gestos de Jesús en la última cena. El pan es su cuerpo y el vino es su sangre, a saber, su persona completa de un modo real, no meramente intencional. Se trata de un signo eficaz de comunión en el que Cristo está presente y activo [14].

Las explicaciones sobre la presencia real de Cristo en la eucaristía se han movido entre dos polos: el *ultrarrealismo,* que entendía la presencia de un modo casi físico, y el *puro simbolismo,* que reducía el hecho a una mera representación alegórica sin efectividad. Para explicar el cambio del pan y del vino en el cuerpo y la sangre de Jesús, los padres griegos hablaron de «conversión sustancial» en un sentido ontológico. Hacia el s. XI se extendió el término *transustanciación,* divulgado luego por la escolástica mediante las categorías aristotélicas de «sustancia» y de «accidente», aprendidas por innumerables generaciones de católicos a través de los catecismos.

Recientemente se utiliza una filosofía simbólica o se tiene en cuenta la realidad y eficacia del símbolo, según lo considera la fenomenología existencial; así se habla de transignificación o transfinalización. El pan y el vino son realidades relacionadas con el hombre. Su núcleo básico reside en la «relacionalidad». Así, con la plegaria eucarística cambia el contexto relacional del pan y del vino: pasan a ser alimentos de vida eterna, dones divinos, sacramentos/símbolos de Cristo presente y autodonante. Las realidades de la fe se hacen presentes mediante el realismo sacramental.

Sin la presencia real de Cristo, la eucaristía sería mera reunión religiosa con recuerdos psicológicos, drama o teatro representado sin actualización personal, comida compartida sin eficacia sacramental, o plegaria de creyentes sin epiclesis del Espíritu Santo. Así como en los demás sacramentos no cambian los elementos materiales, en la eucaristía hay cambio sustancial, significativo y escatológico, en el pan y en el vino, al estar presente Cristo con su entrega y donación total de sí mismo.

3. Desarrollo de la celebración eucarística

Desde sus más remotos orígenes, la eucaristía ha tenido un esquema binario formado por dos servicios: el de la palabra y el sacramental, según puede comprobarse en los relatos de la última cena, en la aparición de Jesús a los discípulos de Emaús (Lc 24, 13-35) y en la eucaristía que Pablo celebró en Troas (Hch 20, 7-12). Al discurso, catequesis o predicación sigue una comida ritual. Lo afirma expresamente el Vaticano II: «Las dos partes de que consta la misa, a saber: la liturgia de la palabra y la eucarística, están tan íntimamente unidas que constituyen un solo acto del culto» (SC 56). Si añadimos un previo rito de apertura y otro conclusivo de despedida, podemos afirmar que la eucaristía es una acción en cuatro tiempos [15].

a) Rito de entrada

Convocados por Dios, los creyentes *se reúnen* para manifestar su pertenencia a la Iglesia del Señor y constituirse como comunidad. El rito de aper-

[14] Cf. el *Rapport Final* de la Comisión internacional anglicano-católica romana *Jalons pour l'Unité,* París 1982 o un comentario sobre este texto en P. Parré, *L'Eucharistie dans le Rapport Final d'ARCIC* I: «Irénikon» 57 (1984) 469-489. Ver asimismo *Bautismo. Eucaristía. Ministerio.* Convergencias doctrinales en el seno del Consejo Ecuménico de las Iglesias, Facultad de Teología de San Paciano, Barcelona 1983.

[15] Cf. L. Maldonado, *Cómo animar y revisar las eucaristías dominicales,* Marova, Madrid 1980; Dossiers CPL, *La misa dominical, paso a paso,* Barcelona 1982; CPL de París, *Célébrer la messe selon le missel de Paul VI,* París 1976; *Célébrer l'eucharistie aujourd'hui:* «Bulletin National de Liturgie» 63 (1978).

tura sirve de introducción y de preparación; su objetivo es reunir a los fieles y formar la asamblea. Actualmente es un rito abigarrado cuya estructura más simple consiste en la monición de apertura, canto de entrada, saludo de acogida y oración por parte del presidente. Con el presidente se completa la asamblea. Aunque el rito penitencial forma parte del rito de entrada, constituye por sí mismo un aspecto importante de la celebración como liturgia del perdón.

b) Liturgia de la palabra

Los reunidos escuchan la palabra de Dios, toman conciencia de ser el pueblo de la nueva alianza y responden con la profesión de fe y las preces de los fieles. La liturgia de la palabra es liturgia, no mera catequesis, teología divulgada o exhortación moral; es «mesa de la palabra», cuya finalidad reside en acrecentar la fe. Para lograrlo, se proclama y escucha la palabra, se medita y acoge en el silencio y el canto, se profundiza en la homilía y el diálogo, se hace respuesta de fe en el credo y se torna compromiso en la oración de los fieles.

c) Liturgia eucarística

Comienza con la presentación de las ofrendas. Corresponde a los gestos de Jesús en la última cena: tomó el pan y la copa (preparación de los dones), dio las gracias (plegaria eucarística), lo partió (fracción del pan) y lo dio a sus discípulos (comunión). Los comensales participan en la eucaristía, memorial del banquete del Señor y de su sacrificio en la cruz. La bendición sacramental de la mesa o acción bendicional es el centro y la cumbre de la celebración. Consiste fundamentalmente en una oración de gracias presidencial.

La plegaria eucarística es una bendición *ascendente* en la que bendecimos a Dios («decimos bien» de él) y le damos gracias por lo que nos da: el pan y el vino, signos de la vida y símbolos sacramentales de Cristo. También se llama *anáfora* (llevar hacia lo alto). El padrenuestro y el abrazo de paz nos preparan para la comunión, clímax de toda la celebración por ser participación sacramental en el sacrificio y expresión de la unión de todos en Cristo Jesús.

d) Rito de envío

Por último, fortalecidos por la palabra y la eucaristía, los participantes *se vuelven* hacia sus hermanos en la vida después de recibir la bendición *descendente,* efusión de Dios hacia la creación. En la despedida se vuelve a desear de nuevo la paz, ya ofrecida al principio. El beso a la mesa cierra el acto, que termina con un eventual canto final.

4. Opciones básicas eucarísticas

a) Sin servicio fraterno no hay eucaristía

Desde sus comienzos, la eucaristía fue *comida de grupo y servicio de ayuda mutua.* La fracción del pan en la cena del Señor fue entendida como *koinonia,* a saber, comunión y participación, dentro del servicio de la palabra o del evangelio, según el cual el jefe es servidor. La koinonia es la comunión cristiana total, expresada por la colecta, signo de caridad fraternal entre las Iglesias y los pueblos; por la *comunicación de bienes y bienes en común,* superación de la propiedad privada y expresión de que todo es de todos porque lo exige el reino de Dios; la *relación* afectiva y espiritual de los creyentes entre sí, con los apóstoles y con Dios, y la *manifestación* del espíritu comunitario, constitutivo de la eucaristía. En concreto, la «cena del Señor» o la «fracción del pan» fueron desde sus comienzos signo fraternal y acción de gracias, al experimentar sacramentalmente la comunidad, por una parte, la presencia del Resucitado en su Espíritu (es memoria); por otra, al reconocer la felicidad del tiempo de salvación en espera de la restauración total (es anticipo escatológico) y, finalmente, al producir la unidad de los cristianos en el servicio de la caridad (es compromiso presente).

b) Sin eucaristía no hay comunidad cristiana

La eucaristía, desde sus primeras manifestaciones, ha sido siempre un acto central de la comunidad cristiana. «Ninguna comunidad cristiana se edifica si no tiene su raíz y quicio en la celebración de la eucaristía» (PO 6). «La fracción del pan –dice

G. Gutiérrez– es al mismo tiempo el punto de partida y el punto de llegada de la comunidad cristiana» [16]. H. de Lubac primero, K. Rahner después y posteriormente la teología actual nos recuerdan esta afirmación ortodoxa tradicional: «La Iglesia hace la eucaristía y la eucaristía hace la Iglesia». Dicho con otras palabras de la tradición: hay una íntima relación entre el *Corpus Christi verum* (la Iglesia) y el *Corpus Christi mysticum* (la eucaristía). Con todo, debemos recordar que la Iglesia es institución eucarística en el sentido de instituida o fundada, antes que organización institucional, porque es pueblo de Dios en estado de comunidad que da las gracias, pide y adora. De ahí la búsqueda reciente y apasionada de nuevas formas comunitarias en las que prevalece la asamblea particular. Pero así como no todas las asambleas cristianas son directamente eucarísticas, toda eucaristía debiera celebrarse en régimen de asamblea, es decir, con un pueblo concreto organizado y reunido, presidido por un ministro adecuado. La relación entre eucaristía y comunidad es tan estrecha que un determinado modelo de Iglesia refleja un estilo concreto de celebración [17].

c) Sin comunidad cristiana no hay plena manifestación de fe

La confesión de fe, testimoniada en la vida humana por los creyentes esparcidos en el ancho mundo, se manifiesta a su vez sacramentalmente cuando la asamblea se reúne para celebrar la eucaristía. No es posible celebrar la cena del Señor sin proclamar el kerigma cristiano bajo la forma privilegiada de la acción de gracias. Precisamente la confesión de fe sacramental garantiza la existencia de una Iglesia evangelizadora y liberadora desde las exigencias del reino, cuyo sacramento es la eucaristía.

Ahora bien, el lugar genuino y privilegiado del reconocimiento del Señor es la comunidad cristiana. La mediación de la comunidad como sacramento de la Iglesia está íntimamente ligada al reconocimiento de Jesús como Señor, de su evangelio y de su Espíritu, es decir, cuando es espacio de una confesión comunitaria de fe. La singularidad cristiana reside en la confesión comunitaria de la fe simbólica o sacramental. En resumen, la confesión de fe se da cuando se cree y se testimonia. Sacramentalmente se expresa cuando la comunidad celebra la eucaristía.

Ya sé que ofrece dificultades la afirmación de que el cristianismo –o, si se prefiere, la Iglesia– es originalmente, aunque no exclusivamente, comunidad eucarística, en la que encuentra pleno sentido la confesión de fe. Formas complementarias de la celebración serán básicamente dos: la ética o *compromisual* (relación profunda con toda la vida histórica) y la estética o *festiva* (relación íntima con lo escatológico). Por supuesto que lo simbólico no se opone a lo real, sino a lo imaginario. El símbolo eucarístico, celebrado por una comunidad de fe evangelizadora, es participación fraternal del sacramento de Cristo en las perspectivas evangélicas del reino de Dios.

---

[16] G. Gutiérrez, *Teología y ciencias sociales:* «Revista Latinoamericana de Teología» 3 (1984) 272.

[17] Cf. H. Denis, *La communauté eucharistique aujourd'hui:* «La Maison-Dieu» 141 (1980) 37-67.

20

La penitencia sacramental

El sacramento de la penitencia, denominado en la antigüedad cristiana segundo bautismo, acción penitencial o reconciliación, y en la Edad Media confesión o sacramento de la confesión, es entendido después del Vaticano II como sacramento del perdón de los pecados y de la reconciliación con Dios y con la Iglesia [1]. Pero así como el perdón de los pecados es una realidad fundamental en la vida cristiana, que se lleva a cabo de diferentes maneras por medio de la fe y de la conversión, el sacramento de la penitencia es la celebración del perdón y de la conversión de acuerdo a un ritual promulgado por la Iglesia. Por consiguiente, la penitencia es más amplia que el sacramento de la penitencia.

Para trazar algunos criterios pastorales en torno al sacramento de la penitencia, es necesario tener en cuenta la crisis que atraviesa este sacramento, sus vicisitudes históricas y su dimensión celebrativa.

[1] Transcribo aquí y resumo mis trabajos sobre la penitencia: *El nou ritual de la penitencia:* «Qüestions de Vida Cristiana» 72 (1974) 59-71; *Sugerencias para la celebración sacramental de la penitencia:* «Sal Terrae» 71 (1983) 709-720; *La celebración comunitaria del perdón. Fundamentación teológica y sugerencias prácticas:* «Sal Terrae» 76 (1988) 103-111.

1. Crisis de la penitencia

El *Ritual de la penitencia,* aprobado por Pablo VI el 2 de diciembre de 1973, publicado en la edición *típica* latina el 7 de febrero de 1974 con el título oficial de *Ordo paenitentium,* y editado en castellano el 26 de enero de 1975 bajo el nombre de *Ritual de la penitencia,* es un claro exponente de las dificultades que tiene la celebración de la penitencia, especialmente la comunitaria. En la elaboración de este ritual participaron dos comisiones: la de diciembre de 1966, de carácter teológico, y la de junio de 1972, de componente litúrgico. El hecho de que la elaboración del ritual durase siete años y fuese el último de los rituales sacramentales promulgados muestra algunas incertidumbres y oscilaciones. El problema principal radicó en la reinstauración de la *absolución colectiva* [2].

Es patente la caída vertiginosa de la confesión, ya en declive antes del Vaticano II. Algunas encuestas sociológicas de finales de la década de los setenta afirman lo siguiente: se confiesan con una cierta asiduidad menos de la mitad que antes del cambio; la juventud no pasa por el confesionario, como tampoco las personas comprendidas entre los 25 y

[2] J. A. Gracia, *Historia de la reforma del nuevo ritual (1966-1973):* «Phase» 79/80 (1974) 11-22.

los 35 años; se confiesan los mayores de 65 años, y sólo el 10% practica la confesión individual. Las celebraciones comunitarias no se han generalizado todavía y su conjunto no ha reemplazado a las confesiones de antaño [3]. Las causas de esta profunda crisis son variadas.

a) Cambio de la moral y del sentido del pecado

La mayor dificultad del sacramento de la penitencia reside en apreciar y valorar el sentido del pecado, dado el cambio de comportamientos éticos o de costumbres que se ha producido en estas últimas décadas. Este cambio ha sido especialmente ostensible en el ámbito de lo sexual, materia predominante de confesión antes del concilio. Los fieles no se reconocen culpables como hace un cuarto de siglo. A causa del proceso generalizado de secularización, el pecado contra Dios se transforma a menudo en pecado contra la sociedad o la humanidad; el sentimiento de pecado se convierte psicológicamente en sentimiento de culpa. De ahí que se haya intentado crear una moral sin pecado y sin culpa, con lo cual se reduce el ámbito de lo penitencial a lo psicológico. El confesor es sustituido por el psiquiatra. Hoy se ve el pecado de otra manera, de un modo más colectivo, social y estructural, con el peligro de que se diluya el pecado personal. Antes del Vaticano II, el pecado se basaba en un sentido de la *mancha* en el alma (concepción espiritualista), *infracción* de una ley (concepción legalista) o *desviación* de la propia conciencia (concepción moral), no como atentado contra el reino de Dios o mutilación de las exigencias bautismales (concepción religiosa cristiana). La confesión se apoyaba en una moral de actos negativos, no de actitudes positivas, debido a la insistencia en el número y la especie más que en la disposición personal como respuesta a una llamada de Dios [4].

[3] Cf. E. Seiler, *Synodenumfrage und Bussesakrament,* Luxemburgo 1973; K. Baumgartner, *Erfahrungen mit dem Bussesakrament,* vol. 1: *Berichte. Analysen. Probleme,* Munich 1978; *Le Pélerin du 20e siècle,* n. 4797, 3 de noviembre de 1974.

[4] M. Vidal, *Cómo hablar del pecado hoy. Hacia una moral crítica del pecado,* PPC, Madrid 1974.

b) Patología de la confesión

La confesión ha sido durante mucho tiempo cuestión entre dos personas: el penitente y el confesor. La comunidad estaba ausente, apenas se celebraba el perdón, y todo el efecto se reducía a una relación directa y piadosa con Dios, con la mediación instrumental de un confesor sacerdote. Se trataba de decirlo todo ante un padre de corte vertical, masculino y jerárquico, sin comunicación fraternal, dentro de un total anonimato, favorecido por la oscuridad, la rejilla del confesionario y la voz baja, hecho todo por obligación para quedar tranquilos. La confesión fomentaba ciertas conciencias escrupulosas o angustiadas.

Los motivos que los penitentes han dado y dan para justificar sus confesiones son variados. Unos son psicológicos, como tranquilizar la propia conciencia o adquirir nuevos ánimos ante una depresión sufrida; sirve de terapia. Otros buscan en la confesión consejos y ayudas para examinar su vida; sirve de dirección espiritual. Finalmente están los que desean ser purificados de sus faltas mediante la absolución; sirve de conversión. Por recaer con frecuencia la atención del sacramento en el penitente mismo, no se busca el fin primordial de la liturgia, que es la gloria de Dios en asamblea. Al confesar los pecados, no se confiesa con fe la santidad del Señor y de su Iglesia.

c) Obligatoriedad de la confesión íntegra

Recordemos que uno de los problemas de la renovación penitencial reside en la necesidad de la confesión íntegra y personal de los pecados que Trento afirmó ser «de derecho divino» (de *iure divino*), afirmación interpretada hoy de diversas maneras [5]. Recordemos que los reformadores Lutero y

[5] Cf. R. Franco, *Posibilidad de una evolución del dogma de la penitencia:* «Phase» 37 (1967) 56-63; id., *La confesión en el Concilio de Trento. Exégesis e interpretación,* en *Sacramento de la penitencia.* XXX Semana Española de Teología, CSIC, Madrid 1972, 303-316; C. Peter, *La confesión íntegra y el Concilio de Trento:* «Concilium» 61 (1971) 99-111; D. Fernández, *Dios ama y perdona sin condiciones,* DDB, Madrid 1989, 21-34; A. Amato, *I pronunciamenti tridentini sulla necessità della confesione sacramentale nei canoni 6-9 della sessione XIV (25 novembre 1551),* Las,

Calvino no rechazaron la confesión individual de los pecados, sino su obligatoriedad. Claro está que si se suprime la confesión de boca de los pecados, se borra de un plumazo la confesión misma. La difícil solución a este dilema consiste en entender la confesión como reconciliación en régimen comunitario, para acoger el perdón de Dios que nos llama a conversión, con objeto de vivir en paz y ser artesanos de la paz. El acento no se pone tanto en *decir* los pecados cuanto en hacer penitencia como sinónimo evangélico de conversión. Por eso el término penitencia sustituye al de confesión.

d) El ritualismo individual

De ordinario, el principal peligro de la confesión es el formalismo. Se cumple legalmente con un rito, sobre todo cuando es por obligación, como ha ocurrido en la confesión pascual. A menudo se está lejos del compromiso personal que exige la conversión cristiana. Efectivamente, una de las mayores dificultades de la penitencia ha residido en el ritualismo despojado de celebración, sin preparación adecuada, con ausencia de comunidad, o incluso durante la celebración de la eucaristía, mediante una concepción jurídica y forense del sacramento. Ahora nos damos cuenta de la importancia que tiene la dimensión eclesial de la penitencia o, si se quiere, la celebración penitencial o celebración comunitaria del sacramento de la reconciliación, denominada también fiesta del perdón o de la paz.

Sin embargo, el problema heredado no reside en la dificultad de su celebración, sino en la casi ausencia de comunidad cristiana en el ámbito parroquial. Al menos la eucaristía ha sido celebrada durante siglos con presencia del pueblo, aunque con escasa participación, ciertamente reunido más como conglomerado que como grupo social. Los abusos de decir misa un cura con un sólo monaguillo que la oía sin apenas entender nada se dieron en los días de labor más que en los festivos. Y por supuesto, a la reforma de la misa precedió una experiencia pastoral eucarística considerable. En última instancia, la urgencia de la participación «consciente, plena y activa» del pueblo en el culto, promovida por el movimiento litúrgico y el Concilio, se circunscribió prácticamente a la celebración de la misa.

De un modo más escaso y pobre se ha desarrollado en los últimos decenios la liturgia del sacramento de la reconciliación. Recordemos, no obstante, las *celebraciones comunitarias penitenciales* antes del Concilio, aunque entre nosotros se divulgaron escasamente con anterioridad a la aparición del *Ritual de la penitencia*.

2. Evolución de la penitencia

El sacramento de la penitencia ha sido entendido a lo largo de la historia de diferentes maneras, según distintos regímenes penitenciales, de acuerdo a unos acentos teológicos y líneas pastorales en relación con el pecado y el perdón [6]. Hoy nos encontramos, después de la reforma litúrgica del Concilio, a las puertas de lo que algunos denominan «el cuarto régimen penitencial» [7]. Antes hubo tres formas diferentes de celebrar la penitencia: la *antigua*, la *tarifada* y la *moderna*.

a) La penitencia «antigua»

Después de algunas oscilaciones en los dos primeros siglos, la denominada penitencia *antigua* nació hacia la mitad del s. III y duró hasta los siglos VI y VII. La característica más acusada de esta época residió en que la reconciliación penitencial sólo podía darse una vez en la vida. Por eso también se denominó penitencia *única*. Otros la han llamado *canónica*. Se entendía como segundo bautismo; su régimen era eclesial o comunitario, y sólo se tenían

---

Roma 1974; H. P. Arendt, *Bussesakrament und Einzelbeichte. Die tridentinische Lehraussagen über das Sündenbekenntnis und ihre Verbendlichtkeit für die Reform des Bussesakrament,* Friburgo de Br. 1981.

[6] Cf. C. Vogel, *El pecador y la penitencia en la Iglesia antigua,* ELE, Barcelona 1968; id., *Le pécheur et la pénitence au Moyen-Age,* París 1969; id., *El pecado y la penitencia,* en *Pastoral del pecado,* Verbo Divino, Estella 1966, 209-339; D. Borobio, *La penitencia en la Iglesia hispánica de los siglos IV-VII,* Bilbao 1978; F. J. Lozano, *La penitencia canónica en la España romano-visigótica,* Burgos 1980.

[7] P. De Clerck y R. Gantoy, *Vers un quatrième régime pénitentiel?:* «Communautés et Liturgie» 65 (1983) 191-212.

en cuenta los pecados graves, a saber, los que rompían la comunión con la comunidad cristiana. «El pecador, incluso reconciliado –afirma C. Vogel–, quedaba marcado durante su vida por una serie de prohibiciones, ya que la penitencia entrañaba una nota de infamia que le hacía inhábil para ciertas actividades de la vida civil» [8]. Fracasó por su rigorismo, ya que se permitía una sola vez en la vida. Lógicamente se aplazaba la penitencia hasta la vejez o proximidad de la muerte.

Por el hecho de que en este tiempo no hubiese penitencia *privada,* no puede caracterizarse la penitencia única de *pública* como si se tratara de una confesión en voz alta. Aunque algunas veces se daba este tipo de confesión, no era obligatoria. Había ciertamente distinción de faltas, pero esto se hacía más por el modo de expiación que por análisis del pecado. Los pecados mortales exigían –según C. Vogel– «la penitencia canónica y la intervención de la Iglesia en la reconciliación; el pecado ligero, pequeño o venial se podía reparar por las obras privadas de mortificación», entre las cuales sobresalían la oración, el ayuno y la limosna [9]. La penitencia antigua consistía en tres tiempos:

– La *entrada* en el *ordo* de los penitentes o culpables de faltas graves que les excluían de la comunidad eclesial y, en cierto sentido, de la sociedad civil. Se consideraban faltas graves los pecados de la tríada: apostasía, homicidio y adulterio, y algunos pecados graves ocultos. Con objeto de que el obispo estipulase el tipo de penitencia, debía conocer los pecados del pecador, para lo cual era necesaria una cierta confesión.

– La *acción penitencial* o expiación, tiempo de prueba largo y riguroso con ejercicios penitenciales (cilicio o vestido de saco, ceniza en la cabeza, ayunos, escaso sueño, descuido en el aseo personal, sepultura a los muertos, asistencia a las horas canónicas). Mientras el pecador pertenecía al *ordo paenitentium* podía frecuentar la sinaxis eucarística, pero no recibir la comunión. Tampoco podía recibir órdenes sagradas, casarse o aceptar un cargo público. Los pecados se reparaban, pues, mediante la penitencia única, no reiterable, que centraba su atención en la intensidad de la conversión.

– La *reconciliación* con Dios y con la Iglesia, hecha por el obispo mediante la imposición de manos, para que el penitente absuelto pudiese tomar parte activa de nuevo en la comunión eclesial y eucarística. El pecador debía comenzar una nueva vida de santidad. Si abandonaba este estado, recibía la excomunión perpetua.

b) La penitencia «tarifada»

La penitencia canónica primitiva apenas intervino en la vida de los fieles, ya que se daba, al menos hasta el s. VI, *in extremis,* en el momento de la muerte. El retiro de la vida secular y la castidad perfecta que se exigía a los penitentes alejaban a muchos del ingreso en el *ordo paenitentium.* A partir de finales del s. VI y comienzos del s. VII comenzó la penitencia *tarifada* por influjo de los monjes de Irlanda que evangelizaron Europa. El concilio de Toledo de 589 conoció la nueva práctica de la reiteración penitencial, pero la desaprobó. Poco a poco, sin embargo, fue admitida por necesidades pastorales. Aunque era tan rigurosa la práctica penitencial como en el régimen anterior, al menos era reiterable y no entrañaba consecuencias gravosas para toda la vida.

La nueva penitencia tenía un carácter más personal. El pecador confesaba sus culpas al sacerdote, quien le ayudaba mediante el *liber paenitentialis o paenitentiale* a través de un interrogatorio. Después de escuchar al penitente, el monje le imponía una penitencia según la falta, de acuerdo a las tarifas de los libros penitenciales. Cumplida esta obra, el penitente volvía al sacerdote, quien le daba la absolución. Era privada y repetible; el pecador podía acceder a la confesión cuantas veces quisiera. De este modo descendió el aprecio de la penitencia pública y ganó estima la privada. Lo esencial del nuevo sistema es el cumplimiento de las obras de mortificación, al principio largas y duras, pero con los años benignas y breves. A partir del s. IX se estableció ya un ritual penitencial: plegarias, confesión detallada y absolución, que de ordinario se daba una vez

[8] C. Vogel, *El pecador y la penitencia en la Iglesia antigua,* Barcelona 1968, 9.

[9] C. Vogel, *El pecado y la penitencia,* en *Pastoral del pecado,* Verbo Divino, Estella 1965, 213.

cumplida la penitencia. En este tiempo se introdujo el sistema de compensaciones, mediante el cual se podían cambiar unas penitencias por otras entregando unas limosnas. La reacción se produjo al desestimar el cumplimiento de la tarifa penitencial y acentuar la importancia de la conversión interior.

c) *La penitencia «moderna»*

En la segunda mitad del s. XII (época de las teologías sacramentales) perdió importancia la expiación en la confesión tarifada y cobró primacía la confesión verbal y detallada de los pecados. Se establece la confesión, tal como ha prevalecido hasta el Vaticano II, con sus cinco partes: examen de conciencia, contrición, confesión de boca, satisfacción (actos del penitente) y absolución (acto del ministro). Lo más característico de este sistema penitencial es la anticipación de la absolución a la denominada satisfacción, con la consiguiente desaparición de la acción penitencial, que se hace simbólica. El énfasis se pone en la contrición y en la confesión de los pecados. De este modo se inicia en el s. XII un tipo de confesión, la *paenitentia publica minor,* que corresponde a la forma sacramental del ritual romano de 1614, vigente hasta el nuevo ritual de Pablo VI. La otra forma, llamada *paenitentia solemnis,* reservada para ciertos pecados graves o *enormia,* se desarrolló entre el miércoles de ceniza y el jueves santo, pero con el tiempo también cayó en desuso. Desde el tridentino se generalizó el uso del confesionario para la confesión privada, al principio en forma simple de silla, y desde el s. XVIII tal como lo conocemos hoy [10].

Estos tres tipos de penitencia han precedido a la reforma instaurada por el Vaticano II.

3. Catequesis de la penitencia

El Vaticano II formuló varias directrices sobre el carácter que tiene la penitencia cristiana. Mediante el sacramento de la penitencia, los pecadores obtienen «de la misericordia de Dios el perdón de la ofensa hecha a él y al mismo tiempo se reconcilian con la Iglesia, a la que hirieron pecando, y que colabora a su conversión con la caridad, con el ejemplo y las oraciones» (LG 11). De ahí que la catequesis de la penitencia deberá inculcar «a los fieles, junto con las consecuencias sociales del pecado, la naturaleza propia de la penitencia, que detesta el pecado en cuanto es ofensa de Dios; no se olvide tampoco la participación de la Iglesia en la acción penitencial, y encarézcase la oración por los pecadores» (SC 109). Es, pues, el sacramento de la penitencia ministerio de reconciliación de «los pecadores con Dios y con la Iglesia» (CD 5). De ahí que los presbíteros deben mostrarse «en todo momento y de todo punto dispuestos a ejercer el ministerio del sacramento de la penitencia cuantas veces se lo pidan razonablemente los fieles» (PO 13).

La constitución apostólica *Paenitemini* del 18 de febrero de 1966 recordó que la Iglesia «tiene continua necesidad de convertirse y de renovarse. Y esta renovación debe ser no sólo interior e individual, sino exterior y social». Pero no ha sido fácil renovar la penitencia en la Iglesia. En el Sínodo de octubre de 1983 sobre el tema *La reconciliación y la penitencia en la misión de la Iglesia,* a los diez años de promulgado el ritual, se advirtieron más las dificultades que las experiencias positivas. Hubo de reconocer el mismo Juan Pablo II en la exhortación apostólica *Reconciliación y penitencia,* emanada el 2 de diciembre de 1984, un año después del Sínodo, que «el sacramento de la penitencia está en crisis» [11]. En realidad, este documento sinodal apenas incidió en la opinión pública de la Iglesia. En esta exhortación apostólica –afirma J. Burgaleta– «se denuncian los peligros de la reforma de la penitencia, se pone el énfasis en la penitencia privada, se magnifica el ministerio del confesionario, se vuelve a insistir en el pecado como acto y se pierden conceptos destacados del aspecto social del pecado» [12].

---

[10] El concilio de Trento, en su sesión 14, dedicó a la confesión 9 capítulos y 15 cánones, que fijaron la práctica tal como se encuentra en el ritual de 1614.

[11] *Reconciliación y penitencia.* Exhortación apostólica postsinodal de S. S. Juan Pablo II, PPC, Madrid 1984, n. 28. Ver asimismo la carta colectiva del Episcopado Español, *La reconciliación en la Iglesia y en la sociedad,* PPC, Madrid 1975.

[12] J. Burgaleta, *La celebración del perdón: vicisitudes históricas,* Fundación Santa María, Madrid 1986, 72.

a) Es sacramento de reconciliación

Como ya vimos, el término reconciliación equivalía en la antigua Iglesia a la celebración en virtud de la cual los penitentes, después de la acción penitencial, recibían (normalmente el jueves santo) la absolución, que entrañaba la readmisión en la comunidad cristiana y la participación (de ordinario pascual) en la comunión eucarística. Trento llama a la penitencia «reconciliación con Dios» [13].

La expresión «sacramento de reconciliación» es afín a la cultura contemporánea. Después de la segunda guerra mundial se empleó en Alemania la palabra *Versöhnung* o reconciliación para acabar con los odios; otro tanto puede decirse de nuestra posguerra española. El concepto de reconciliación es dinámico y mesiánico, al mismo tiempo que manifiesta la dimensión colectiva de la fe [14].

b) Es sacramento de conversión

La confesión individual frecuente, denominada confesión de devoción, se centraba en la declaración de unos pecados o faltas en virtud de la contrición. El nuevo ritual acentúa la conversión evangélica, que forma parte o es núcleo de la vida cristiana; es el constitutivo básico de la evangelización, repara o profundiza las exigencias bautismales y da acceso a la participación eucarística.

c) Es sacramento eclesial

El sacramento de la penitencia es asimismo *reconciliación con la Iglesia,* representada por la comunidad cristiana [15]. El pecado nos separa de Dios y de la comunidad. Por eso pedimos perdón a Dios y a los hermanos presentes en la asamblea. La penitencia no es mero asunto de un laico con un sacerdote; es cuestión de la Iglesia entera.

[13] Cf. DS 1670; 1674; 1677 y 1701.

[14] Cf. Ch. Duquoc, *Reconciliación real y reconciliación sacramental:* «Concilium» 61 (1971) 23-24.

[15] Cf. B. M. Xiberta, *Clavis ecclesiae. De ordine absolutionis sacramentalis ad reconciliationem cum ecclesia,* Roma [2]1974.

d) Es sacramento teologal

Celebrar la penitencia no es confesarse en un plano *moral,* a saber, auto-revisarse, acusarse, reconocer las faltas. Esta concepción busca los beneficios de la confesión para afinar la conciencia. No nos confesamos sólo para ser mejores ni para dar sentido a la existencia; esto es necesario, pero no suficiente. Celebrar la penitencia en un plano *teologal* es proclamar la buena nueva del perdón de Dios y confesar la misericordia del Padre que perdona. De ahí que el pecado se confiese delante de Dios y de las exigencias del reino para rehacernos como personas recreadas y para restaurar la conducta bautismal. En resumen, confesamos los pecados mediante la confesión de fe; así mostramos una confianza o esperanza de restauración, liberación o salvación.

4. Celebración de la penitencia

a) Las cautelas del ritual de la penitencia

Estamos todavía lejos de atisbar en la práctica un cuarto régimen penitencial. El nuevo ritual expresa el sacramento con dos términos: *penitencia* (expresión consagrada por los concilios de Florencia, Trento y Vaticano II) y *reconciliación de penitentes* para indicar, sobre todo, la celebración, tal como se usaba en los antiguos libros litúrgicos. La novedad más destacada es la quiebra de la práctica exclusiva de la confesión auricular. Lo decisivo ahora es la conversión del pecador y la reconciliación con Dios y con los hermanos en la Iglesia.

Hasta la reforma del Concilio, la penitencia era mera confesión, dada y recibida en el mejor de los casos con piedad, pero no celebrada. Era un sacramento administrado. Hasta tal punto influía la piedad individual que los ritmos de confesión se graduaban, no tanto por la gravedad de las faltas cuanto por la intensidad de la vida cristiana. Para celebrar la penitencia se necesita un desarrollo ritual o sacramental con un cierto tiempo de duración, una comunidad reunida en asamblea y unos elementos de celebración: lectura de la palabra de Dios y confesión en régimen de oración. De este modo se puede sobrepasar el carácter individual e introspectivo de la antigua confesión moralizante.

Con todo, se manifiestan en el ritual de la penitencia dos tendencias diferentes: la que aparece en la introducción o *praenotanda* (más cerrada) y la que se observa en el ritual propiamente dicho (más abierta). Incluso en la introducción hay dos visiones teológicas no armonizadas [16], lo cual hace difícil poner en práctica el «rito para reconciliar a muchos penitentes con confesión y absolución general». En el fondo, el nuevo ritual es reticente respecto de las celebraciones comunitarias con absolución colectiva y pone como modelo la celebración individual del perdón. «La confesión individual e íntegra y la absolución –afirma el ritual– continúan siendo el único modo ordinario para que los fieles se reconcilien con Dios y con la Iglesia» (n. 31). Otro tanto afirma el nuevo Código (c. 960).

Puede decirse que este ritual no ha sido *recibido* del todo ni por muchos sacerdotes ni por una parte del pueblo. Es poco usado y desconocido. Los conservadores desestiman las celebraciones comunitarias de la penitencia y los progresistas rechazan de una o otra manera las confesiones individuales. Con todo, en el ritual se encuentran aportaciones positivas, aunque mezcladas con cautelas negativas, sobre todo si se compara su contenido con el ritual romano anterior.

La penitencia o reconciliación –podemos deducir del ritual– hay que situarla teologalmente (Dios es misericordia), más que moralmente (el hombre es pecador). En segundo lugar, confesamos nuestros pecados delante de Dios, es decir, en el contexto de una confesión de fe. En tercer lugar, nos reconciliamos con los hermanos a los que ofendimos, como condición previa del perdón de Dios. Por último, nos reconciliamos con la Iglesia.

[16] Cf. P. De Clerck, *Célébrer la Pénitence ou la Réconciliation? Essai de discernement théologique à propos du nouveau Rituel:* RTLv 13 (1982) 387-424; J. Burgaleta y M. Vidal, *Sacramento de la penitencia: crítica pastoral del nuevo Ritual,* PS, Madrid 1975.

b) Las dificultades de la reconciliación con la Iglesia

– La primera dificultad reside en la carencia personal de una experiencia bautismal. Nos introdujeron de infantes en la Iglesia inconscientemente, apenas influyó en nosotros la primera comunión como acceso a la eucaristía comunitaria, y en muchos casos, por no decir la mayoría, no cuenta la confirmación como sacramento eclesial personalizado. Hemos tenido que aceptar la fe personal, de jóvenes o de mayores, por nuestra experiencia de relación con Dios y con Cristo (en la casi ausencia del Espíritu), por nuestro descubrimiento del compromiso con los hermanos (y a veces con la sociedad) a través del evangelio, y por nuestra pertenencia a un grupo apostólico o a una comunidad parroquial en un sentido amplio. El sacramento del bautismo ha sido pura teoría como experiencia personal; en la práctica han funcionado la fe y el seguimiento de Cristo. La penitencia no es para nosotros un segundo bautismo ni reingreso en la Iglesia, sino, en lontananza, reconciliación con los hermanos y con Dios o conversión a una vida más evangélica, y, en cercanía, sencillamente confesión de los pecados. Todo, por supuesto, personal e individualmente.

– La segunda dificultad es de índole comunitaria. No sólo estamos lejos de experimentar un cierto nivel de comunidad cristiana (la parroquia, en la mayoría de los casos, no es comunidad), sino que a la hora de celebrar comunitariamente la penitencia surgen infinitas trabas. Así no hay modo de progresar. Basta recordar las *Normas pastorales* emanadas de la Congregación para la Doctrina de la Fe en 1972 sobre la confesión personal de los pecados y absolución general colectiva, de mentalidad preconciliar (semejantes a la Instrucción de la Sagrada Penitenciaría del 25 de marzo de 1944), para advertir algunas dificultades casi insalvables [17].

– Una tercera dificultad reside en la reacción, a veces negativa, que despierta el concepto de Iglesia,

[17] Cf. los n. 31-34 del Ritual de la penitencia, calco exacto de los n. 3-7 de las *Normas pastorales.* Cf. T. Rincón, *Documentos pontificios más recientes acerca del sacramento de la penitencia,* en *Sobre el sacramento de la penitencia y las absoluciones colectivas,* Eunsa, Pamplona 1976, 19-49.

identificada sin más, aunque abusivamente, con la jerarquía, el sistema burocrático o lo institucional. Por otra parte, no es fácil ver hoy en la jerarquía de la Iglesia una misión profética en orden a predicar, con hechos, la buena noticia de la reconciliación. La dificultad aumenta si intentamos ver a la Iglesia oficial como sacramento de reconciliación para el mundo. Esto en España es muy difícil, dado el pasado eclesial no lejano que poseemos.

c) La reconciliación de un penitente

Empecemos por afirmar que la reconciliación con un penitente, según el nuevo ritual, no es pura y simple confesión, tal como se ha desarrollado en la Iglesia desde el s. XII hasta el Vaticano II. Después de una preparación personal, tanto del sacerdote como del penitente (rito de acogida), se escucha la palabra de Dios (proclamación); después de la confesión de boca (declaración de los pecados) y de imponerse la penitencia (satisfacción), el fiel es invitado a orar (oración del penitente), el sacerdote le absuelve (imposición de manos y absolución) y el penitente expresa una acción de gracias; por último, el confesor le despide y envía en paz (acción de gracias y despedida).

Sin embargo, este rito puede convertirse, por falta de visión litúrgica, en la anterior penitencia privada. A pesar de que el ritual denomina celebración este rito individual, el sacramento de la penitencia así conferido es escasamente comunitario y mínimamente celebrado, con lo cual se reduce a un rito o parte del rito (la absolución individual), con la consiguiente desestima de la presencia eclesial, comunitaria y sacramental. La crisis generalizada de la confesión es crisis de la confesión privada en el sentido más genuino de la palabra; crisis de una penitencia privada de muchas dimensiones: del sentido del pecado, de la exigencia de conversión, de la faceta reconciliadora, de la sacramentalidad eclesial y de la celebración grupal.

Confesarse individualmente puede y debe ser operativo, a condición de que sea excepcional (la penitencia ordinaria debiera ser comunitaria) u opcional (el perdón de los pecados puede celebrarse o conseguirse de múltiples formas). De lo contrario, cuando la confesión privada es el ideal, separamos el sacramento de la vida humana como vida socializada o lo alejamos peligrosamente de la comunidad cristiana como dimensión colectiva de la fe. La confesión, cuando es constantemente privada e individualizada, termina por ser desestimada, ya que se aleja de la responsabilidad histórica y se refugia en el ámbito intimista de la conciencia. No olvidemos que la reconciliación con el hermano, no consigo mismo, es el signo de la reconciliación con Dios.

d) La reconciliación comunitaria

Desde el final de la década de los cuarenta, como ya dije, se generalizaron las denominadas *celebraciones comunitarias de la penitencia,* basadas en un intento de descubrir la dimensión eclesial del sacramento. A pesar de ciertas resistencias oficiales que surgieron ante este tipo de celebraciones, el ritual las asume y canoniza.

En el ritual hay previstos dos tipos de celebraciones comunitarias, denominadas «ritos para reconciliar» a «varios» o a «muchos» penitentes, en un caso con absolución individual y en otro con absolución general. Se afirma en dicho ritual que «las celebraciones penitenciales son reuniones del pueblo de Dios para oír la palabra de Dios, por la cual se invita a la conversión y a la renovación de vida, y se proclama, además, nuestra liberación del pecado por la muerte y resurrección de Cristo» (n. 36). También se recuerda la estructura de estas celebraciones [18] :

– rito inicial (canto, saludo y oración)

– lecturas intercaladas con cantos o salmos y silencios

– homilía y meditación de la palabra

– examen de conciencia

– rito de reconciliación (confesión de los pecados, absolución y acción de gracias)

– rito de conclusión (oración final y canto).

[18] Cf. H. Denis y otros, *Celebraciones penitenciales,* Marova, Madrid 1968; J. M. Burgos, *Celebraciones comunitarias de la penitencia,* PPC, Madrid 1969; J. Burgaleta y A. Pardo, *Celebraciones penitenciales comunitarias,* PS, Madrid 1976.

e) *La reconciliación de muchos penitentes con confesión y absolución individual*

El primer tipo de celebración comunitaria «con confesión y absolución individual» es el más extendido. Tiene la ventaja de favorecer la dimensión comunitaria, con el inconveniente de reducir el momento de comunicación personal y de expresar muy rápidamente la confesión individual de los pecados. En esta celebración se combinan dos elementos difícilmente armonizables: una liturgia pública y comunitaria, y una confesión privada e individual. La experiencia demuestra que esta celebración se reduce, en realidad, a una variante de la celebración privada o a una celebración estrictamente comunitaria y sacramental cuando se pronuncia la absolución general. De hecho, este tipo de penitencia reduce el diálogo y privatiza la proclamación del perdón.

Si por una parte la liturgia de la palabra y la oración previas a la absolución individual, y por otra la acción de gracias y proclamación de la alegría común que siguen a la confesión privada no poseen un valor sacramental, sino piadoso (lo auténticamente válido es la confesión privada con la absolución), no sólo se seguirá desvalorizando este tipo de confesión, sino que no se apreciará convenientemente la celebración total comunitaria. Sospecho que este modelo litúrgico (en apariencia mejor que el individual) no posee mucho futuro, puesto que en realidad es menos apto que el primero (confesión individual) o tercero del ritual (absolución colectiva).

El ideal sería que esta celebración se hiciese por *etapas:* proclamación de la penitencia o liturgia de la palabra un día, tiempo espaciado de revisión personal para fomentar la conversión y reunión en otro día para el acto de la reconciliación sacramental. Esto cabe hacerse de un modo óptimo en cuaresma y adviento [19]. Esta propuesta también es válida para el caso siguiente, con absolución colectiva.

[19] Cf. una propuesta en A. González Fuentes, *Pour une célebration étalée du sacrement de pénitence:* «Communautés et Liturgie» 58 (1976) 291-302.

f) *La reconciliación de muchos penitentes con confesión y absolución general*

La tercera fórmula pone el acento en la dimensión comunitaria de la reconciliación y del pecado. Es por supuesto celebración. Después de una introducción, lectura de la palabra y homilía, el ministro invita a quienes desean recibir en conciencia la absolución, manifiesten «algún signo externo que les permita identificarse» (n. 79), como puede ser la inclinación de cabeza, arrodillarse u otro signo. Después que el sacerdote imparte la absolución general, invita a la acción de gracias, bendice a la asamblea y la despide.

Este tipo de celebración se ajusta rigurosamente a las pautas taxativas señaladas en las *Normas pastorales para la absolución sacramental,* promulgadas por la Congregación para la Doctrina de la Fe el 16 de junio de 1972 [20]. Estas normas han sido recogidas en el Ritual de la penitencia (n. 31-34) y en el nuevo Código (c. 960-963). Según el ritual, es posible celebrar la penitencia con absolución general con estas condiciones: que exista una «imposibilidad física o moral» para acceder a la «confesión individual e íntegra», considerada constantemente en el ritual como «el único modo ordinario». Puede darse la absolución general en «peligro de muerte» o por una «grave necesidad» (multitud de penitentes e insuficiencia de confesores), siempre que se den las «disposiciones interiores» (conversión y arrepentimiento). Los fieles que reciben la absolución general, pero tienen conciencia de «pecados graves», deberán acceder a la «confesión oral» antes de recibir una nueva absolución, «a no ser que una causa justa se lo impida». Esta última exigencia revela una cierta contradicción. ¿Cómo explicar a los fieles que un pecado grave puede ser a la vez perdonado y confesado después? El ritual muestra aquí claramente una tensión no resuelta entre celebración litúrgica progresista (la absolución colectiva) y teología penitencial conservadora (necesidad de confesarse después de la absolución de los pecados).

La lectura de estas «orientaciones» del ritual (n. 31-35), rigurosamente atenidas a las cánones tri-

[20] Cf. AAS 64 (1972) 510-514.

dentinos, manifiesta que no se ha progresado apenas. Sorprende que los pecados graves no queden absueltos, sin más, en el seno de la comunidad por la donación del Espíritu del perdón, supuesto el esfuerzo de conversión (absolutamente necesario) de los cristianos pecadores reunidos en asamblea. En todo caso, parece que lo correcto (de acuerdo con la tradición y las enseñanzas teológicas actuales) hubiese sido exigir al penitente de la confesión individual que recibiese más adelante la absolución general en la comunidad, a la que reingresa de nuevo después de exigirle una acción penitencial conveniente.

Dada la exigencia del ritual de confesar «individualmente» siempre «todos y cada uno de los pecados graves», seguimos con el peligro heredado del juridicismo (el misterio se resuelve en el derecho), ya que el sacerdote aparece, sin cambio alguno, como abogado, fiscal y juez. Una vez más, la esfera de lo comunitario y de lo social se supedita al ámbito de lo individual y de lo privado. En definitiva, el nuevo ritual no admite la confesión genérica y general, sino la íntegra y detallada de los pecados mortales en una confesión individual. Jurídicamente, las puertas para encontrar un nuevo tipo de penitencia están casi cerradas.

En resumen, este segundo tipo de celebración comunitaria «con confesión y absolución general» plantea hoy muchos problemas. De una parte, las prescripciones oficiales son tan restrictivas que apenas se puede llevar a cabo. En lugar de ayudar a celebrar bien, con reposo, madurez, toma de conciencia y reflexión, bajo las perspectivas de la reconciliación con Dios y con los hermanos en el cuadro imprescindible de una comunidad cristiana, el ritual insiste en la confesión individual de los pecados, como si de este esfuerzo se desprendiese automáticamente una contrición interior.

g) Sugerencias para celebrar la penitencia

– La celebración de la penitencia en parroquias y grupos cristianos debe ser de ordinario comunitaria, ya que así se favorece una toma de conciencia colectiva del pecado y se descubren las dimensiones sociales y políticas del mismo. En parroquias tradicionales o en vías de renovación es útil seguir la fórmula segunda del ritual.

– La absolución colectiva en una celebración comunitaria de la penitencia bien preparada y desarrollada posee muchos valores positivos: el valor del sacramento, la gratuidad del perdón de Dios, el clima de oración, etc. Cuando se hace mal, se superficializa el perdón de Dios, se atrofia lo personal, se banaliza la reconciliación, etc.

– Es necesario elaborar cada año un plan de liturgias penitenciales para celebrar una cada mes, sin que falten en todo caso las siguientes: al comienzo de curso, en adviento o víspera de navidad, al inicio de la cuaresma, la víspera de jueves santo o ese mismo día, en vísperas de pentecostés (ligada quizá a primeras comuniones y confirmaciones) y antes de las vacaciones de verano.

– El desarrollo de una celebración penitencial se encuentra en el mismo ritual. Es excelente el repertorio de lecturas bíblicas propuestas, son válidas en general las oraciones, se necesita actualizar el examen de conciencia, es conveniente revisar las invocaciones penitenciales sin olvidar el valor del arrepentimiento público espontáneo, deben buscarse cantos apropiados, es útil recrear algunos símbolos adecuados, se necesita imaginación para la concreción de la satisfacción y debe ser más actual y concreta la acción de gracias.

– Los símbolos penitenciales pueden ser éstos: encendido y apagado de cirios, encadenamiento y liberación de los cuerpos con cuerdas o cadenas, clavar o desclavar clavos en una cruz de madera, arrojar clavos en una gran lata, quemar papeles (con la escritura de los pecados) en un brasero, romper en el suelo una vasija de barro, etc. Se trata de significar una liberación.

– Por último, si cualquier celebración ha de ser preparada, la penitencia exige una exquisita anticipación con el trabajo de un equipo formado por el sacerdote y varios laicos. Los objetivos de esta reunión pueden ser los siguientes: centrar el tema de la penitencia, elegir y comentar las lecturas, concretar el símbolo, elaborar el examen de conciencia, decidir los cantos y audiciones musicales, reelaborar diversas oraciones (de perdón y de acción de gracias) y, en definitiva, trazar un esquema concreto de celebración.

5. Constitutivos de la celebración penitencial

a) La palabra de Dios
(toma de conciencia cristiana)

La palabra de Dios en la liturgia penitencial revela al mismo tiempo el amor de Dios y nuestro pecado. Para que sea eficiente, es necesario que sea escuchada y vivida por los creyentes que se reúnen en asamblea. El misterio de la penitencia se basa bíblicamente en dos perspectivas: la del Padre misericordioso que acoge en sus brazos al hijo pródigo (Lc 15, 22-24) y la exigencia de Dios a quien perdona (Mt 6, 14-15; 18, 33). Dicho de otro modo, en la palabra de Dios, penitencialmente proclamada, debemos encontrar tres dimensiones: el testimonio del amor de Dios y de Cristo, la voz de la conciencia por la que Dios nos habla, y el sentido de los acontecimientos y de las palabras de los hermanos.

b) La conversión (contrición)

La conversión comienza con el sentimiento de la falta o el remordimiento que invita a una decisión: la de retornar o volver a empezar. El retorno a Dios es retorno a los hermanos, y la acogida que Dios hace es acogida de los otros en la Iglesia. La tradición teológica de la penitencia ha insistido siempre en la denominada *penitencia interior,* que es conversión y contrición. Caer en la cuenta de nuestro pecado exige hoy que reconozcamos la solidaridad de la falta.

c) La oración (confesión)

Para escuchar la palabra de Dios hay que ponerse en actitud de oración, de apertura; al reconocer nuestro pecado, pedimos perdón a Dios y a los hermanos, en confesión. La oración en la penitencia es intercesión, ya que sólo Dios perdona; el perdón no está en nuestro poder. En resumen, reconocer el pecado y pedir perdón es orar. Confesar no es acusar, sino proclamar que Dios nos salva, ya que el examen de conciencia es un examen de confianza.

d) La reconciliación (absolución)

Penitencia equivale en el evangelio a conversión o reconciliación, centro vital del mensaje cristiano o de la primera predicación de Jesús (Mc 1, 15). La llamada de Dios es llamada al reino, al ejercicio de una justicia y a una salvación liberadora. Se dirige al hombre tal como es, en su realidad histórica.

El evangelio es anuncio de reconciliación. La reconciliación es posible a pesar de los conflictos, guerras, divisiones, lucha de clases, incomprensiones, abusos y dominaciones. Anunciar la reconciliación es ponerse en camino hacia una vida reconciliada. El perdón de Dios encuentra su consistencia y su verdad humana y evangélica en el cambio de vida. En la vida concreta deben manifestarse los frutos de la reconciliación, vividos en el perdón mutuo. Cuando se es perdonado, se aprende a perdonar; y cuando se perdona, muchas cosas cambian.

6. Esquema de celebración comunitaria penitencial

Insistiré en cuatro aspectos fundamentales que deben estar presentes en toda celebración comunitaria penitencial [21].

a) Dios convoca a su pueblo y lo reúne
(Nos acogemos mutuamente)

Al reunirse la asamblea, la acogida mutua es el primer signo de reconciliación. El sacerdote y algunos miembros responsables de la comunidad reciben a los invitados. Los asientos deben estar de acuerdo a las exigencias de esta asamblea. Un canto creará el clima necesario. Luego puede seguir un silencio con música instrumental (órgano, si es posible). Se enciende el cirio pascual y se lleva un cántaro o jarra de agua a una mesa central, signo del bautismo o del nuevo nacimiento. Cabe también plantar en el centro un hermoso ramo de flores. Muy conveniente es que presida la celebración una gran cruz. El saludo del celebrante y la colecta de-

[21] Cf. Centre National de Pastorale Liturgique, *Fiches de formation pour animateurs de célébrations,* París 1977, ficha C6.

ben ser apropiados, sencillos, breves y espontáneos. No olvidar los gestos corporales, como es estar sentados (para escuchar), de pie (para orar), inclinados (para venerar) y de rodillas (para pedir perdón).

b) Dios nos habla e interpela para que nos convirtamos
(Escuchamos, compartimos la palabra y respondemos)

La elección de los textos exige una reunión previa. Las dos o tres lecturas han de estar de acuerdo con la asamblea, sus preocupaciones y el tiempo litúrgico correspondiente. Lo decisivo no es el pecado ni el pasado, sino el anuncio del perdón que Dios ofrece por los profetas y por Jesucristo en favor de nuestro futuro. La lectura es seguida de un comentario y un tiempo de silencio. Cabe fraccionarla con un estribillo cantado, un breve comentario o un silencio. El leccionario penitencial es excelente.

El examen de conciencia ha de ayudar a tomar conciencia de nuestras actitudes cristianas, complicidades con el mal, pasividades en nuestros compromisos y acciones concretas de pecado, en lo individual y en lo colectivo. No ha de prevalecer lo negativo, sino el espejo de lo positivo. Para indicar las consecuencias devastadoras de nuestros pecados y del pecado del mundo, puede romperse una vasija de barro en el suelo con un chasquido; se pueden apagar velas o luces y dejar encendido un foco que ilumine la figura de un Cristo en la cruz; también se pueden clavar varios clavos en el tronco de una cruz apropiada.

Como primera respuesta se puede expresar una oración de confesión que entraña dos partes: la confesión de fe y la confesión de los pecados. Recordemos que *confesar* (en latín *confiteri*) significa alabar, profesar la fe y expresar los pecados, todo delante de Dios y de los hermanos. Como participación común se puede decir el *Yo confieso,* una oración apropiada litánica o un canto.

c) Dios nos manifiesta su amor a través de signos
(Acogemos el perdón de Dios para ser testigos de reconciliación)

Si la celebración comunitaria es con absolución individual, se invitará a que cada persona que desee confesar su pecado se centre sólo en uno o dos aspectos, de acuerdo con la palabra escuchada. Durante las confesiones puede oírse un fondo suave musical (órgano, cassette o disco) para asegurar la continuidad de la celebración. Cabe expresar de vez en cuando alguna frase evangélica que invite a la meditación.

En el caso de la absolución colectiva puede expresarse el deseo del perdón hincándose todos de rodillas y en silencio, besando una Biblia en señal de aceptación o recibiendo una vela encendida como en la vigilia pascual. El sacerdote imparte la absolución con las palabras sacramentales y las manos extendidas sobre los penitentes.

d) Dios espera una respuesta de la comunidad
(Nos comprometemos a vivir el perdón en paz)

La reconciliación con Dios se encarna en la reconciliación con los hermanos. Se expresa, en primer lugar, mediante el gesto de la paz, al que puede acompañar un canto apropiado. En segundo lugar, el celebrante propone un acto de conversión: donativo económico, visitar a necesitados, restaurar una amistad rota, dar tiempo libre concreto a alguien, etc. Por último, termina la celebración con una oración de alabanza, a la que sigue un canto de acción de gracias.

21

El sacramento del matrimonio

Según el Código de derecho canónico, el matrimonio ha de celebrarse «en la parroquia donde uno de los contrayentes tiene su domicilio» (c. 1115). Por consiguiente, a la parroquia le corresponde la pastoral matrimonial. Pero en una sociedad secularizada y pluralista como la nuestra, defensora de la libertad de conciencia y de los derechos de la persona, con plena autonomía respecto de la Iglesia (GS 36), el matrimonio plantea a los cristianos un enorme abanico de cuestiones [1]. Es tal la gama de actitudes respecto a la conyugalidad, de criterios frente al significado del matrimonio, y de situaciones personales de quienes desean casarse por la Iglesia, que cada pareja con intenciones de boda cristiana exige un tratamiento pastoral específico. El ritual del matrimonio recomienda que no se aplique «una pastoral indiscriminada o una celebración indiferenciada» (n. 11). Dado que todavía una mayoría de matrimonios se casan por la Iglesia, examinaremos las actitudes que suscita la boda cristiana, la sacramentalidad del matrimonio y los problemas pastorales que plantea este sacramento a la parroquia [2].

[1] Transcribo aquí, revisados, tres trabajos míos: *El matrimonio como sacramento*, en *Sacramentos y militancia obrera*, HOAC, Madrid 1981, 44-46; *La preparación al matrimonio:* «Phase» 124 (1981) 315-323; *Algunas sugerencias para la celebración litúrgica del matrimonio:* «Phase» 15 (1975) 105-110.

1. Actitudes ante el matrimonio por la Iglesia

a) Por parte de los contrayentes

Cuando indagamos por qué motivos desean casarse las parejas por la Iglesia –tarea compleja, aunque aparentemente fácil–, nos damos cuenta de que el abanico de situaciones y actitudes es muy amplio [3]. En primer lugar, hay parejas que ya no piden el sacramento cristiano porque *no son creyentes*,

[2] El 19 de marzo de 1990, la Congregación para el Culto Divino promulgó la segunda edición del *Ritual del matrimonio*, enriquecido con la encíclica *Familiaris consortio* (1981) y el nuevo *Código* (1983). La primera edición del *Ritual del matrimonio* era de 1969. Cf. J. M. Rodríguez, *Nueva edición del Ritual del Matrimonio. Teología y pastoral:* «Phase» 187 (1992) 13-26.

[3] Cf. F. R. Aznar Gil, *Fe y sacramento del matrimonio en las orientaciones pastorales de las diócesis españolas:* «Ciencia Tomista» 109 (1982) 539-570; Conferencia Episcopal Italiana, *Evangelizzazione e sacramento del matrimonio*, Verona 1976; Conferencia Episcopal Suiza, *La pastorale du mariage. Situations particulières:* «Documentation Catholique» 76 (1979) 343; Conferencia Episcopal Belga, *Note pastorale des évêques de Belgique concernant le mariage de catholiques non pratiquants ou n'ayant pas la foi chrétienne:* «Documentation Catholique» 69 (1972) 979-982.

aunque estén bautizados; lo saben y lo dicen. Es una situación entre nosotros excepcional en algunos ambientes, aunque no tanto en otros. Lo cierto es que aumenta la proporción de matrimonios civiles respecto de los canónicos a causa de la libertad religiosa, el crecimiento del agnosticismo e indiferentismo, el bajo nivel de práctica religiosa y la imposibilidad que tienen de casarse por la Iglesia los divorciados católicos que no han conseguido anular su matrimonio anterior.

En segundo lugar, hay parejas que piden el matrimonio canónico con una *fe no declarada*. Son bautizados sin práctica religiosa o con una creencia religiosa vaga. Quieren casarse por la Iglesia a causa de presiones familiares y sociales –hoy en descenso por la independencia de los novios y la evolución de las costumbres– o porque desean una ceremonia entroncada con una ritualidad religiosa, sin aceptación consciente y activa de lo explícito cristiano. Sencillamente quieren casarse civilmente por la Iglesia.

En tercer lugar, están las parejas que piden el matrimonio cristiano con una fe muy pocas veces declarada, pero no rechazada, bien porque la tienen confusa, bien porque no la saben expresar. Algunos la presuponen sin más averiguación. Estas parejas demandan un rito sagrado que les relacione con lo transcendente o con una institución religiosa aprobadora.

Por último, están los que se casan por la Iglesia con una *fe personal*, tienen práctica cristiana, reconocen la vigencia de su bautismo, quieren orar y que se ore por ellos en la celebración, puesto que pertenecen a la Iglesia y captan las consecuencias del símbolo sacramental [4].

b) Por parte del catolicismo popular

Según R. Pannet, el matrimonio por la Iglesia es concebido en los medios populares «como la consagración de la pareja» más que «como paso de dos solteros a la vida conyugal» [5]. En general, estos medios piensan que el matrimonio religioso no es luz verde para vivir juntos, aunque lo rubrique, sino para que se reconozca de un modo sagrado, aunque confuso, su amor. De hecho, el vestido blanco de la novia no simboliza la virginidad, sino la fiesta, que empieza en el templo y acaba en la sala de fiestas. Los novios pertenecientes al catolicismo popular señalan que algunos desean casarse canónicamente porque sus padres lo hicieron así, porque les ayudará a amarse, porque les gusta la ceremonia, porque quieren poner a Dios como testigo o porque desean consagrar su amor humano mediante un rito sacramental. Estos jóvenes, a pesar de la libertad religiosa y de la permisividad moral, siguen mayoritariamente en el casamiento las pautas heredadas. Al dar más importancia a la relación afectiva que al instinto sexual, el matrimonio ritualiza en ellos la permanencia del amor mutuo. Con el rito cristiano matrimonial consagran una vida en común, no un contrato jurídico.

c) Por parte de los párrocos

Los párrocos y el grupo de laicos cristianos de talante comunitario que ayudan eventualmente en esta tarea pastoral prematrimonial se plantean hoy cómo responder a estas variadas, confusas y hasta contradictorias demandas. De ahí surgen diferentes proyectos pastorales de cara al matrimonio cristiano. Estamos lejos de llegar a un consenso. No obstante, se advierten en la etapa posconciliar generosos intentos con resultados medianamente satisfactorios.

Hay párrocos, de tipo preconciliar, preocupados solamente por lo jurídico: comprobar el estado de soltería, tener a mano la partida de bautismo y averiguar la falta de impedimentos. Representan una línea de escasas o nulas exigencias. Están interesados en los registros (la parroquia la entienden como una gestoría sacramental) y en la licitud y validez canónicas (el sacramento es materia, forma y ritos).

También hay párrocos que proyectan un cierto itinerario pastoral equivalente a un *cursillo prema-*

[4] Cf. J. Moingt, *Le mariage des chrétiens, autonomie et mission:* «Recherches des Sciences Religieuses» 62 (1974) 81-116.

[5] R. Pannet, *El catolicismo popular,* Marova, Madrid 1976, 139.

trimonial con orientaciones antropológicas (de ordinario abundantes) y catecumenales (en general escasas), con reducidas consecuencias de cara a la celebración del matrimonio (las parejas se casan casi igual que antes) o a la inserción de los casados en la comunidad cristiana (son escasos los que maduran la fe en el cursillo y se inscriben en el catecumenado comunitario de reiniciación).

Por último, hay responsables de parroquia preocupados hondamente por esta anómala situación. Sólo admiten al matrimonio a quienes tienen una *fe suficientemente significativa.* Las experiencias son todavía escasas y conflictivas. Chocan a menudo con ciertas disposiciones oficiales jerárquicas, costumbres sociales heredadas e intereses adquiridos. Algunos han creado un rito de acogida para expresar el reconocimiento del matrimonio natural, rito destinado a quienes ya están casados civilmente, pero en apertura a una maduración de la fe mediante un proceso catecumenal. Recordemos que hacia 1974 se llevaron a cabo en la diócesis francesa de Autun celebraciones religiosas del matrimonio (una oración en común) previas al sacramento [6]. Lo cierto es que mientras no tengamos sólidas y vivas comunidades cristianas, la pastoral matrimonial será deficiente.

2. La sacramentalidad del matrimonio

a) Dimensión humana

Que el matrimonio a secas es una realidad secular, terrena y humana, es algo natural, sean unas u otras las interpretaciones filosóficas o culturales del mismo. Para el creyente, el matrimonio cristiano hunde sus raíces en la configuración natural del hombre y de la mujer, que como personas y como pareja son imagen y semejanza de Dios. «La alianza matrimonial, por la cual el hombre y la mujer establecen entre sí el consorcio de toda su vida –dice el *Ritual del matrimonio*–, toma su fuerza de la creación» (n. 1). El centro del matrimonio es la unión de amor conyugal de dos personas de diferente sexo que quieren vivir juntas, entregadas y comprometidas en libertad, que se casan porque se quieren. La expresión de esa unión es el compromiso. Según el Vaticano II, el matrimonio es «comunidad íntima conyugal de vida y amor» (GS 48) establecida sobre la alianza o el consentimiento de los que se casan [7]. En realidad, no es la Iglesia la que da solidez al matrimonio, sino que es el amor humano mutuo el que posibilita la realidad del sacramento cristiano. «La Iglesia –afirma F. Alarcón– no posee un rito específico para sacramentalizar el matrimonio. Es el matrimonio, tal como es en sí, con su esencialidad natural y social, el que adquiere la cualidad sobrenatural de ser sacramento de la acción de Cristo» [8].

Recordemos de paso que la institución matrimonial ha surgido históricamente en todas las culturas y religiones, en primer lugar, como regulación de las *relaciones sexuales,* ya que el matrimonio ha sido entendido como lugar de realización de la sexualidad humana. Es el aspecto personal. La boda ha sido considerada como acontecimiento sexual-erótico, dado que la unión conyugal es la realidad humana del matrimonio. De ahí que el casamiento sea cristalización biológica del amor, eventual generación de vida, etc.

En segundo lugar, ha nacido como cobertura de la *relación madre-hijo* con la participación responsable del padre. Es el aspecto social. Recordemos que la palabra *matri-monio* significa oficio de madre (*patri-monio* es el oficio del padre). El matrimonio es institución social o acontecimiento ético-jurídico que intenta respaldar a la mujer que engendra, para que el varón sea responsable de su paternidad. Esto tiene como consecuencia formar una familia por exigencias laborales, culturales y económicas. La familia patriarcal jugó un papel importante en las sociedades primitivas. En definitiva, el matrimonio es alianza social, jurídicamente reconocida, del amor conyugal entre un hombre y una mujer conscientes y libres. El modo de la alianza y el gra-

[6] Cf. *L'expérience pastorale de Lugny,* en *Foi et sacrement de mariage. Recherches et perplexité,* Lyón 1974, 173-179; J. B. Sequeira, *Tout mariage entre baptisés est-il nécessairement sacramentel?,* Cerf, París 1985, 600-613.

[7] Cf. L. Vela, *El matrimonio, «communitas vitae et amoris»:* «Estudios Eclesiásticos» 51 (1976) 183-222.

[8] F. Alarcón, *El matrimonio celebrado sin fe,* Almería 1988, 97.

do de participación social dependerá de la cultura, derecho y costumbres [9].

El pluralismo cultural moderno revisa y actualiza hasta límites increíbles las pautas matrimoniales heredadas hasta hacerlas añicos, recrearlas de nuevo o mantenerlas incólumes. Este dato incide en el actual planteamiento cristiano del matrimonio, dando origen a concepciones sacramentales diferentes por precomprensiones antropológicas diversas. Precisamente la renovación sacramental posconciliar ha sido enriquecida por la denominada dimensión antropológica. Los sacramentos no sólo son para los creyentes, sino «propter homines», para las personas, en virtud de sus virtualidades simbólicas. Recordémoslo: no hay sacramento verdadero sin la intervención personal de la fe, ni plena realidad sacramental con meros ritos, frecuentemente mágicos, sin transparencia significativa. Además, todos los sacramentos tienen relación con el cuerpo humano, la tangibilidad espacio-temporal y la vida personal e histórica en profundidad. Son más que señales o signos: son símbolos, a saber, gestos humanos verdaderos, comunicativos, experienciales, comprometedores y vitales. Desnaturalizar la base antropológica del sacramento es destruir su significación.

En resumen, el centro del matrimonio, visto con ojos creyentes, es el *amor mutuo de un hombre y una mujer,* del que dimana la realización de la pareja en todos los órdenes y que se consuma en la comunión del espíritu y del cuerpo, del eros y del ágape, en una apertura de fecundidad. Sin amor no hay matrimonio, pero el amor no lo es todo en el matrimonio.

El matrimonio es, además, un *compromiso de la pareja* o un consentimiento de mutua e incondicional aceptación en lo positivo y en lo negativo, superior a un mero acuerdo o a un simple contrato. Para que sea amor verdadero deberá ser en deseos e intenciones un amor radical o para siempre, aunque esté amenazado constantemente por la infidelidad, la separación o la muerte.

Por último, el matrimonio exige un *testimonio público,* a saber, unos testigos que reconocen públicamente la declaración de amor en un compromiso. No olvidemos la dimensión que el matrimonio tiene de cara a la sociedad. Inevitablemente, el matrimonio penetra en el campo del derecho por sus características de institución.

b) Dimensión cristiana

El sacramento del matrimonio, como símbolo de fe, posee una originalidad propia [10]. Se casan por la Iglesia o en el Señor dos creyentes bautizados que se quieren. Al testimoniar su alianza de amor con perspectivas bautismales de fe, delante de la asamblea litúrgica encabezada por el presbítero, en el interior de una celebración, ese amor humano expresado es sacramento o símbolo de una realidad amorosa profunda: el amor de Dios con su pueblo o de Cristo con su Iglesia. «Por el sacramento del matrimonio –afirma el *Ritual*– los creyentes cristianos significan y participan del misterio de unidad y fecundo amor entre Cristo y la Iglesia» (n. 8). En el símbolo expresado se encuentran la fe bautismal y amorosa de los contrayentes con el don irreversible y gratuito de Dios (la denominada gracia, en este caso matrimonial), en el interior de una comunidad cristiana (no meramente en el encuentro de dos familias o de unos amigos), que escuchan la palabra de Dios, oran y se comprometen testimonialmente con el sacramento celebrado.

Los viejos catecismos de Astete y Ripalda afirmaban que los novios que se casan por la Iglesia son *ministros* del sacramento [11]. Todos los demás cristianos asistentes a la boda (el no creyente está fuera de lugar) son testigos, incluido el presbítero. Esto significa la importancia del sí de los novios, con todas las consecuencias humanas (libertad, fidelidad y fecundidad) en el proceso salvador de Dios en Cristo, supremo testigo como amor, donador de vida y liberador de la muerte, en la entrega de su Espíritu.

---

[9] Ibíd., 269.

[10] Para comprender la sacramentalidad del matrimonio cristiano ver GS 47-52; Sínodo de 1980, proposición 8; *Familiaris consortio,* 11; CIC, can. 1055-1062 y 1095-1107.

[11] En la Iglesia ortodoxa, el sacramento del matrimonio consiste en el «coronamiento» o «bendición nupcial». Por consiguiente, el sacerdote es ministro de este sacramento.

Ya sé que todo esto suena a irreal, salvo en contadas ocasiones, porque irreales son la mayoría de los matrimonios cristianos, faltos de fe para ser *plenos* (el bautismo es inoperante) o escasos de significación simbólica para ser *válidos* (la liturgia es mero rito). Después vienen las consecuencias. La Iglesia casa a toda pareja que lo demanda sin apenas exigencias, pero se resiste a la anulación con una oposición radical. El rechazo enérgico a una ley del divorcio, con el cuentagotas de las anulaciones, no guarda relación con la actitud pastoral prematrimonial. El rigor canónico matrimonial oscurece la comprensión del sentido evangélico.

En resumen, el sacramento cristiano del matrimonio es consentimiento amoroso y público de bautizados. Dicho de otro modo, el matrimonio es sacramento cuando los cónyuges están bautizados, a saber, son miembros de la Iglesia. Aquí reside el problema sacramental del matrimonio, sacramento subordinado al bautismo y a la eucaristía. Vivimos una Iglesia de bautismo de infantes, infantilizada y ritual. Mientras no se corrija el desastre bautismal, difícilmente desaparecerá la desviación sacramental matrimonial. La realidad es que la mayor parte de los que se casan por la Iglesia son bautizados de mero certificado jurídico, sin que en ellos hayan operado en casi ningún momento las exigencias de una nueva vida bautismal. Si el sacramento de la generación, que es el bautismo, se convierte en un rito degenerador, ¿qué sacramentalidad cristiana puede significar el matrimonio en la Iglesia?

En segundo lugar, el matrimonio cristiano exige, como todo sacramento, una fe viva y verdadera. Se casan o deben casarse bautizados creyentes. Aunque hay opiniones teológicas diversas sobre el grado de fe que se necesita para que dos bautizados contraigan matrimonio cristiano, estoy de acuerdo con quienes piensan que es necesaria una fe personal [12]. Los que se casan son adultos, y aquí no cabe -como en el bautismo- una fe prestada o vicaria. Se exige una fe *propia,* aunque la fe puede poseer diversos grados. Resulta extraño que en la celebración cristiana matrimonial no se exija hoy mínimamente una profesión de fe. Si la fe es condición necesaria para la *validez* del sacramento, es un abuso casar por la Iglesia a bautizados no creyentes. La ausencia práctica de la fe en muchos contrayentes hace que el matrimonio sacramental sea un matrimonio natural, a saber, de cristianos que no ejercen como tales. Dicho con otras palabras: no se entiende bien la sacramentalidad del matrimonio porque no se comprenden los sacramentos como símbolos de fe.

Finalmente, el matrimonio cristiano se celebra en la comunidad eclesial. De sobra sabemos que en la mayor parte de nuestras parroquias –lugares donde se celebran los matrimonios– no hay una comunidad cristiana. Incluso cuando la hay, no asiste. En la celebración matrimonial, todo se reduce de ordinario a un conglomerado de dos familias y unos amigos, en el que con suma frecuencia no se participa. Los matrimonios canónicos son en el templo, pero no con plenitud de exigencias en la Iglesia y ante la Iglesia. Sin embargo, el casamiento cristiano –afirma E. Schillebeeckx– es «un acto funcional de la Iglesia», ya que la validez de un sacramento es «el equivalente de su eclesialidad auténtica» [13]. Precisamente para que el matrimonio cristiano sea válido, es preciso tener «la intención de hacer lo que hace la Iglesia».

3. La catequesis del matrimonio

A causa del acento que la moral y el derecho pusieron sobre el aspecto contractual del matrimonio en la época postridentina, prevalecieron en la catequesis prematrimonial las dimensiones ética y jurídica. El catecismo y los textos de religión han presentado durante mucho tiempo este esquema: noción escolástica del matrimonio, identidad entre sacramento y contrato, condiciones para recibir el sacramento, forma canónica del mismo, fines, propiedades, vocación al matrimonio y deberes de los esposos. Como complemento se hacía alusión al aspecto ceremonial de la liturgia, pero sin conexión con el contenido de la catequesis. En realidad, no se ponía de manifiesto a los fieles el misterio de las nupcias cristianas, que es su relación con Cristo y

[12] Cf. las opiniones en F. Alarcón, *El matrimonio...,* o. c., cap. III.

[13] E. Schillebeeckx, *Cristo, sacramento del encuentro con Dios,* Dinor, Pamplona 1971, 79.

con la Iglesia, ya que no se veía el matrimonio en la perspectiva de la historia de salvación. Tampoco se consideraba suficientemente el sentido antropocéntrico del matrimonio como instrumento de la gracia para que los esposos realicen cristianamente su existencia de casados. Incluso se presentaba este sacramento teñido de un cierto pesimismo al valorarlo como un estado cristiano tolerado, propio de fieles poco fervorosos, porque en realidad se desvalorizaba el laicado en detrimento del sacerdocio y de la vida religiosa. Tampoco se mostraba su aspecto escatológico. Por último, la catequesis matrimonial se desvió hacia un moralismo casuístico, en el que preocupaba el buen «uso del matrimonio» y la regulación de la natalidad. En el fondo, prevalecía el aspecto biológico del sexo. Por todas estas razones, la pedagogía sobre el sacramento del matrimonio era más ética y jurídica que cristocéntrica y eclesial. Importaba más lo institucional del matrimonio que su valor de símbolo sacramental.

Ante esta situación se ha hecho necesaria después del Concilio una iniciación al matrimonio cristiano, basada, por parte de pastores y fieles, en el tránsito de lo instintivo a lo religioso, de lo jurídico a lo evangélico y de lo individual a lo eclesial. Es necesario poner de relieve claramente la unión de Dios con el pueblo y de Cristo con la Iglesia –prefigurada sacramentalmente en la alianza nupcial– para que los novios responsables descubran y vivan las exigencias y riquezas de un amor fiel, indisoluble y fecundo por Cristo y por la Iglesia. Para conseguir esta renovación es necesario retornar a los relatos bíblicos (la Biblia es la historia de unas nupcias), a la dimensión celebrativa (el banquete de bodas es el mejor signo del reino de Dios) y a la militancia cristiana (la alianza es un compromiso por el evangelio y por Jesucristo).

Este esfuerzo pastoral ha de tener presentes dos tipos de candidatos: los creyentes no practicantes o alejados y los creyentes y practicantes o fieles. Con los *alejados,* el objetivo de la pastoral prematrimonial es la conversión de la pareja a una visión religiosa y eclesial del amor humano. Se trata de lograr que actualicen su fe en el significado misterioso del acto sacramental que van a realizar en su unión conyugal, aunque no se pueda esperar de ellos una comprensión y vivencia satisfactorias del misterio de las nupcias cristianas, en función de un progreso espiritual, a partir de su nueva situación de esposos cristianos. Con relación a los *fieles,* objetivo de su iniciación progresiva será la realidad misteriosa del signo sacramental del amor humano, orientada a la vivencia del misterio nupcial de Cristo y de la Iglesia, sacramentalizado en el matrimonio cristiano.

Podemos resumir los criterios catequéticos principales respecto del matrimonio de este modo:

a) Relacionar el matrimonio con los designios amorosos de Dios

En la actual sociedad progresivamente secularizada y en los ámbitos degradados injustamente del Tercer Mundo no es fácil comprender que el amor humano tiene relación con el amor de Dios por ser un reflejo del mismo. El amor del hombre moderno no es amor religioso, ni siquiera a veces amor social. Para el cristiano, Dios se manifiesta en el ser personal humano, creado varón y mujer por Dios, a su imagen y semejanza. El amor en el mundo –que es sexuado– es proyecto de Dios para que permanezca en la tierra la alegría de la vida y la fecundidad por la comunión con la otra persona: el tú complementario, signo del tú absoluto de Dios. Dios colma con plenitud la indigencia y soledad de los hombres y mujeres más allá del sexo, del amor de este mundo y de la muerte. En definitiva, el amor germina en el corazón humano como acontecimiento expresivo de la voluntad de Dios. El matrimonio contribuye a dar estabilidad, continuidad y fecundidad a la comunión de vida entre varón y mujer con perspectivas sociales.

La catequesis patrística –sobre todo de Ambrosio y Agustín– presenta el matrimonio a los fieles religado con los designios de Dios, como símbolo misterioso en el horizonte de la historia de salvación. De ahí que en la catequesis actual no debe hacerse una distinción radical entre el matrimonio natural y el sacramental. Desde el principio, la institución del matrimonio por Dios está revestida de una sacramentalidad originaria, que ha llegado a plenitud en Cristo. El Vaticano II, a partir de la visión del matrimonio como obra y fundación de Dios, ha subrayado el carácter sagrado de las nupcias y de la familia (GS 48).

b) Relacionar el matrimonio con el amor de Cristo y de la Iglesia

El proyecto de Dios no es sólo hacer del matrimonio un signo y obra del amor humano, sino que la boda entre bautizados sea signo y obra del amor de Cristo y de la Iglesia, a saber, sacramento de salvación. El matrimonio es gesto humano y gesto de Dios, y como gesto de Dios es símbolo de la muerte y resurrección de Cristo, por quien la humanidad, redimida y bautizada, se ha unido a su Salvador en comunión de gracia y santidad (Ef 5, 24-26). Así lo recuerda el Vaticano II cuando descubre la dimensión misteriosa del matrimonio cristiano (GS 48).

Si los esposos no descubren esta perspectiva sacramental del matrimonio, quedarán privados del apoyo más específicamente cristiano para la realización del amor conyugal: un amor fiel, indisoluble y fecundo. La moral matrimonial cristiana no adquiere consistencia sino en el misterio conyugal cristiano, es decir, cuando la categoría humana del amor se transfigure por unas relaciones nupciales y familiares sustentadas por la caridad de Cristo. El secreto y la fuerza de la espiritualidad nupcial radica en que los esposos descubran lo que significa y exige estar «unidos en el Señor» y representar a Cristo y a la Iglesia en la unión de su vínculo. Naturalmente, el misterio de Cristo es inseparable del misterio de la Iglesia.

c) Relacionar el matrimonio con el servicio al reino de Dios

El matrimonio cristiano no puede entenderse como mera legalización de la relación amorosa entre bautizados, sin proyección alguna en la Iglesia y en la sociedad. En realidad, debe ser entendido como servicio o ministerio de fecundidad, a saber, ahondamiento personal, ensanchamiento familiar, edificación eclesial y crecimiento social humano. Sólo así se entenderá la afirmación conciliar del núcleo familiar como «Iglesia doméstica» (LG 11). Casarse por la Iglesia equivale a casarse para la Iglesia al servicio del mundo [14].

[14] Cf. M. Useros, *Amor, sexo y matrimonio*, PPC, Madrid 1967.

4. Objetivos del cursillo prematrimonial

Desde que entró en vigor el *Ritual del matrimonio* (11.1.1971), adaptación del *Ordo matrimonii* promulgado tres años antes (19.3.1968) [15], se han publicado diversos cursos y cursillos de preparación al matrimonio con orientación pastoral [16]. También se han promulgado directorios, tanto de nivel nacional [17] como diocesano [18]. El cursillo prematrimonial, entendido como proceso catecumenal [19], tiene básicamente tres objetivos:

a) Descubrir la realidad humana del amor de un hombre y una mujer

Se trata de reflexionar sobre las distintas caras del amor humano a la luz del evangelio. En todos los cursillos hay al menos un gran número de temas denominados antropológicos. Los novios reaccionan ante estas cuestiones de distinta manera según su nivel económico, tradición cultural, opción política y adhesión religiosa. Dado el contexto de

[15] Cf. P. Farnés, *El ritual del matrimonio:* «Phase» 86 (1975) 93-104; P. M. Gy, *Le nouveau rituel romain du mariage:* «La Maison-Dieu» 99 (1969) 124-143; K. F. Baiber, *Die Trauung als Ritual:* «Evangelische Theologie» 33 (1973) 578-597.

[16] Cf. Centro Católico de la Universidad de Otawa, *Curso de preparación para el matrimonio,* Madrid 1967; *Unidos en Cristo. Curso de preparación al matrimonio,* PS, Madrid [2]1968; *Temario de los cursillos prematrimoniales,* Cep, Valencia [4]1969; Delegación episcopal de pastoral familiar de Madrid-Alcalá, *Temas para la preparación al sacramento del matrimonio,* Madrid 1971; Secretariado de Liturgia de Bilbao, *Pastoral del matrimonio para nuestros días,* Bilbao 1971; *Curso de preparación matrimonial* JOC, Madrid; B. Caballero y J. Sáiz, *Nueva pastoral del matrimonio,* PS, Madrid [4]1975; Delegación diocesana de pastoral familiar de Madrid, *Casarse en el Señor,* I. *Temas de preparación al matrimonio* y II. *Materiales de trabajo,* Marova, Madrid 1980; *Nos vamos a casar. Plan catecumenal de preparación al matrimonio,* Ed. Tres Medios, Madrid 1981; J. M. Vigil, *Plan de pastoral prematrimonial. Orientaciones y materiales,* Sal Terrae, Santander 1988.

[17] Un ejemplo significativo es el directorio francés *Pastorale des fiancés. Directoire et commentaires,* C.T.I.C., París 1970.

[18] Cf. *Directorio de la diócesis de Bilbao sobre la preparación y celebración del sacramento del matrimonio,* Bilbao 1976; *Directorio de preparación, celebración y pastoral del matrimonio,* Madrid 1977.

[19] Cf. R. Dumont, *Ehekatechumenat in Frankreich:* «Gottesdienst» 9 (1975) 73-76.

sociedad que vivimos, con cambios acelerados e incluso crispados en lo relativo a la sexualidad, relación hombre-mujer, control de la natalidad, divorcio, realidad familiar, educación de los hijos y sentido de la vida, el cursillo es de ordinario una *suplencia*. Mejor dicho, se convierte la mayoría de las veces en mera suplencia. Evidentemente, la antropología cultural que se expone en la preparación al matrimonio ha de tener siempre una significación cristiana. Ya sé que no es fácil descubrir en el amor de los novios el amor del Dios de Jesucristo, que es el Dios del amor. Estamos tan escasos de testimonialidad cristiana y de conocimientos teológicos vividos, que con frecuencia naturalizamos cualquier faceta de la vida. Con todo, hay novios que se sorprenden, con razón, cuando no se manifiestan claramente perspectivas de fe en los temas tratados y actitudes creyentes en el equipo responsable del cursillo.

En general, los novios aceptan el cursillo como una exigencia nueva y onerosa, derivada de no se sabe qué decisiones diocesanas o parroquiales. Muchas parejas van a los cursillos en guardia. Los que se consideran más preparados creen que conocen suficientemente la parte antropológica, al menos tanto como los ponentes de turno. A veces es verdad. Para las parejas sencillas de extracción popular, casi todas las orientaciones son útiles, especialmente si la pedagogía de la comunicación y los contenidos resultan válidos. En todo caso, los que permanecen y se integran activamente agradecen las orientaciones.

En definitiva, el primer objetivo del cursillo prematrimonial debe ser eminentemente *evangelizador*, lo cual exige por parte de los responsables del cursillo que proyecten una Iglesia atenta a la vida, no a las virtualidades de la ley; sensible a los pluralismos humanos, no impositiva de las ideologías dominantes; en diálogo y en búsqueda, no en posesión de formulaciones éticas inalterables. De este modo, los novios podrán captar una Iglesia de talante comunitario que toma en serio la realidad humana del amor porque tiene fe firme en el Dios de la creación.

b) Ayudar a los novios en un proceso catecumenal de reiniciación

La experiencia de estos cursillos muestra que la parte catecumenal debe cobrar un relieve principal. En primer lugar, los novios descubren durante el cursillo un nuevo estilo de Iglesia y de vida creyente a través de los matrimonios cristianos y de los sacerdotes responsables de esta pastoral. De ordinario se inscriben las parejas en el cursillo con un cúmulo ingente de críticas a la Iglesia oficial, identificada con lo «institucional». Es bueno que las manifiesten. Los problemas de fondo surgen cuando se les pide que verifiquen los motivos para casarse por la Iglesia y las razones en las que descansa su eventual fe. ¿Son creyentes? ¿En qué aspectos manifiestan su fe? ¿Qué significa ser cristiano hoy? ¿Por qué desean casarse por la Iglesia? ¿Por qué no se casan simplemente por lo civil? ¿Dónde están las diferencias?

En segundo lugar, un grupo reducido de novios puede plantearse el sentido de su fe y de su vida cristiana. No olvidemos que los resultados visibles son escasos. En algunas ocasiones se logra que se casen por la Iglesia con motivaciones más depuradas y que intenten reavivar su cristianismo, normalmente tradicional. En tercer lugar, el horizonte de la comunidad cristiana nuclear de la parroquia conmueve hoy a muy pocos. Ni siquiera conocen su existencia. Es demasiada la distancia entre su catolicismo popular heredado y la nueva dimensión comunitaria de la fe. En contadas ocasiones, el cursillo prematrimonial es rampa de deslizamiento al catecumenado o a la inserción activa en el quehacer cristiano parroquial. Aquí juegan un papel decisivo las posibles parejas que previamente al cursillo se declaran ante los demás como militantes cristianos.

En conclusión, el segundo objetivo del cursillo es claramente *catequético*. Esta intencionalidad debe manifestarse desde el primer momento de la acogida, decisivo para las opciones posteriores. La perspectiva catequética exige por parte de los responsables del cursillo anunciar la buena noticia evangélica en relación con el amor incipiente de los novios, como itinerario hacia Dios. Las líneas de fuerza catecumenales se basarán en una adecuada cristología con proyección eclesial [20].

[20] Cf. G. Araud, *Pastoral de la preparación al matrimonio*: «Phase» 86 (1975) 111-128.

c) Suscitar el sentido litúrgico y sacramental del matrimonio

Dada la deficiente catequesis del matrimonio que ha prevalecido durante el período postridentino, la celebración litúrgica de las bodas se había desfigurado antes del Vaticano II. En general, en la fiesta matrimonial predominaba más la celebración profana que la litúrgica, sencillamente porque pasaba inadvertido el sentido sacramental del rito nupcial. Pastores y fieles se contentaban con asegurar su válida celebración. Se descuidaba la iniciación litúrgica por falta de iniciación bíblica y de iniciación a secas. La atención se centraba en el tipo de matrimonio según unas tarifas, el adorno del templo con flores y alfombras, la marcha nupcial y el vestido de la novia. En la época posconciliar se ha pretendido corregir este estado de cosas.

Durante el cursillo prematrimonial, o después del mismo, los novios que desean casarse por la Iglesia gestionan todo lo necesario para su boda: requisitos canónicos, lugar, fecha y celebrante. Los novios que poseen una motivación cristiana desean un acto familiar y social sencillo, y un tipo de celebración religiosa breve y transparente. Pero el rito del matrimonio apenas es conocido. El interés por la boda incluye de un modo más o menos vago la denominada *ceremonia*. Para la mayoría se trata de un rito tradicional hecho por un cura, ante el que los novios han de decir y hacer algo propio. A pesar de haber asistido a unos cuantos casamientos por la Iglesia, la mayor parte de las parejas recuerdan solamente el sí de los novios, el intercambio de anillos, la entrega de las arras (donde existe) y la procesión de entrada y salida. Casi ninguno de ellos ha proclamado anteriormente en la iglesia la palabra de Dios, ha rezado en voz alta o ha cantado comunitariamente. Con todo, quizá han visto con agrado la boda de algún amigo o amiga con un nuevo estilo de participación.

5. La celebración del matrimonio en la Iglesia

a) Preparación de la celebración

Muchos novios cristianos aceptan gustosos la preparación sacramental de su boda a lo largo de una o varias reuniones, a la que asisten los novios, el sacerdote y unos pocos amigos o parientes cristianos. Los padres de ambos contrayentes se sienten complacidos si participan al menos en una reunión preparatoria, supuesto el caso de que sean practicantes. No importa que el talante religioso de los padres sea más tradicional que el de los hijos. Estas reuniones abren perspectivas nuevas para todos. Desde la primera reunión, los novios tienen o deben tener la palabra para expresar con sencillez lo que pretenden y desean. Naturalmente, los entendidos de la cuestión son precisamente el sacerdote o el eventual catequista, quienes hacen de moderadores y orientan la reflexión cristiana a partir de lo expuesto por los novios.

En estas reuniones preparatorias a la liturgia de la boda suelen plantearse muchas cuestiones: la finalidad del amor conyugal, el compromiso para siempre, el divorcio, la fecundidad, el control de la natalidad, la apertura del hogar, las relaciones de ambos con sus familias, el sentido de la familia, el lugar que ocupa la fe en el matrimonio, la educación cristiana de los hijos, etc. Pero apenas surgen explícitamente aspectos básicos como el fundamento bautismal del matrimonio, la referencia cristológica, la vinculación eclesial o el compromiso social y político de la pareja ya casada. Estas dimensiones aparecen con mayor frecuencia en contrayentes que pertenecen a comunidades de base. Emergen algunas preguntas clave: ¿Qué es el sacramento del matrimonio? ¿Por qué la sociedad civil y la Iglesia exigen formalidades? ¿Por qué el matrimonio canónico tiene entre nosotros validez civil? ¿Cómo debe ser la familia del futuro? ¿Qué responsabilidad tiene la pareja en la sociedad y en la Iglesia?, etc.

Aunque la primera reunión haya sido convocada para preparar los detalles de la celebración, parece conveniente que surjan los problemas básicos y que sobre los mismos se establezca un diálogo franco y sincero. Se observa que se necesita al menos otra reunión, con objeto de reflexionar más y con mayor profundidad y poder dialogar con más orden. Lo que en un principio parecía banal y de rutina se convierte en una cadena de cuestiones importantes. Casarse es un asunto complejo y decisivo que requiere maduración.

La última reunión –a veces única– se centra en

la preparación de la celebración litúrgica. Es muy conveniente que los novios conozcan de antemano el ritual y en especial el leccionario. Precisamente el ritual posibilita algunas opciones que se deben concretar. Por ejemplo, la elección de lecturas por parte de los novios, el nervio central de la homilía, la línea sobresaliente de toda la celebración, la posibilidad de introducir cantos adecuados, la determinación del modo del consentimiento mutuo de los esposos y la disposición de todos los asistentes dentro del cuadro material del templo. El ritual comienza con unas *Orientaciones doctrinales y pastorales* que se encaminan hacia unas sugerencias prácticas [21].

b) Disposición del templo

Al ser «los contrayentes los principales actores de la celebración» (OM 36), parece evidente que los novios deben ocupar un lugar central sin dar la espalda a los invitados. En el presbiterio pueden colocarse unas sillas para que los novios, sus padres (las cuatro personas, a ser posible), el cura y un acólito (o ayudante adulto) se sitúen de cara al pueblo. Por otra parte, los invitados y el pueblo desean ver a la novia, centro de atención. El sacerdote preside la asamblea de testigos delante del altar, a un lado de quienes «co-presiden» con él. El matrimonio se contrae «in facie Ecclesiae» («ante la Iglesia»), ante la asamblea cristiana.

Si los bancos de las primeras filas completan con la presidencia un cuadro, todavía mejor. En el centro puede colocarse una alfombra. El ambón está situado en el vértice del cuadrilátero y en el otro el cirio pascual encendido. No deben faltar flores. La liturgia de la palabra transcurre delante del altar.

c) Acogida

Con «tono cordial y expresivo, capaz de crear el clima de comunidad» (OM 43), los novios pueden *acoger* en la puerta del templo a los invitados. En definitiva son ellos los anfitriones de la fiesta, no los últimos invitados que se retrasan. Incluso pueden ayudar a que todos se acomoden en sus sitios. El sacerdote, revestido, se sitúa en su lugar cuando la asamblea está dispuesta. Naturalmente, pueden entrar novios, padrinos, ayudantes y celebrante en procesión.

Antes de comenzar la celebración, y después de un eventual canto de entrada o de ambientación, parece conveniente que alguien (novios, padrinos o algún amigo) presente a las familias: padres y hermanos, familiares próximos (si han venido de fuera) y amigos íntimos. El último en ser presentado o en presentarse es el presbítero.

d) Liturgia de la palabra

El saludo del celebrante se mueve en el horizonte explícitamente cristiano. Puede ser precedido por la intervención de un asistente que hace una *introducción* de la reunión. Antes de la colecta cabe un momento de perdón como disposición a la celebración del amor, a no ser que se sitúe poco antes de la celebración estricta del matrimonio. El diácono o un seglar expresan, por ejemplo, frases bíblicas entresacadas del mismo leccionario de bodas, a las que sigue un silencio y una petición de perdón de la asamblea. La liturgia de la palabra transcurre con todas las exigencias prácticas que indica el mismo ritual (n. 44-46).

e) Celebración del sacramento

A la breve monición que sirve de introducción hecha por el presidente, diácono o asistente, puede seguir en algunos casos una profesión de fe de los novios, a la que se añade eventualmente el testimonio de fe de uno de los miembros de la comunidad, por ejemplo del responsable del cursillo prematrimonial o de otro servicio importante.

Las preguntas y respuestas del escrutinio, en casos concretos de contrayentes con una cierta madurez cristiana, podrían transcurrir con un estilo adulto más que bajo la forma de un interrogatorio infantil y escolar. Lo mismo cabe decir del consen-

[21] K. Richter, *La celebración litúrgica del matrimonio:* «Concilium» 87 (1973) 75-92; P. De Clerck, *Le mariage, événement et célébration:* «Paroisse et Liturgie» 52 (1970) 408-413; D. Borobio, *La celebración litúrgica del matrimonio entre la falsificación y la autenticidad,* en *Pastoral del matrimonio para nuestros días,* Bilbao 1971, 150-181; F. Brovelli, *La celebrazione del matrimonio:* «Rivista Liturgica» 4 (1976) 500-528.

timiento. No se trata de leer, sino de expresar o, en definitiva, de declararse un amor con toda la seriedad del momento. Naturalmente, los novios se declaran su amor mutuamente, de frente, con las manos entrelazadas y en voz alta. La «dextrarum coniunctio» («unión de las manos») fue tradicionalmente una expresión del consentimiento o de la declaración.

Al ser los asistentes testigos de la boda o del compromiso, puede pensarse que una o varias personas, antes que el celebrante como «representante del Señor invoque la confirmación de parte de Dios» (OM 50), expresen que aceptan la declaración oída y que se comprometen, a su vez, a ayudar al nuevo matrimonio en el futuro. ¿No cabría como aclamación de la asamblea un aplauso, invitados todos por el celebrante u otra persona adecuada? ¿Por qué el «vivan los novios» que grita nuestro pueblo a la salida del templo no puede ser incluido aquí? Un canto vibrante puede seguir como conclusión y ratificación de la aclamación.

La entrega de los anillos se desarrolla sin especial dificultad. Recordemos que el anillo de bodas es signo de la alianza entre Dios y su pueblo y entre Cristo y su Iglesia. En el caso de usarse las *arras,* habría que expresar con el dinero el sentido económico de la vida, junto a la comunicación social de los bienes. Aquí cabe expresar compromisos concretos. Las arras son un signo de la entrega nupcial o de comunión de vida que se enriquece con la fecundidad matrimonial, en la perspectiva del tema bíblico sobre los «hijos de la promesa» (Rom 4; Gál 3 y 4). Pueden concluir estos gestos con un abrazo mutuo de los novios o beso de paz, extensible a padres y padrinos. La oración de los fieles, preparada de antemano en relación a la boda concreta, puede dar lugar a oraciones públicas de los asistentes que desean expresar alguna intencionalidad precisa. La antigua «velatio nupcialis» manifestaba el acontecimiento nupcial de la unión de los esposos, que debe ser vivida con fe en el misterio de Cristo y de la Iglesia. Por este misterio, los esposos reciben la gracia sacramental apropiada para cumplir sus deberes conyugales.

f) Liturgia eucarística

Los novios pueden intervenir en la presentación de las ofrendas. Antes debe ser preparada la mesa con manteles, luces y flores, lugar genuino cristiano del banquete de bodas. Ayudan en su aderezo los novios. De pie y a los lados del celebrante, rodeando el altar, se sitúan los novios, padres y padrinos. El prefacio puede ser precedido con una invitación a dar gracias por parte de los novios. Se echan de menos plegarias eucarísticas propias para las bodas. La *bendición sobre la esposa y el esposo* es un constitutivo esencialmente cristiano de las bodas, del mismo estilo que los prefacios en la ordenación sacerdotal: es una oración que revela la dimensión sacramental del matrimonio. Parece lógico que esta oración debiera seguir al consentimiento y concluirse con la entrega de los anillos. No debe estar ausente en la celebración del matrimonio la comunión bajo las dos especies. Ya dije que el abrazo de paz podría tener lugar después de la entrega de los anillos.

g) Conclusión de la celebración

Después de la bendición del sacerdote, y antes de las fórmulas ordinarias de despedida de la asamblea, el novio puede invitar a los asistentes al eventual banquete o aperitivo, y la novia puede ofrecer el hogar del nuevo matrimonio. Un canto final sirve de conclusión a la liturgia del matrimonio.

22

El servicio a los enfermos

La enfermedad es uno de los mayores problemas que preocupan al ser humano [1]. Hasta tal punto sufren todos los hombres que el dolor es, según J. B. Metz, una especie de «segunda naturaleza» [2]. De hecho, la memoria humana es memoria de sufrimiento o *memoria passionis*. En la Tercera Edad se habla incesantemente de enfermedades. También la enfermedad fue tratada frecuentemente por Jesús, no desde el sufrimiento, sino desde la perspectiva de la curación. «Curó a muchos que se encontraban mal con diversas enfermedades» (Mc 1, 34). Su dominio sobre toda clase de males es un signo de su victoria sobre la muerte, victoria a su vez sobre el pecado. Obedientes a su maestro, los discípulos y la Iglesia entera asumieron el encargo de cuidar a los enfermos [3]. Por consiguiente, frente a la enfermedad ha de prevalecer siempre la búsqueda de la salud y de la curación. Consecuentemente, el servicio a los enfermos es pastoral de la salud o pastoral sanitaria [4].

[1] Cf. *Sufrimiento y fe cristiana:* «Concilium» 119 (1976); *Mal et guérison:* «Lumen Vitae» 40 (1985/3); G. Davanzo, *Enfermo/Sufrimiento,* en St. de Fiores y T. Goffi (eds.), *Nuevo Diccionario de Espiritualidad,* Paulinas, Madrid 1983, 425-433.

[2] J. B. Metz, *El futuro a la luz del memorial de la pasión:* «Concilium» 76 (1972) 317-334.

[3] Cf. Bureau de Pastoral de Enfermos de Bruselas, *La comunidad cristiana y los enfermos,* Marova, Madrid 1980; *Pastoral de los enfermos:* «Concilium» 234 (1991).

1. Sentido cristiano de la enfermedad

a) La enfermedad es un mal

La enfermedad constituye una situación patológica: produce dolor, rebaja la existencia humana en calidad de vida y la reduce en duración. Puede desatar una crisis del sentido de la vida y un cierto grado de desesperación que, en casos extremos, conduce al suicidio. Con frecuencia rompe la unidad subjetiva, cambia las relaciones con los demás, produce una limitación de libertad, aumenta la dependencia respecto de otras personas y, en definitiva, es una intromisión hostil [5]. «Además de ser una alteración de las estructuras y funciones orgánicas –afirma Z. Alszeghy–, es también una situación antropológica especial que limita y condiciona (y, al

[4] He tenido en cuenta mis trabajos: *Celebración de la liturgia con enfermos:* «Phase» 158 (1987) 153-168, y *Pedagogía pastoral de los sacramentos de los enfermos:* «Pastoral Sanitaria» 25 (1993) 244-248.

[5] Cf. I. Oñatibia, *La unción de los enfermos: condiciones de una renovación sacramental:* «Concilium» 119 (1976) 437-445, p. 440.

mismo tiempo, funda y determina) el comportamiento humano; en ella, el hombre adquiere una experiencia especial de sí mismo y de sus relaciones con el mundo» [6]. El enfermo experimenta la debilidad de su cuerpo y adquiere conciencia de la cercanía de la muerte.

b) La enfermedad debe ser combatida

La vida humana parece ser un intento trágico de suprimir o, al menos, de alejar el sufrimiento. Sufrir por sufrir es absurdo, escandaloso. La enfermedad ha sido y es combatida permanentemente con toda clase de remedios. No tiene sentido desde sí misma. Es un mal que hay que vencer con la ayuda de la medicina y otros remedios. Por esta razón tienen cabida en la enfermedad ritos mágicos y acciones sacramentales. Con toda clase de ayudas, el enfermo busca con ahínco la salud y, en definitiva, la salvación.

Frente a la enfermedad y el dolor, la sociedad moderna ha desarrollado extraordinariamente el campo de la medicina. Gracias a estos logros, ha crecido notablemente la edad media de la vida humana y ha mejorado todo lo relativo a la salud y seguridad de vida, aunque no del mismo modo en todo el universo. No basta con defender la salud, hay que promoverla. Para K. Barth, «la regla fundamental de la ética de la enfermedad» reside en «exigir que el paciente se refiera siempre, igual que quienes están a su lado, no a la enfermedad, sino a la salud y a su deseo de encontrarla» [7].

Pero la enfermedad está ligada al contexto social y cultural [8]. Para estar enfermo no basta que uno tenga una enfermedad; es necesario que se dé cuenta y que la sociedad lo reconozca como tal. No es, pues, la enfermedad una cuestión individual, sino que tiene una dimensión sociocultural. Exactamente ocurre con la salud; no consiste solamente en no estar enfermo o en una resistencia a la enfermedad, sino en la justa inserción en la sociedad.

c) La enfermedad es azote especial de los pobres

En contraste con los países desarrollados, el Tercer Mundo está sometido cruelmente al dolor y a la enfermedad. Además de los dolores naturales, los pobres padecen sufrimientos injustos. Se dan flagrantes injusticias en el reparto de los bienes relativos a la salud humana en todo el universo. «Dentro de una sociedad estructurada globalmente no al servicio de los más necesitados, sino de los más poderosos y privilegiados –escribe J. A. Pagola–, es normal que el cuidado de la salud y la curación de la enfermedad no estén siempre al alcance de los más pobres e indefensos» [9].

d) La salud es la mayor aspiración del ser humano

Según la Organización Mundial de la Salud, la salud es «un estado de perfecto bienestar físico, mental y social, y no sólo ausencia de enfermedad» [10]. En esta descripción puede distinguirse la «salud biológica» (no tener enfermedad) de la «salud biográfica» (realización del proyecto de vida). Se vive saludablemente cuando la vida propia es autónoma, solidaria y gozosa. Para Laín Entralgo, cuatro rasgos definen la situación actual de la salud: 1) la extrema tecnificación instrumental; 2) la creciente colectivización de la asistencia médica; 3) la personalización del enfermo y 4) la prevención de la enfermedad y la promoción de la salud [11].

---

[6] Z. Alszeghy, *Unción de los enfermos,* en G. Barbaglio y S. Dianich, *Nuevo Diccionario de Teología,* t. II, Paulinas, Madrid 1982, p. 1956.

[7] Cf. cita en S. Spinsanti, *Enfermedad,* en L. Rossi y A. Valsecchi, *Diccionario Enciclopédico de Teología Moral,* Paulinas, Madrid 1974, 298.

[8] Cf. Fr. Turquet, *Pour une pastorale de la santé:* «La Maison-Dieu» 113 (1973) 133-140.

[9] J. A. Pagola, *La acción evangelizadora de la comunidad cristiana en el campo de la salud,* en *Pastoral de la salud. Acompañamiento humano y sacramental,* Barcelona 1993 (Dossiers CPL 60), 16.

[10] Cf. la cita en M. Carreras, *La Iglesia y la salud,* en *Pastoral de la salud. Acompañamiento humano y sacramental,* CPL, Barcelona 1993, 139.

[11] Ibíd., 140.

2. La enfermedad es un «misterio» con valor de salvación

a) *El mensaje del Nuevo Testamento*

En el Nuevo Testamento ocupa un lugar relevante la enfermedad, signo de un poder enemigo que se opone al reino de Dios. De ahí la lucha de Jesús contra las enfermedades. Al perdonar a los enfermos, rompe Jesús la nefasta dependencia entre pecado y enfermedad y, por medio de la expulsión de los demonios y de las curaciones, inicia el comienzo del reino de Dios. Esta acción caritativa de Jesús se fundamenta, según Mateo (8, 17), en Isaías (53, 5): «El tomó nuestras dolencias y cargó con nuestras enfermedades». Frente al pecado y a la enfermedad, desgracias básicas humanas, Jesús propone la conversión y la curación; de este modo llega la salvación de Dios por medio de su reino. El perfil sanador de Jesús, según M. Carreras, se caracteriza porque habla de una salud integral, liberadora, crucificada, individual y social, y ofrecida a los más débiles [12].

El evangelio de Juan no se pregunta por la causa de la enfermedad, sino por la finalidad de la curación: «para que se manifiesten las obras de Dios» (Jn 9, 2). San Pablo toma sus enfermedades como parte del sufrimiento que corresponde a los seguidores de Cristo (2 Cor 11, 23ss) [13]. No es, pues, extraño que la Biblia descubra la enfermedad como «visita del Señor» o manifestación misteriosa y salvadora de Dios, «amante de la vida» (Sab 11, 26) o «Dios de vivos y no de muertos» (Mt 22, 33). «Por eso –concluye Z. Alszeghy–, la enfermedad implica una vocación, no a permanecer en tal estado, sino a comportarse en una situación nueva según las nuevas exigencias de la fe, a tener paciencia, actitud que dista igualmente de una resignación pasiva e inerte y de una absolutización del valor de la salud física» [14]. Al mismo tiempo, al fallar ciertas esperas, esta experiencia de relatividad y de limitación conduce al enfermo a la apertura de la esperanza y aun de lo transcendente.

[12] Ibíd., 140-141.

[13] H. G. Link, *Debilidad,* en L. Coenen, E. Beyreuther y H. Bietenhard, *Diccionario Teológico del Nuevo Testamento,* t. II, Sígueme, Salamanca 1980, 13.

[14] Z. Alszeghy, *Unción de enfermos,* o. c., 1957.

b) *El mensaje del Vaticano II*

El sufrimiento –afirma el Vaticano II– ha dado lugar a muchas explicaciones, incluso contradictorias, dependientes de «las opiniones que el hombre se ha dado y se da sobre sí mismo», entre dos extremos, «exaltándose a sí mismo como regla absoluta o hundiéndose hasta la desesperación» (GS 12, 2). En el mundo pluralista actual coexisten inevitablemente diversas interpretaciones sobre las grandes cuestiones relacionadas con la vida, la felicidad, el sufrimiento, la enfermedad y la muerte. Según el *Mensaje del Concilio a los enfermos* (n. 4), «la única verdad capaz de responder al misterio del sufrimiento es la fe y la unión a los padecimientos de Cristo crucificado por nuestros pecados y nuestra salvación». «La Iglesia entera –afirma la constitución *Lumen gentium*– encomienda al Señor paciente y glorificado a los enfermos, con la sagrada unción y con la oración de los presbíteros, para que los alivie y los salve (cf. Sant 5, 14-16); más aún, los exhorta a que, uniéndose libremente a la pasión y a la muerte de Cristo (Rom 8, 17), contribuyan al bien del pueblo de Dios» (n. 11).

Ciertamente, aunque la enfermedad es un mal, no es castigo de Dios, sino condición humana. A la luz de la fe, el sufrimiento es en el fondo un *misterio,* puesto que Jesús lo tomó sobre sí y le dio valor redentor, aunque no lo desveló enteramente. Por esta razón, el sufrimiento tiene significado soteriológico en el misterio total de la salvación, al paso que la enfermedad es una ocasión privilegiada, aunque desconcertante, de comunión con Cristo. «A la luz de la fe –escribe G. Flórez–, la enfermedad, al igual que el dolor y la adversidad, es una prueba a través de la cual Dios conduce al creyente a un conocimiento más real, vivo y profundo del sentido de la vida, a un acercamiento más completo a la realidad de la existencia» [15].

[15] G. Flórez, *Penitencia y unción de enfermos,* BAC, Madrid 1993, 360-361.

3. La pastoral de los enfermos

a) Es lugar privilegiado de «diaconía»

La enfermedad y la muerte tienen un lugar importante en el evangelio porque lo tienen en la vida. En la pastoral de Jesús se unen curación y proclamación del reino. Curar a los enfermos es mandamiento y es teofanía. Al mismo tiempo que Jesús anuncia la venida del reino, afirma su poder sobre la carne como anticipo de la gloria pascual. Los discípulos de Jesús, de acuerdo con el mandato de su maestro (Mc 16, 18), proclaman la buena noticia del reino (Jesús ha vencido a la muerte) y curan toda clase de dolencias y enfermedades (el reino de Dios está ya aquí). Pero las curaciones no son mágicas: presuponen la fe o la aceptación de que Jesús cura con el mismo poder de Dios. Son manifestaciones de la presencia activa del Señor resucitado o teofanías de Dios en su reino. Hubo en la Iglesia, desde sus comienzos, un «carisma de curación» o «don de curar» (1 Cor 12, 9), cuyo significado es difícil de precisar.

El texto clásico sobre la curación de la enfermedad es el de Santiago (5, 13-15): «¿Sufre alguno de vosotros? Que rece. ¿Está uno de buen humor? Que cante. ¿Hay algún enfermo? Llame a los presbíteros de la comunidad, que recen por él y lo unjan con aceite invocando al Señor. La oración hecha con fe dará la salud al enfermo, y el Señor hará que se levante; si, además, tiene pecados, se le perdonarán». Por otra parte –según Bo Reike–, hay una cierta analogía entre la curación de enfermos confiada por Jesús a sus discípulos y el servicio de caridad respecto de los enfermos recomendado por Santiago a los presbíteros [16]. Aquí se fundamenta el ministerio especial de la Iglesia con los enfermos, del que poseemos datos muy primitivos. El ministerio de los enfermos es tarea de los responsables de la comunidad, que actúan como miembros de una institución colegial en una competencia particular.

La pastoral de enfermos es cuestión de madurez y de amor; es un carisma al servicio del enfermo para ser sostenido en la prueba y para que no se debilite la gracia del bautismo. Con razón puede afirmarse que el ministerio de los enfermos es esencial a la vida de la Iglesia [17]. Precisamente la acción sanitaria moderna, como acción social, se deriva de las instituciones caritativas de la Iglesia, que no sólo pretenden ayudar a los enfermos, sino contribuir a la integración social de los marginados.

b) Es ministerio de la comunidad

En las primitivas comunidades cristianas se observan, respecto del dolor y de la enfermedad, dos hechos: 1) los relatos de curación de la Iglesia apostólica son escasos en comparación con los contenidos en los evangelios; 2) los enfermos ocupan un lugar importante en la comunidad a partir de la actitud del servicio, imprescindible en la Iglesia. Es lógico que en el interior de las comunidades se desarrollase pronto un servicio a los enfermos, purificado de cualquier ingrediente religioso pagano, dado el amplio uso que había de ritos mágicos como remedio de desgracias y enfermedades. La ayuda al enfermo se deriva del ministerio de caridad, no del carisma de curación o sanación. Lo que se busca no es el milagro físico, sino la salud, en el sentido total de la palabra, por medio de la presencia de Cristo. Policarpo menciona como tarea de los responsables de la comunidad la visita a todos los enfermos. Otro tanto sugiere la *Tradición apostólica* de Hipólito [18].

Poco a poco se desarrolló en la Iglesia un ministerio especial de los enfermos con la preocupación del hombre entero, a saber, atención corporal y asistencia espiritual [19]. Prueba de ello son los hospitales construidos en la antigüedad cristiana, que se multiplicaron en la Edad Media. Recordemos asimismo la fundación de órdenes militares, hermandades y comunidades religiosas con la finalidad específica de atender a los dolientes. Hasta tal punto

---

[16] Bo Reike, *L'onction des malades d'après Saint Jacques:* «La Maison-Dieu» 113 (1973) 50-56.

[17] Cf. R. A. Lambourne, *Le Christ et la santé. La mission de l'Église pour la guérison et le salut des hommes,* París 1972.

[18] Cf. B. Sesbouë, *L'onction des malades. Essais et recherches,* Lyón 1972.

[19] Cf. B. Rüther, *Krankenfürsorge,* en «Lexikon für Theologie und Kirche» VI (1961) 581-584; M. Pfender, *Les malades parmi nous. Le Ministère de l'Église auprès des malades,* París 1971.

se insistió constantemente en este ministerio a lo largo de la historia de la Iglesia, que la visita a los enfermos formará parte sustantiva de los deberes de cualquier sacerdote, especialmente de los párrocos [20]. El servicio a los enfermos es diaconía eclesial, consecuencia evangélica de las palabras de Jesús: «No necesitan médico los sanos, sino los enfermos» (Mt 9, 12), o «estuve enfermo y me visitasteis» (Mt 25, 36).

La asistencia a los enfermos es tarea de todos. Por consiguiente, una comunidad que cuida de los enfermos es una comunidad sana. En cada parroquia deberá crearse un «equipo de pastoral de la salud» formado por personas con sentido comunitario que atiendan a los enfermos, sensibilicen a toda la comunidad, despierten vocaciones para este ministerio y colaboren con los organismos asistenciales. En resumen, el ministerio de los enfermos es tarea de toda comunidad cristiana, llevada a cabo por un equipo cualificado, que actúa como grupo ministerial en una competencia particular.

En algunas parroquias falta sensibilidad hacia la pastoral de enfermos. Incluso se entiende esta pastoral de un modo puramente sacramentalista, reducida a visitar al enfermo, llevarle los sacramentos y ayudarle a morir con los últimos auxilios [21]. Por otra parte, se ha utilizado un lenguaje *dolorista,* basado en la resignación, hoy cuestionado. El énfasis recaía en lograr que se aceptase la enfermedad con objeto de ofrecer a Dios el sufrimiento y expiar las propias faltas y los pecados públicos. Pero no faltan parroquias en las que se cuida con esmero la pastoral de enfermos, incluso con perspectivas de evangelización, a saber, «el enfermo es evangelizado por la comunidad, pero, a su vez, él la evangeliza y enriquece desde la enfermedad» [22].

Además, al reducirse la convivencia con las personas de la Tercera Edad, gran parte de la juventud no tiene experiencia de la enfermedad y de la muerte. La muerte, en concreto, no es un misterio, sino un problema difícil de aceptar, al paso que se lucha contra la enfermedad hasta lo inhumano, con el horizonte puesto en morir con dignidad. Evidentemente hay que evangelizar todo el proceso de la atención a los enfermos, aspiración de los agentes de pastoral sanitaria [23].

c) Exige una opción preferencial con los más débiles

Por su estado de debilidad, los enfermos pertenecen al grupo social de los pobres y marginados, exiliados o encarcelados, despreciados o subdesarrollados [24]. «La acción caritativa –afirma el Concilio– puede y debe llegar hoy a todos los hombres y a todas las necesidades» (AA 8,4), especialmente a las personas más pobres y marginadas de la sociedad. La solidaridad con los enfermos es una exigencia tan evangélica como el compromiso por la justicia y la paz. Recordemos que en la Biblia son vicarios de Dios la viuda, el huérfano, el pobre y el enfermo. Sin opción por los enfermos, como consecuencia de la opción por los pobres, no hay pastoral correcta en el mundo del dolor.

d) La enfermedad pone a prueba la fe del enfermo

Todo ser humano aspira a la salud. Frente a la enfermedad ha de prevalecer siempre la búsqueda de la salud y de la curación: descubrir el sentido de la vida, mostrar el valor de la fraternidad y mejorar las condiciones de vida. La pastoral del «bien morir» ha de dar paso a la pastoral del «vivir saludablemente». En definitiva, la pastoral de la salud ha de ayudar a que el enfermo entre en contacto con sus sentimientos y descubra en la enfermedad la cercanía de Dios. Es conveniente recordar el sufrimiento de Jesús desde la fe, ya que la pasión del Señor inspira y da consuelo. No olvidemos que al final de la vida los recuerdos son especiales. El sufrimiento no hay que buscarlo, sino asumirlo.

---

[20] Cf. M. Alberton, *Un sacrement pour les malades. Dans le contexte actuel de la santé,* París 1978, 114.

[21] Cf. A. Rodríguez, *Pastoral sanitaria en la parroquia,* en *Parroquia evangelizadora,* Edice, Madrid 1989, 247.

[22] Ibíd., 249.

[23] Puede verse en las respuestas a un cuestionario, preparatorio del curso *Liturgia en el hospital,* celebrado en octubre de 1987.

[24] El Concilio, en varias ocasiones, equipara a los enfermos con los pobres y marginados: cf. LG 41, 5; GS 81, 1; PO 8, 3; OT 8, 1.

A menudo no se nombra la muerte, ya que produce angustia. Para no asustar, la familia no llama al sacerdote. Sin embargo, es conveniente hablar con serenidad de la enfermedad y de la muerte, y aceptar la realidad de la separación. La pérdida inminente de la vida provoca a veces grandes sufrimientos. Con fe y esperanza se da el abandono en Dios. Sin olvidar que la pastoral del enfermo abarca a su familia en su desamparo y sufrimiento.

El enfermo no debe ser sólo paciente, sino que ha de expresarse y comportarse como persona activa. Ante el enfermo se da a veces una conspiración de silencio. De ordinario pasa por varias etapas: se aísla y niega la realidad, es decir, se le engaña; cuando descubre su verdad, se irrita frente a la nueva situación; se deprime y desfonda al comprobar su enfermedad y, finalmente, se resigna y acepta lo irremediable, no lucha. Cuando un enfermo acepta la muerte, se hace más libre, ya que entonces no cuentan los intereses, sino la vida. Con todo, hay que abordar con paz lo no concluido de la vida. Evidentemente, a las puertas de la muerte quedan cosas inacabadas, pero los problemas adquieren otras perspectivas.

4. La celebración sacramental con los enfermos

a) Los rituales de los enfermos

Por la aspiración profunda y universal del ser humano a vivir saludablemente, la enfermedad ha sido combatida en todas las culturas y religiones con infinidad de procedimientos, entre los cuales no es fácil a veces precisar las fronteras entre la medicina y la magia, o los cometidos del médico y del sacerdote. Junto a los remedios medicinales aplicados al enfermo para aliviar o curar su dolor, se han dado siempre plegarias y ritos religiosos con el propósito de sanar o de salvar al doliente, sobre todo cuando se encuentra en estado grave. Con razón se ha señalado una «lógica instintiva» que se escalona de esta manera: enfermedad, sentimiento de inseguridad, auto-culpabilización, creación de tabúes, recurso a la magia o a la religión [25]. A lo largo de la enfermedad de un creyente hay previstos en el cristianismo diversos ritos. El *ordo* litúrgico correspondiente a la unción y pastoral de los enfermos reemplazó en 1973 al antiguo ritual de Paulo V de 1614 [26]. A pesar de que han transcurrido dos décadas después de ser promulgado, la atención prestada a este ritual ha sido insuficiente, señal de una pastoral sanitaria infravalorada o de una escasa apreciación de los sacramentos de enfermos, cuya significación y finalidad no es del todo conocida o apreciada. En relación a los enfermos, el ritual incluye estas acciones: visita a los enfermos, penitencia, comunión, unción y viático.

b) Dificultades en la celebración con enfermos

A la hora de celebrar los sacramentos con los enfermos, las dificultades provienen, en primer lugar, de la ignorancia o desconfianza que despierta lo sacramental, dada la dicotomía heredada entre sacramentos y vida, y la relación excesivamente estrecha entre unción de enfermos y rito mágico o entre últimos sacramentos y muerte. Además, en una sociedad secularizada como la nuestra, la pastoral sacramental ha cedido importancia, lógicamente, a la evangelización y al compromiso social. En cambio, en tiempos de cristiandad, el valor de los sacramentos era indiscutible al ser considerados casi como los únicos canales de la gracia y como signos públicos de reconocimiento de la pertenencia oficial a la Iglesia [27]. Incluso se reducía la presencia salvadora de Dios a lo sacramental, dando a los sacramentos un valor absoluto, con el olvido de una afirmación hoy elemental: la vida sacramental no agota la totalidad de la vida cristiana. Por esto, la

[25] P. Jacob, *Modèles socio-culturels sous-jacents au monde de la santé:* «La Maison-Dieu» 113 (1973) 28.

[26] La edición típica del *Ordo unctionis infirmorum eorumque pastoralis curae,* decretada por la constitución apostólica *Sacram unctionem infirmorum,* del 30 de noviembre de 1972, apareció el 18 de enero de 1973. La edición española se titula: *Ritual de la unción y de la pastoral de enfermos,* Madrid 1974, 1982, y la mejicana: *Cuidado pastoral de los enfermos. Ritos de la unción y del viático,* México 1984. Ver la presentación de este ritual en *El nuevo ritual de la unción de los enfermos:* «Phase» 74 (1973); *Le Nouveau Rituel des malades:* «La Maison-Dieu» 113 (1973); A. M. Triacca, *Per una rassegna sul sacramento dell'unzione degli infermi:* «Ephemerides Liturgicae» 89 (1975) 397-467.

[27] Cf. P. Pauliat, *Acompañamiento sacramental,* en *La pastoral de la salud en la parroquia. Dossier de documentación,* Madrid 1993, 57.

actual crisis sacramental no es sólo una muestra de la crisis religiosa, sino crisis de una comprensión inadecuada de los sacramentos y de su rutinaria y ritualista administración. Los sacramentos en general, y los de enfermos en particular, son hoy tachados de insignificantes por los increyentes, de drogas tranquilizadoras por los agentes del compromiso social, de ritos mágicos por quienes se consideran portavoces y defensores del pueblo, y de costumbres sociales rutinarias o hipócritas por los creyentes que piden autenticidad cristiana. Se les ve como signos estáticos, acciones aisladas y realidades absolutas, en un contexto familiar al margen de la fe y de la comunidad cristiana [28]. Para muchos son cosas que se reciben, ritos familiares e instrumentos utilitarios. No exigen cambio de vida ni entrañan consecuencias personales por falta de conocimiento, fe y compromiso.

Algunos creyentes críticos juzgan peligrosa la liturgia de enfermos por su pretensión milagrosa; otros increyentes la identifican, sin más, con la magia. Evidentemente, el deterioro sacramental se hace más patente en los sacramentos de enfermos. Pensemos que este tipo de celebración no es tarea fácil por una razón sencilla: es complicado casar el sentido positivo que tiene la acción de celebrar con la cara negativa que posee la enfermedad. Recordemos que el enfermo vive ordinariamente una situación dolorosa, y que el presidente de la acción sacramental, ante esa situación, tiende lógicamente a ritualizar los sacramentos al máximo. Los acompañantes o participantes, de ordinario familiares y no siempre convencidos cristianos, están más atentos a la evolución de la salud del enfermo que al significado del hecho celebrativo.

Con frecuencia, en la liturgia de enfermos ha influido la preocupación por la muerte; por eso se ha dirigido el rito más al enfermo que al moribundo, escasamente capaz de ser sujeto activo de celebración. Incluso cuando algunos enfermos piden los sacramentos tienen una concepción mágica de los mismos, entendidos como contactos con el Dios de los milagros, sin una relación vinculante con exigencias fraternales. Se reducen a petición interesada sin atisbos de agradecimiento y alabanza. Incluso en ciertos ambientes flotan algunas convicciones falsas: la enfermedad es castigo de Dios, Dios quiere que expiemos los pecados con el sufrimiento, con el sufrimiento se alcanza el cielo, es más santo quien sufre más, y a Dios se le aplaca con ritos, especialmente si son sacramentales.

Además, los sacramentos de enfermos se han *administrado* –esa es la palabra– en un marco familiar u hospitalario, sin referencia a la comunidad cristiana. Con frecuencia ha prevalecido la preocupación por curar milagrosamente un cuerpo desahuciado o por salvar espiritualmente el alma en peligro de condenación. En una palabra, las liturgias de la enfermedad se han ritualizado con escasas dimensiones comunitarias y celebrativas. Como consecuencia, los sacramentos de los enfermos han sufrido una fuerte crisis, fruto del escaso énfasis pastoral que hoy se da a la muerte en aras de una insistencia en la vida y del giro escatológico desde el más allá al más acá. Por otra parte, se ha secularizado el marco ambiental de la muerte, ordinariamente en el hospital, al paso que ha disminuido la asistencia presbiteral a los enfermos.

c) *Sentido de las celebraciones sacramentales con enfermos*

No obstante, a pesar de un claro descenso de la práctica sacramental, la reforma litúrgica conciliar y la superación del sacramentalismo –afirma el documento *La asistencia religiosa en el hospital*– «han estimulado una mejor comprensión de los sacramentos y una búsqueda más atenta de modelos de celebración adecuados al contexto sanitario, lugar secularizado y pluralista» [29].

La liturgia sacramental celebra el encuentro de los creyentes con Dios a través de palabras, oraciones, cantos, silencios, símbolos y actitudes, para hacer efectivo el encuentro entre Dios y los cristianos en un ámbito comunitario, de cara a una vida en plenitud. Dicho de otro modo, los sacramentos son

[28] Cf. el informe del Instituto Diocesano de Teología y Pastoral, *Práctica sacramental actual y plan diocesano de evangelización,* Bilbao, octubre 1992.

[29] Comisión Episcopal de Pastoral, *La asistencia religiosa en el hospital. Orientaciones pastorales,* Madrid 1987, 33.

acciones litúrgicas mediante las cuales la Iglesia celebra la presencia de Dios de un modo más consciente, o es acogido el don de Dios de una manera más operativa. O expresado con palabras de P. Pauliat, el sacramento es «un gesto explícito de Cristo confiado a la Iglesia para comunicar a los hombres la vida que proviene de Dios» [30]. Los sacramentos, son, pues, gestos de fe, no magias milagrosas, o signos de la comunidad creyente y del amor de Dios, en los que se afirma nuestra vida en la Pascua de Cristo. No consisten en administrar cosas sagradas, sino en celebrar la presencia de Cristo en medio de la vida o –en nuestro caso– en el último tramo de la vida. Todo sacramento está en un itinerario de fe, en un proceso de vida cristiana. De este modo, destacamos o hacemos *célebres* ciertos acontecimientos de la historia de Jesucristo que se hacen presentes hoy bajo el velo de los símbolos. La celebración nos permite vivir de otro modo y nos hace descubrir el último sentido de la vida. Por la llamada del Señor, los cristianos celebramos el amor de Dios, la vida como don, la salud como tarea continua, la resurrección como cumplimiento de las promesas de Dios. Al celebrar en asamblea, la liturgia nos invita a comulgar juntos –entre nosotros y con Dios–, una vez reconocida por los creyentes la presencia del Resucitado. Los sacramentos «se enraizan –afirma Cl. Ortemann– en la necesidad que tiene el hombre de celebrar, de un modo ritual y festivo, el sentido de lo que vive o, quizá, de lo que piensa vivir en el futuro» [31].

En realidad, los cristianos no podemos celebrar ni la enfermedad ni la muerte, porque no son la última palabra. Sencillamente festejamos en la etapa postrera de la existencia la salud y la vida o, si se prefiere, la resurrección. Pretender celebrar la enfermedad, como festejamos un triunfo o un aspecto positivo de la vida humana, es imposible. Mejor dicho, sólo es posible celebrar la salud en el marco de la creación de Dios (primer don, la vida) o de su re-creación (último don, la resurrección). Dios nos ha dado la vida y el mandato de vivir; somos hombres y mujeres a imagen y semejanza de Dios, en cuerpo y alma. Sólo en la perspectiva de Dios tienen sentido la salud y la enfermedad, como la vida y la muerte. Dios nos librará del pecado, de la enfermedad y de la muerte plenamente con una salvación que comienza aquí y que sólo la fe descubre.

Ahora bien, los sacramentos de los enfermos se celebran en un contexto de dolor. No son meros tranquilizantes, sino gestos que comunican la gracia de la consolación. Están en el plano de la salvación, de la curación y del alivio. Son signos de solidaridad al comprobar que el enfermo entra en crisis de comunicación. Se trata de que el enfermo, principal participante en estas celebraciones, viva más evangélicamente su situación, a veces angustiosa, con actitud de esperanza, para su propio bien, el de su familia y el de todo el pueblo de Dios.

Al no ser el Dios cristiano un «Dios de muertos, sino de vivos» (Mt 22, 32), las liturgias con enfermos han de ofrecer esperanza desde los horizontes de una vida plena. El *Ritual de la unción y de la pastoral de enfermos* «se sitúa –según las orientaciones del mismo– no tanto en un contexto de muerte cuanto en una perspectiva de vida» [32]. De ahí que la celebración cristiana con enfermos simbolice el triunfo sobre la enfermedad y sobre la muerte. Recordemos que en la acción pastoral de Jesús la curación de enfermos –mandamiento y teofanía– se une a la proclamación del reino. Al mismo tiempo que Jesús anuncia la venida del reino, afirma su poder sobre la carne como anticipo de gloria pascual. Por estas razones, el «carisma de curación» o «don de curar» (1 Cor 12, 9) se hizo presente en la Iglesia desde sus comienzos.

En definitiva, los sacramentos de enfermos son gestos humanos transidos de Espíritu para vivir cristianamente la enfermedad, que incluye también en lontananza la entrega de la vida por medio de la muerte. Los sacramentos de la enfermedad nos remiten a Cristo, salud del mundo doliente, moribundo, injusto y en pecado. En ciertos momentos de la enfermedad, los sacramentos expresan la fe en Cristo vencedor de la muerte, la solidaridad con los sufrimientos de Cristo y la esperanza de la resurrec-

[30] P. Pauliat, *Acompañamiento humano y sacramental,* en *Pastoral de la salud,* CPL, Barcelona 1993, 80.

[31] Cl. Ortemann, *La pastorale des sacrements auprès des malades:* «La Maison-Dieu» 113 (1973) 115-132, p. 117.

[32] *Ritual de la unción y de la pastoral de enfermos,* Coedición, Madrid 1982, n. 44.

ción de la carne. «La enfermedad –afirma S. Spinsanti– alcanza toda su significación y su transparencia de signo únicamente cuando se la sitúa dentro del diálogo entre Dios que salva y el hombre que se deja salvar; y, sobre todo, como prototipo, dentro del diálogo entre Cristo y el Padre» [33].

5. La práctica litúrgica con enfermos

a) Las liturgias con enfermos celebran la vida plena en Cristo

Los sacramentos de la enfermedad nos remiten a Cristo, salud del mundo doliente, moribundo, injusto y en pecado. En ciertos momentos de la enfermedad, los sacramentos expresan la fe en Cristo vencedor de la muerte, la solidaridad con los sufrimientos de Cristo y la esperanza de la resurrección de la carne. Los sacramentos de los enfermos están en la línea de la salvación *(sozein,* salvar) y de la curación-alivio *(egerein,* levantar). No se distingue lo espiritual y corporal ni son competencia de la medicina. Son signos de solidaridad eclesial, al comprobar que el enfermo entra en crisis de comunicación.

Son celebraciones cristianas, cuyo sujeto es la asamblea en actitud de agradecimiento y alabanza a Dios, por Cristo, en el Espíritu, con personas creyentes (especialmente el enfermo), por medio de actitudes, palabras, oraciones, silencios y gestos. Por consiguiente, hay que tomar en serio la catequesis de los sacramentos de enfermos y la pastoral litúrgica correspondiente. Sin olvidar un principio consagrado en la pastoral: la mejor catequesis sacramental es una buena celebración.

b) La celebración debe adaptarse a la situación del enfermo

Por supuesto, hay que adaptarse a la situación del enfermo, del entorno familiar y del eventual grupo que participa. Estas celebraciones con enfermos han de ser vivas (con fe declarada) y sencillas (con gestos humanos auténticos). Pueden hacerse en tres lugares: la iglesia, el hospital y la casa. En el fondo ha de quedar muy claro que el sacramento vivido por el enfermo es encuentro con el Dios de la vida a través de estos elementos: disposición de ánimo con fe y esperanza, escucha de la palabra de Dios proclamada, respuesta por medio de la fe y de la plegaria, y gesto o signo que da sentido a una vida rota y tentada de desesperanza.

El objetivo de los sacramentos de enfermos –culminación de la pastoral sanitaria– reside en que la persona que sufre descubra la cercanía de Dios, entre en contacto con sus sentimientos y participe en los signos de vida y de resurrección. Se trata de comunicar paz desde la reconciliación, alentar la esperanza con la unción y vivir la comunión con Dios mediante el viático. Para llevar a cabo este cometido se exigen, entre otras, dos condiciones: que los gestos sean auténticamente humanos, y que la plegaria, como respuesta a la palabra de Dios, sea religiosa y evangélica. Si celebrar bien no es fácil, las liturgias de la enfermedad son complejas, a pesar de su aparente simplicidad.

c) La acción litúrgica con enfermos se encuadra en una correcta pastoral sanitaria

Dicho con palabras de H. Denis: «Para que una Iglesia celebre de verdad un sacramento, es preciso que viva esta dimensión sacramental fuera del sacramento» [34]. El Concilio afirmó que «las acciones litúrgicas no son acciones privadas, sino celebraciones de la Iglesia» (SC 26). Por esta razón, las liturgias de enfermos no atañen sólo al sacerdote y al paciente, sino a la comunidad entera por medio de la asamblea. Así se manifiesta el sentido eclesial de la celebración. Corresponde al equipo de pastoral sanitaria estar presente en toda celebración con en-

[33] S. Spinsanti, *Enfermedad,* en L. Rossi y A. Valsecchi, *Diccionario Enciclopédico de Teología Moral,* Paulinas, Madrid 1974, 293-298, p. 296.

[34] H. Denis, *Cuando muere la extrema unción. Ensayo sobre la renovación de la unción de los enfermos:* «Selecciones de Teología» 75 (1980) 223.

fermos representando a la comunidad. Lógicamente es un abuso administrar sacramentos sin que apenas se dé cuenta el paciente o proceder de un modo furtivo. El sacramento no es un acto aislado ni vergonzante. Es un servicio de la Iglesia en el tiempo de la enfermedad, que facilita la comunión entre una vida desvalida y el amor de Cristo entregado hasta la muerte.

El rito forma parte de los hechos sociales y religiosos de la humanidad; es antiquísimo, permanente y enriquecedor. Se entiende como acción simbólica o como símbolo cuyo significante es una acción, no una cosa. Por su poder integrador, el rito es necesario para todo enfermo o minusválido: imprescindible para los sordos y sumamente conveniente para los disminuidos mentales o menor dotados. Como aquí se trata de ritualidad cristiana, el centro de toda acción simbólica contenida en la celebración litúrgica es Jesucristo. La catequesis ha de centrarse en el misterio del dolor de Jesús, en el servicio a los que sufren y en el significado de la liturgia con enfermos.

6. Dos gestos religiosos con los enfermos

Desde el principio de la pastoral sanitaria hubo dos gestos dirigidos a los enfermos: la imposición de manos y la unción con óleo o aceite, signos de la llegada del reino (nueva creación) y afirmación del poder de Dios sobre toda carne (gloria pascual).

a) La imposición de manos

La imposición de manos es un gesto usado por Jesús en su vida pública; era habitual en aquel tiempo. Precisamente Jesús emplea este gesto en las curaciones de enfermos (Mt 9, 18 par; Mc 6, 5; Lc 4, 40). Esta acción simbólica pone de manifiesto que en el mundo está presente el amor de Dios que nos salva. En el tiempo posterior de la Iglesia primitiva, la imposición de manos es signo de comunicación del Espíritu o de misión y colación de ministerios. En todo caso, el gesto de imponer la manos a los enfermos pertenece a la tradición de la Iglesia.

b) La unción con óleo

En la unción con óleo, lo decisivo no es el aceite, sino la oración y el obrar en el nombre del Señor. Dicho de otro modo, el aceite no es remedio, sino mediación de la acción de Dios. Según Ortemann, «la unción propone al enfermo una tarea de reunificación con cuatro dimensiones: reconciliación con el cuerpo, restauración de la solidaridad con el mundo, integración de la contingencia y de la muerte, integración de la temporalidad» [35]. A la unción pertenece el aceite que se empleó antiguamente como alimento, condimento, medicina, loción y fricción. Entre los hebreos, al penetrar el aceite en el cuerpo confiere vigor, agilidad y belleza; la unción con óleo era medicinal (gesto del buen samaritano) y consecratoria. Se usó en la coronación de reyes, ordenación de sacerdotes, vocación de profetas y consagración de objetos. En algunas religiones, la unción permite conferir a ciertas personas cualidades transcendentes. Es una acción simbólica que equivale a fortalecimiento de salud y aceptación del Espíritu de Dios. Atenúa sufrimientos y vigoriza el espíritu. El aceite bendecido se aplicó a los enfermos como medicina de vida y de salvación, según puede verse en el *Sacramentario* de Serapión [36].

7. Los sacramentos de los enfermos

En el contexto ministerial del servicio a los enfermos se desarrollaron, a partir del siglo VIII, unos rituales con estas acciones litúrgicas: aspersión de

---

[35] Cl. Ortemann, *El sacramento de los enfermos. Historia y significación,* Marova, Madrid 1972, 124-125.

[36] Cf. J. Ch. Didier, *Extrême-onction,* en G. Jacquement (ed.), *Catholicisme,* t. 4, Beauchesne, París 1956, col. 987-1046; A. Knauber, *Pastoraltheologie der Krankensalbung,* en *Handbuch der Pastoraltheologie,* t. IV, Herder, Friburgo de Br. 1969, 145-178; P. Fedrizzi, *L'unzione degli infermi e la sofferenza. Introduzione biblico-liturgica,* Padua 1972; R. Béraudy, *Le sacrement des malades. Etude historique et théologique:* «Nouvelle Revue Théologique» 96 (1974) 605-662; J. L. Larrabe, *La Iglesia y el sacramento de la unción de los enfermos,* Salamanca 1974; E. J. Lengeling, *Die Entwicklung des Sakraments der Kranken in der Kirche,* Friburgo de Br. 1975, 39-54; J. Feiner, *La enfermedad y el sacramento de la unción de los enfermos,* en *Mysterium Salutis,* t. V, Cristiandad, Madrid 1983, 467-523.

la casa del enfermo, recitación de salmos y oraciones, penitencia, unción y viático, para terminar a veces con la bendición e imposición del cilicio [37]. Ya se trate de gestos litúrgicos (de ordinario sacramentales) o de la visita a los enfermos (con el añadido de salmos, lecturas y oraciones), es evidente la ritualización de la pastoral de enfermos, que cristaliza en el *Ritual Romano* de Paulo V en 1614, vigente hasta el Vaticano II. Un mal síntoma es, para I. Oñatibia, «que toda la *cura infirmorum* haya quedado reducida al momento ritual» [38].

En el proceso de la enfermedad de un creyente, la Iglesia celebra la salud frente a las amenazas de la enfermedad y la vida frente al poderío de la muerte, mediante tres sacramentos con especificidad propia: penitencia, eucaristía y unción [39]. Dos de ellos son sacramentos de la repetición –penitencia y eucaristía–, que corresponden a dos expresiones humanas y religiosas, repetidas hasta la saciedad y, sin embargo, fundamentales: perdón y gracias. Es lógico que el creyente enfermo se adentre en el proceso último de su vida perdonando y pidiendo perdón, al paso que da las gracias por la plenitud de la vida en la que está penetrando. El tercer sacramento es la unción, hoy llamada «de enfermos», que recapitula en su formulación y en sus gestos lo que la penitencia previa y el viático posterior expresan simbólicamente. Salvo la comunión eucarística, los otros dos sacramentos padecen una fuerte crisis [40]. Por consiguiente, los sacramentos de los enfermos exigen una profunda revisión [41]. En todo caso, el orden antiguo –como el restaurado por el Vaticano II– es penitencia, unción y viático.

a) La penitencia

La penitencia es el primer sacramento de los enfermos [42]. A las desviaciones sufridas por este sacramento, reducido a confesión individual de los pecados para recibir la absolución y estar en gracia con objeto de poder comulgar, se unen las derivadas de la situación personal del enfermo: miedo a una eventual operación quirúrgica, angustia ante la muerte que se aproxima, deseos de estar en regla con Dios y necesidad de prepararse a la comunión reparadora y tranquilizadora. El Ritual español afirma resueltamente que «la actitud de conversión, el deseo del perdón de Dios y su celebración son una condición esencial de la vida cristiana» (n. 61). Es necesario insistir, además, en la dimensión social del pecado, en la reconciliación con los demás y con la Iglesia, y en la búsqueda de conversión. Al comienzo de la penitencia es recomendable leer con piedad un pasaje bíblico y lograr que se ore, en voz alta o en silencio, en el transcurso del sacramento. Se advierte aquí la escasez de fórmulas adecuadas a esta importante y, en algunos casos, última penitencia.

b) La comunión

Un segundo sacramento –más solicitado que los otros dos– es la eucaristía, entendida por muchos enfermos solamente a partir de la presencia real y de la comunión personal con Dios, no como banquete pascual y acción de gracias; le falta el sentido de la dimensión fraternal, porque apenas existen comunidades vivas cristianas. Donde sea posible, es preferible la comunión de los enfermos dentro de la celebración eucarística. Así se vive mejor la dimensión comunitaria y se logra que el enfermo rompa su aislamiento.

---

[37] Cf. A. Chavasse, *Étude sur l'onction des infirmes dans l'Église latine du IIIe au XIe siècle,* t. I. *Du IIIe siècle à la réforme carolingienne,* Lyón 1942; id., *Oraciones por los enfermos y unción sacramental,* en A. G. Martimort (ed.), *La Iglesia en oración. Introducción a la liturgia,* Herder, Barcelona 1964, 621-636; R. Béraudy, *Le sacrement des malades. Étude historique et théologique:* «Nouvelle Revue Théologique» 96 (1974) 605-662.

[38] I. Oñatibia, *La unción de los enfermos...,* o. c., 443.

[39] Secretariado Nacional de Liturgia, *Los sacramentos de los enfermos. La pastoral de enfermos a la luz del nuevo Ritual,* PPC, Madrid 1974; CPL de Barcelona, *La unción de los enfermos,* Barcelona 1984.

[40] Cf. H. Denis, *Quand meurt l'éxtrême-onction. Essai sur le renouveau de l'onction des malades:* «Lumière et Vie» 138 (1978) 67-79. Cf. Traducción en «Selecciones de Teología» 75 (1980).

[41] Cf. H. Vorgrimler, *Büsse und Krankensalbung,* Herder, Friburgo 1978; G. Gozzelino, *L'unzione degli infermi. Sacramento della vittoria sulla malattia,* Turín 1976; R. Delgado, *La unción de enfermos en la comunidad cristiana, hoy,* Fundación Santa María, Madrid 1988.

[42] Cf. excelentes indicaciones sobre los sacramentos de los enfermos en Cl. Ortemann, *La pastorale des sacrements...,* o. c., 121-130; cf. asimismo F. Dell'Oro, *Il sacramento dei malati. Aspetti antropologici e teologici della malattia. Liturgia e Pastorale,* Turín 1975.

c) La unción de enfermos

El tercer sacramento es la unción de los enfermos. A pesar del amplio uso que la Iglesia primitiva hizo a partir del siglo I de diversas unciones rituales (iniciación cristiana, penitencia, etc.), la unción de los enfermos, con un sentido litúrgico, aparece por primera vez en testimonios de la segunda mitad del siglo IV. El efecto de la unción era corporal, ya que se entendió desde sus comienzos como un rito de curación, pero desde una perspectiva sacramental. Al ser el aceite bendecido por el obispo, y cristiano el enfermo receptor de la unción, este rito intentó alejarse de cualquier interpretación mágica o pagana.

El nombre de la unción es *unción de enfermos,* no de moribundos o *extrema unción.* Los teólogos de la Edad Media fueron quienes entendieron la unción como sacramento de la agonía, por ser el último del septenario que completa la acción santificadora de la Iglesia [43]. Al mismo tiempo disminuyó el interés por los efectos corporales de la unción y aumentó la importancia de los efectos espirituales. Lo que interesaba a la hora de la muerte era una buena confesión o, en todo caso, la absolución, efecto final y principal de la unción. Por eso, la unción era administrada únicamente por los sacerdotes, a diferencia de los primeros siglos, en los que intervenía cualquier miembro de la comunidad. Esta concepción teológica de la unción se desarrolló entre los siglos X y XIII, y permaneció inamovible hasta el Vaticano II [44].

A pesar de los esfuerzos pastorales hechos en estos últimos años, la unción es todavía entendida por el pueblo como sacramento de moribundos. Sin embargo, la unción no es sacramento que prepara a la muerte ni sustituye a la penitencia. «Es el sacramento –afirma Ortemann– que manifiesta la acción liberadora de Cristo en medio de lo patológico y que invita al enfermo a participar en dicha acción» [45]. Por esta razón, la teología posconciliar de la unción de enfermos acentúa el efecto corporal de la unción frente a la tendencia tradicional de la Iglesia latina, desde la Edad Media, que ponía el acento únicamente en el efecto espiritual [46]. A través de la unción, el enfermo recibe la gracia de luchar por su curación y el deseo de vivir una vida más evangélica, más compartida y de mayor servicio. Su acento no se pone en el perdón de los pecados, sino en la restauración del cuerpo y del espíritu [47].

En algunas parroquias es habitual la celebración comunitaria de la unción de enfermos, con la cooperación activa de los mismos y la presencia decisiva de los responsables de la pastoral sanitaria. Ha servido doblemente: para rehabilitar la unción de enfermos y para desdramatizar la enfermedad o la vejez en declive. Esta liturgia debe desarrollarse en un clima de oración y de paz, pero también en un ambiente de serena alegría. Estas celebraciones, sacramentales o no, pueden hacerse sin misa para favorecer el tiempo dedicado a la catequesis, resaltar lo específico de los sacramentos de enfermos y permitir una mayor creatividad en los medios de expresión: testimonios, gestos, ritos, desarrollo, etc. Cuando los participantes desean comulgar, es mejor celebrar asimismo la eucaristía.

El rito puede transcurrir de esta manera: en la procesión de entrada, precedida por la cruz, se lleva el ánfora con el óleo de enfermos, acompañada de luces y flores. Puede portarse un icono apropiado con la imagen de la Virgen. Las lecturas se tomarán del Leccionario para el Ritual de enfermos. Son salmos apropiados el 6, 22, 26, 28, 32, 38, 49, 51, 69, 88 y 102. En el conjunto de la celebración, y especialmente en la monición de entrada, homilía e invitación final, es necesario hacer ver que el enfermo acoge en la unción una fortaleza para luchar contra la enfermedad, descubre la esperanza, paz y alegría cristianas, cae en cuenta de que no está aislado y es

---

[43] Cf. B. Botte, *L'onction des malades:* «La Maison-Dieu» 15 (1948) 91-107.

[44] Cf. M. Ramos, *Boletín bibliográfico sobre la unción de enfermos:* «Phase» 74 (1973) 157-172; J. Ch. Didier, *L'onction des malades d'après la théologie contemporaine:* «La Maison-Dieu» 113 (1973) 81-85; Ph. Rouillard, *Le ministre du sacrement de l'onction des malades:* «Nouvelle Revue Théologique» 101 (1979) 395-402; F. Bourassa, *La grâce sacramentelle de l'onction des malades:* «Sciences Ecclésiastiques» 19 (1967) 33-47.

[45] Cl. Ortemann, *La pastorale des sacrements...,* o. c., 125.

[46] Cf. Z. Alszeghy, *L'effetto corporale dell'Estrema Unzione:* «Gregorianum» 38 (1957) 114-120.

[47] Cf. D. N. Power, *El Sacramento de la unción: cuestiones abiertas:* «Concilium» 234 (1991) 308-325.

llamado a ser testigo de Dios a través de su enfermedad en lucha para lograr la salud. Evidentemente, la «oración en la fe», característica de la unción de enfermos, ha de estar presente en cualquier celebración. El esquema básico de una liturgia adecuada a la visita a los enfermos la da el mismo Ritual: lectura, respuesta a la palabra, padrenuestro, oración conclusiva y bendición [48].

d) El viático

Un cuarto sacramento, eucarístico como la comunión, es el viático destinado a los moribundos en estado de lucidez. Es sacramento del tránsito de la vida que invita al enfermo a comulgar en el misterio pascual de Jesús para hacer de su muerte una pascua [49]. Actualmente hay escasa demanda del viático, reducido a una simple comunión de enfermos. Recordemos que la práctica eucarística ha descendido y que se sigue silenciando la muerte, tanto en los hospitales como en las familias. Por otra parte, mientras la unción no sea de enfermos, difícilmente el viático será el último sacramento. En definitiva, lo que a veces importa a la hora de la muerte es una buena confesión o, en todo caso, el perdón de los pecados, efecto final y principal de la unción.

En estos últimos años ha crecido enormemente el número de enfermos, ancianos, minusválidos y accidentados, pero en poco más de la mitad de las parroquias españolas hay grupos organizados para la atención pastoral de este tipo de personas [50]. La visita a los enfermos y su eventual participación en la penitencia y comunión son tareas fundamentales de los agentes de pastoral sanitaria. Como bautizados, los enfermos tienen derecho a la eucaristía –especialmente a la dominical– y a la oración por parte de la comunidad. En ninguna parroquia debiera faltar un equipo dedicado al servicio a los enfermos [51].

---

[48] Cf. Comisión Episcopal de Liturgia de México, *Cuidado pastoral de los enfermos. Ritos de la unción y del viático,* México 1984, n. 54-61.

[49] Cf. J. Ch. Didier, *El cristiano ante la enfermedad y la muerte,* Andorra 1962; D. Sicar, *Le viatique: perspectives nouvelles?:* «La Maison-Dieu» 113 (1973) 103-114.

[50] Según la encuesta llevada a cabo para el congreso *Parroquia evangelizadora* (Madrid 1989), en 534 parroquias (el 37,6%) hay equipos de pastoral de enfermos; no lo hay en 839 (el 59,1%).

[51] Cf. V. Grandi, *La pastoral de los enfermos en la parroquia,* Bogotá 1988; Archidiócesis de Chicago y MACC, *Los ministros de la comunión a los enfermos,* San Antonio de Texas 1985.

23

La muerte del cristiano

Aunque el ministerio principal de la parroquia no es enterrar a los muertos, sino promover conciencias vivas de fe y edificar en su interior la comunidad cristiana de acuerdo a las exigencias del reino de Dios en el mundo, su presencia en el momento decisivo y único de la muerte del cristiano contribuye a dar sentido evangélico al *transitus ad Patrem* y a despertar la esperanza en una vida plena de resurrección [1]. Después del Vaticano II, la Iglesia acepta y comprende mejor ciertos hechos fundamentales humanos relacionados con la persona y la sociedad, la naturaleza y la historia, la vida y la muerte. Por estas razones, el Concilio propuso que el rito de las exequias expresase «más claramente el sentido pascual de la muerte cristiana» (SC 80). Además, teniendo en cuenta la sociedad secularizada, la parroquia pretende dar un nuevo sentido a la celebración de la muerte con el testimonio de una vida conforme al evangelio proclamado por Jesús, muerto y resucitado.

[1] Cf. mi trabajo *La muerte del cristiano,* en C. Floristán y M. Useros, *Teología de la acción pastoral,* Ed. Católica, Madrid 1968, 463-467.

1. Sentido cristiano de la muerte

Desde la más remota antigüedad, los ritos funerarios de todos los pueblos han tenido un significado religioso. La relación entre el culto a los muertos y el culto divino ha sido siempre constante. Cada civilización y religión han celebrado la muerte o enterrado a sus difuntos con ritos propios. En nuestro entorno occidental cristiano, la muerte ha sido considerada socialmente, según Ph Ariès, de cuatro maneras en otras tantas etapas: 1) En el primer milenio, la muerte es tratada con familiaridad, al ser un fenómeno natural, aspecto que se refleja en los ritos religiosos. 2) A partir de la Alta Edad Media, la muerte cobra una tonalidad dramática en consonancia con el temor del juicio. La liturgia de difuntos discurre entre la esperanza de la resurrección y la súplica para que el juicio sea favorable al difunto. 3) A partir de los siglos XVII y XVIII, época del romanticismo, se pone de relieve el aspecto patético y doloroso de la muerte. Se expresa el duelo ostensiblemente: vestidos negros, catafalco, elogios fúnebres, etc. 4) Finalmente, en la actualidad, la muerte se vive a la inversa, es decir, se la oculta por todos los medios. Las prácticas rituales tienden a escamotear la muerte, entendida como ruptura [2]. La muerte representa el fracaso de los valores dominantes de nuestra cultura [3]. Es un sinsentido, un sufrimiento intolerable y una agresión.

Efectivamente, algo profundo ha cambiado en la sociedad occidental en torno a la muerte, debido al incremento técnico de los cuidados médicos, con el efecto derivado de la soledad del moribundo y la desaparición de la experiencia de la muerte. Ya no se muere en casa, sino en el hospital, en cuyo tanatorio queda el cadáver velado socialmente por la familia y los amigos. Al ser nuestra sociedad muy individualista, se resquebrajan las actitudes y costumbres solidarias. Por el mercantilismo imperante, todo se paga, incluso los gastos que ocasiona la muerte, de la que se hacen cargo los empleados de las funerarias. Se extinguen algunas costumbres rituales y simbólicas, como por ejemplo el duelo colectivo ante la familia [4]. Ante esta situación de ocultamiento o privatización de la muerte, la Iglesia proclama en nombre del evangelio que la muerte tiene un sentido, que forma parte de la vida y que posee una dimensión comunitaria.

En la tradición cristiana se dan unas constantes que señalan lo específico de la muerte de los fieles. Al comparar J. Llopis las exequias cristianas con los ritos funerarios paganos, destaca estas semejanzas: «Son al mismo tiempo un acto profundamente humano y un rito religioso y sagrado; en ellos se dan la mano el culto divino y el culto a los muertos; expresan la íntima comunión existente entre vivos y difuntos, y de un modo u otro manifiestan la esperanza en el más allá» [5]. La Iglesia no celebra ni puede celebrar la muerte por sí misma, sino como acontecimiento de salvación, en el sentido de que está entroncada con la muerte y resurrección del Señor. Con la muerte –dice un prefacio de difuntos–, «la vida no termina, se transforma».

[2] Cf. Ph. Ariès, *L'homme devant la mort,* Seuil, París 1977.

[3] Cf. *Les funérailles:* «Célébrer» n. 237 (1994).

[4] Cf. Secretariados de las Comisiones de Liturgia, *Las exequias en Europa. Propuestas para una pastoral:* «Phase» 198 (1993) 507-514.

[5] J. Llopis, *Exequias,* en D. Borobio (ed.), *La celebración en la Iglesia,* Sígueme, Salamanca 1988, II, 747.

a) La muerte es acontecimiento único y decisivo

La muerte no sólo afecta a todos los seres humanos, sino al ser humano entero; la muerte es acontecimiento único, decisivo y universal. Mediante la muerte, el espíritu deja de actuar, y el ser humano termina su ruta por el mundo y por el tiempo. «El mayor enigma de la vida humana –afirma resueltamente el Concilio– es la muerte» (GS 18). A causa del miedo que produce, se habla poco de la muerte, «tema tabú del s. XX» [6]. Precisamente por ese miedo, los rituales paganos son netamente supersticiosos. En los ámbitos culturales actuales, la muerte es *la gran ausente* porque amenaza la felicidad inmediata de corte hedonístico. Lleva consigo el fracaso de truncar los valores dominantes de la belleza, juventud, progreso personal y relieve social. De ahí que se pretenda enmascararla, ocultarla. En los medios de comunicación social, la muerte no es rito, sino espectáculo. Algunos intentan creer que la muerte es un simple *incidente* [7]. Sin embargo, como contraste, se advierte un interés social en cómo se debe y se puede morir, e incluso ha crecido el interés religioso sobre la muerte y las ultimidades [8].

b) La muerte es consecuencia del pecado

«La fe cristiana enseña que la muerte corporal, que entró en la historia a consecuencia del pecado, será vencida cuando el omnipotente y misericordioso Salvador restituya al hombre en la salvación perdida por el pecado» (GS 18). El Nuevo Testamento nos recuerda que la muerte es consecuencia del pecado que penetró en el mundo (Rom 5, 12.17; 1 Cor

[6] D. Sicard, *La muerte del cristiano,* en A. G. Martimort (ed.), *La Iglesia en oración,* Herder, Barcelona 1987, 793.

[7] Cf. Ph. Ariès, *Essais sur l'histoire de la mort en Occident du Moyen-Age à nos jours,* Seuil, París 1975; *L'évolution de l'image de la mort dans la société contemporaine et les discours religieux des Églises* (Actas del 4.º Coloquio del «Centre de Sociologie du protestantisme» de la Universidad de Estrasburgo, celebrado en 1974): «Archives de Sciences Sociales des Religions» 39 (1975).

[8] Cf. S. Maggiani, *Elementi del dibattito odierno sul tema della morte:* «Rivista Liturgica» 66 (1979) 270-317; J. J. Tamayo, *Para comprender la escatología cristiana,* Verbo Divino, Estella 1993.

15, 21). La humanidad vive bajo el imperio del pecado. Por esta razón, el ser humano, reo al menos del pecado original, es mortal. De ahí la relación que la muerte tiene con la salvación, ya que es un acto de purificación.

c) *Cristo resucitado ha vencido a la muerte*

La promesa de vida se cumple en Cristo. El Señor anuncia a sus discípulos que su muerte es parte de su vocación (Mc 8, 3; 10, 34.38), pero que no es dominado por ella (Mt 9, 18-25; Lc 7, 14), ya que es la resurrección y la vida (Jn 8, 44; 11, 25). Cristo muere por todos, pero triunfa de la muerte. «Ha sido Cristo resucitado el que ha ganado esta victoria para el hombre, liberándolo de la muerte con su propia muerte» (GS 18). «Padeciendo por nosotros, nos dio ejemplo para seguir sus pasos y, además, abrió el camino, con cuyo seguimiento la vida y la muerte se santifican y adquieren nuevo sentido... Por Cristo y en Cristo se ilumina el enigma del dolor y de la muerte, que fuera del evangelio nos envuelve en absoluta oscuridad. Cristo resucitó; con su muerte destruyó la muerte y nos dio la vida» (GS 22).

d) *La muerte del cristiano es el último acto de consepultura con Cristo*

«Vencida la muerte, los hijos de Dios resucitarán en Cristo, y lo que fue sembrado bajo el signo de la debilidad y de la corrupción se revestirá de incorruptibilidad» (GS 39). La muerte cristiana es el acto final de la vida bautismal. «Por el bautismo, los hombres son injertados en el misterio pascual de Jesucristo: mueren con él, son sepultados con él y resucitan con él» (SC 6). Con Cristo «fuimos sepultados por el bautismo para participar en su muerte; mas si hemos sido injertados en él por la semejanza de su muerte, también lo seremos por la de su resurrección» (Rom 6, 4-5; cf. LG 7). Además, la eucaristía es una proclamación de la muerte del Señor hasta que él venga (1 Cor 11, 26); de ahí que en su celebración –afirma el concilio de Trento– «se hacen de nuevo presentes la victoria y el triunfo de su muerte» [9]. Por este motivo, la muerte del cristiano, estrechamente ligada al bautismo y a la eucaristía, es misterio pascual.

e) *La celebración cristiana de la muerte es acto pascual*

«La muerte del cristiano puede definirse –escribe D. Sicard– como el encuentro con Cristo en el misterio de su pasión y muerte» [10]. Los principales temas que se desprenden de los textos litúrgicos relativos a la muerte del cristiano expresan la esperanza pascual. «Que las exequias cristianas manifiesten la fe pascual y el verdadero espíritu evangélico», afirma el *Ritual de exequias* (n. 2). La liturgia considera el tránsito de la muerte como condición para conseguir el descanso, la paz, el paraíso, la ciudad santa de Jerusalén, la luz eterna, etc. En el culto cristiano primitivo no se recordaban las angustias de la muerte (el *Dies irae* es tardío), sino que se hablaba de la luz y de la paz. «Lo que hace *nuevo* al Ritual de exequias –dice F. Brovelli– es la recuperación masiva de la perspectiva pascual y eclesial» [11].

A las exequias le preceden el viático y la recomendación del moribundo.

2. El viático

Con la reforma litúrgica del Vaticano II se ha vuelto a la práctica primitiva, alterada a finales de la Edad Media, de celebrar el viático después de la unción de enfermos (SC 74). En realidad, el viático –como última comunión que recibe el cristiano antes de la muerte– es sacramento de la muerte del cristiano, como la postrera unción es sacramento de enfermos. Al menos desde los tiempos de Justino existe la costumbre de llevar la eucaristía al moribundo para que reciba la última provisión sagrada en su viaje definitivo hacia el Padre. Así lo atesti-

---

[9] Conc. Trid., ses. 13, decr. *De Ss. Eucharistia,* c. 5; cf. SC 6.

[10] D. Sicard, *La muerte del cristiano,* o. c., 793.

[11] F. Brovelli, *Exequias,* en D. Sartore y A. M. Triacca (eds.), *Nuevo Diccionario de Liturgia,* Paulinas, Madrid 1987, 784.

guan textos patrísticos de los s. IV, V y VI. Ante la importancia de esta eucaristía, todos los posibles obstáculos canónicos quedaban suprimidos. Esta última comunión tuvo especial relieve en los seis primeros siglos, cuando existía la penitencia única en la vida del cristiano y se aplazaba la recepción de la absolución hasta el lecho de muerte. La penitencia se coronaba con la unción de enfermos y el viático. Desde el s. XII comenzó a distinguirse ritualmente el viático de la simple comunión de enfermos.

Para administrar el viático se ha considerado necesario siempre el peligro de muerte, sea por enfermedad o por condena a la máxima pena. Recibir el viático es un derecho y una obligación pascual del cristiano, que puede renovarse si el peligro de muerte subsiste. Con el viático termina la vida eucarística del cristiano, que comenzó con la primera participación en la plenitud de la iniciación cristiana. Del contexto comunitario de la eucaristía, necesario en toda comunión solemne, el viático pone de relieve el aspecto escatológico. Por este motivo, su catequesis debe encuadrarse en una catequesis global de la eucaristía. Recordemos que el viático incluye –siempre que sea posible– la celebración de la eucaristía junto al enfermo y la comunión bajo las dos especies [12].

3. La recomendación del moribundo

La pastoral de moribundos no acaba con la denominada administración de los últimos sacramentos. Hay en el ritual un *ordo commendationis morientium* o conjunto de oraciones destinado a los últimos momentos del cristiano [13]. Se denomina así porque es una verdadera *recomendación* que la comunidad cristiana hace a la comunidad de la Jerusalén celestial. Consiste en una despedida del moribundo, en una oración por su liberación y en una petición para que sea acogido por Dios. La idea central de esta recomendación es el tránsito pascual bajo las imágenes del éxodo de Egipto y el retorno desde la cautividad. No se trata de una nueva meditación sobre la muerte, ni tan siquiera de unas oraciones por el moribundo o el difunto, sino de una celebración litúrgica que santifica las últimas horas del cristiano. Por esta razón, la catequesis de la recomendación de los que mueren insistirá en el significado de la muerte bautismal del cristiano, del combate espiritual, de la última profesión de fe, de la liberación pascual y del destino reservado en la Jerusalén celestial.

4. La celebración de las exequias

a) Sentido cristiano de los funerales

La cristianización de los ritos funerarios paganos se basa en la celebración del misterio pascual, ya que la liturgia de difuntos celebra la muerte del cristiano como un hecho de salvación en relación con la muerte y resurrección del Salvador por medio del bautismo y de la eucaristía. Se honra el cuerpo del difunto porque es sagrado, porque ha sido templo sacramental del Espíritu y porque un día será resucitado. Se le rocía de agua bendita, se le inciensa y se le conduce procesionalmente. La comunidad se hace presente para mostrar no sólo su vínculo con el difunto, sino con la comunidad de los bienaventurados a quienes se encomienda y recomienda. Finalmente, las exequias cristianas expresan la esperanza de la resurrección.

b) Nuevo acento de las exequias

Los funerales celebrados antes del Concilio centraban su atención preferentemente en el difunto, para el cual la Iglesia imploraba misericordia a Dios y clemencia en el juicio para que llegase al paraíso, a la tierra prometida, a la comunidad de los ángeles. Al ser aplicada la misa por el difunto, sobre él recaían los *frutos* del sacrificio eucarístico, en el que no se comulgaba, no sólo por la exigencia del ayuno eucarístico respecto de una hora a veces tar-

[12] M. Ramos, *La eucaristía como viático. El sacramento del tránsito de esta vida:* «Phase» 19 (1979) 43-48.

[13] Cf. L. Gougaud, *Etudes sur les «ordines commendationis animae»:* «Ephemerides Liturgicae» 49 (1953) 3-27; A. G. Martimort, *L'«Ordo commendationis animae»:* «La Maison-Dieu» 15 (1948) 143-160, y *Pastorale liturgique des malades* «La Maison-Dieu» 36 (1955) 231-243.

día, sino por la escasa participación sacramental que había entonces entre los mismos fieles. Incluso hubo una prohibición de comulgar en los funerales, que se suprimió en 1868. Centrada la liturgia en la muerte, apenas contaban los familiares y allegados. Los presentes oraban por el difunto y por su *tránsito* y tomaban ejemplo de lo que significa la muerte. El ritual variaba según ciertas clases con un ceremonial distinto. Los presentes estaban aburridos, tanto creyentes como no creyentes.

La actual liturgia de difuntos se basa en el *Ritual romano* de 1614 [14]. Después del Vaticano II, la Iglesia celebra con un nuevo estilo los funerales. El *Ordo exequiarum* de 1969, editado en español en 1971 como *Ritual de exequias,* renovado recientemente en su segunda edición de 1989, tiene en cuenta la fe en el misterio pascual, la liturgia comunitaria de difuntos y la proyección social de los ritos funerarios en el interior de una pastoral acorde a la reforma litúrgica y a las exigencias socioculturales [15].

Las características más destacadas del nuevo ritual son éstas:

– Se tiene en cuenta en primer lugar al *difunto* que se entierra, por medio de un acto que la Iglesia celebra con mayor generosidad que antes. Se acentúa la esperanza, no el miedo al juicio; se intenta crear un clima de oración, sin poner el énfasis en las ceremonias, y se aceptan los ritos funerarios como ritos de piedad popular.

– En segundo lugar se tienen en cuenta en el ritual renovado la tristeza y necesidades de la *familia* y los allegados con objeto de aligerar su dolor, afirmar su fe en la resurrección y acrecentar su esperanza en una vida plena.

– Finalmente, en torno al difunto se reúne, además de la familia, una *comunidad cristiana* que no es anónima o ajena al hecho celebrativo [16]. En muchos casos tiene relación con la familia del difunto, e incluso algunos de sus miembros son participantes habituales en los funerales, como el sacerdote, el organista, el coro y algunos ayudantes.

5. El desarrollo del ritual

El ritual cristiano de difuntos insinúa seis etapas: visita a la familia, velada de oración ante el difunto, cierre del ataúd, salida de la casa del difunto, celebración en la iglesia y celebración en el cementerio. Aunque su forma de realización varía de unas regiones a otras, el ritual se reduce fundamentalmente al oficio, misa y responso celebrados en el templo, enmarcados por dos procesiones: una de la casa al templo y otra del templo al cementerio. Los textos fundamentales de estas dos procesiones son algunos salmos que se recitan o cantan «in persona defuncti». Unas veces expresan la fe del difunto a Dios y otras son una oración confiada de perdón [17]. Hay, pues, tres estaciones (casa, iglesia y cementerio), que en las ciudades se reducen a dos, celebradas en la misma iglesia: la primera y tercera en el pórtico y la segunda en el interior del mismo edificio. Las procesiones del entierro cristiano son expresiones de acompañamiento y signos de peregrinación.

El acto de los funerales cristianos consiste en la procesión con el cuerpo del difunto de la casa mortuoria al cementerio, interrumpida –siempre que sea posible– con una estación en el templo. La *casa* representa el mundo de las ocupaciones y preocupaciones terrenas, en tanto que el *cementerio* es el símbolo del descanso sabático y paradisíaco. De ahí que los cantos principales son los salmos 113 y 117, que expresan el éxodo pascual. El cortejo procesional representa el paso del cristiano por la ruta del mundo hacia el reino, siguiendo el camino pascual del Señor, verdadera resurrección y vida.

El *Ritual* de exequias propone tres tipos de cele-

[14] Cf. P. M. Gy, *Les funérailles d'après le rituel de 1614:* «La Maison-Dieu» 44 (1955) 70-82.

[15] Cf. comentarios al ritual de exequias en «Ephemerides Liturgicae» 84 (1970/2-3); «La Maison-Dieu» 101 (1970); «Liturgisches Jahrbuch» 24 (1970/1) y «Phase» 19 (1979) n. 109, con las aportaciones personales de S. Mazzarello en «Notitiae» 49 (1969) 431-435, P. M. Gy en «La Maison-Dieu» 101 (1970) 15-32 y J. Llopis en «Phase» 10 (1970) 267-281.

[16] Cf. D. Sicard, *La mort du chrétien et sa communauté:* «La Maison-Dieu» (1980) 59-64.

[17] Según el Ordo 49 de Andrieu, los salmos del oficio de difuntos son el 113, 92, 41, 4, 14, 50, 24, 55, 56 y 117.

bración. El primero comprende las tres estaciones en casa, en la iglesia y en el cementerio. Es el rito más antiguo, hoy posible en las zonas rurales. El segundo tipo (sin misa) abarca dos estaciones, ambas en el cementerio: una en la capilla y otra junto al sepulcro. El tercer tipo se reduce a una estación en la casa mortuoria.

Caben diversos modelos litúrgicos de funeral: 1) Servicio de la palabra con oración en el cementerio; en caso de inhumación, se añade el ritual del entierro. 2) Servicio de la palabra con oración en la iglesia; se añade el ritual del entierro en el cementerio. 3) Servicio de comunión o celebración eucarística en la iglesia y ritual de entierro en el cementerio. En cualquier caso, es conveniente preparar bien un funeral, a ser posible con algún miembro de la familia, escogiendo lecturas, preces, cantos y gestos.

Se pueden señalar en las exequias estas partes:

a) Rito de acogida

En todo funeral son vitales las palabras de acogida o de inicio de la celebración –con un saludo litúrgico– dirigidas a los familiares y asistentes. Cabe la aspersión del difunto con agua bendita. Junto a las palabras hay en toda liturgia elementos *no verbales*. Recordemos que en cualquier duelo son necesarios los gestos y símbolos, que en los funerales valen más que las palabras. Así, son básicos en un funeral el canto y la música, los saludos, los pésames y las comunicaciones de paz. Hay tres símbolos fundamentales: la cruz, el incienso y el agua bendita. Debe estudiarse con esmero la disposición del lugar para la cruz, el cirio pascual, el ataúd y las flores.

b) Liturgia de la palabra

De ordinario, hoy se muere en el hospital; el lugar del difunto es la capilla *ardiente* de la funeraria. Pero en todo caso tiene gran importancia el *templo*, donde se reúnen la familia, los amigos y la comunidad cristiana con objeto de confraternizar en el dolor y orar a Dios por el difunto pidiendo perdón, fuerza para los allegados y esperanza para los presentes. Es la última despedida; se confía al Señor a quien nos ha abandonado, con la esperanza de volver a verle. Cuando llega el féretro al templo, se canta la antífona *Subvenite*, que expresa maravillosamente el sentido del gesto que acaba de realizarse y sirve de entrada a la liturgia funeraria del templo.

La liturgia de la palabra consiste en las lecturas bíblicas, el canto interleccional, la homilía y las preces de los fieles. La palabra de Dios, proclamada en las lecturas y actualizada en la homilía del celebrante, debe expresar el sentido cristiano de la muerte [18]. De acuerdo a las circunstancias de la familia y a la vida del difunto se pueden elegir las lecturas bíblicas más adecuadas. El ritual de exequias posee un rico y extenso leccionario [19]. Los funerales son plegaria para los muertos y catequesis para los vivos.

Si la homilía y el canto son decisivos en cualquier celebración cristiana, todavía tienen mayor importancia en los funerales. Evidentemente, la homilía no deberá ser nunca elogio fúnebre, panegírico o proclama política. Ha de ser eminentemente litúrgica, sobriamente catequizadora y dinámicamente evangelizadora. El canto ha de expresar, asimismo, el misterio pascual que se celebra.

c) Liturgia eucarística

La celebración eucarística, precedida eventualmente de una parte del oficio (vigilia, laudes o vísperas), no interrumpe en realidad la procesión pascual, sino que la justifica y da pleno sentido. El difunto, por última vez, está presente en la asamblea eucarística de los hermanos que evocan cultualmente el retorno escatológico del Señor. El sentido de liberación pascual está delicadamente expresado en las oraciones y cantos de la misa de entierro.

Se debe celebrar la eucaristía, a no ser que por determinadas circunstancias esté desaconsejada. En cualquier caso, es importante la plegaria; a veces son insuficientes las oraciones prescritas en el ritual y se necesita una cierta improvisación. La

[18] Cf. *Homilías exequiales*, CPL, Barcelona 1978 (Dossiers CPL 1).

[19] Cf. J. López Martín, *El leccionario del ritual de exequias*, en Secretariado Nacional de Liturgia, *Comentarios al ritual de exequias renovado*, Coeditores Litúrgicos, Madrid 1989, 33-45.

oración por el difunto, a la que se asocian la familia y toda la comunidad cristiana, muestra la solidaridad con el muerto, la confianza en la misericordia divina y la esperanza en el cumplimiento final de las promesas de Dios.

d) Rito de despedida

La absolución o responso final es oración destinada a pedir la liberación del difunto de sus pecados. La continuidad procesional de la celebración está expresada bellamente mediante las antífonas *In paradisum* y *Chorus angelorum,* que ponen de relieve la comunión de la Iglesia peregrina con la Iglesia celestial (cf. LG 49): «Al paraíso te lleven los ángeles, a tu llegada te reciban los mártires y te introduzcan en la ciudad santa de Jerusalén». «El coro de los ángeles te reciba, y junto con Lázaro, pobre en esta vida, tengas descanso eterno». En el *cementerio* se procede a las últimas oraciones por el difunto. Se incluyen aquí los gestos de la aspersión e incensación. Finalmente, se da sepultura arrojando tierra en el ataúd. El funeral concluye con la despedida del difunto (última recomendación) y unas palabras apropiadas a los allegados y a todos los presentes. La comunidad cristiana se despide del hermano que transita hacia la casa del Padre.

6. Pastoral de los funerales

a) Actitud de la comunidad cristiana

Como comunidad de fe en la resurrección y en el amor fraterno, la Iglesia eleva su plegaria por todo el mundo, incluidos los muertos. Desde la más remota tradición es bueno y justo orar por los difuntos, con la celebración de la eucaristía incluida, cuyo sujeto responsable es la asamblea de creyentes, siendo su presidente «maestro de la fe y ministro del consuelo» [20]. Otra cuestión es llevar el cuerpo del difunto al lugar de la celebración eucarística si no es cristiano. En todo caso, la Iglesia escoge siempre la actitud de misericordia frente a la severidad, ya que, en definitiva, Dios es Padre. La Iglesia debe proceder teniendo en cuenta la voluntad del difunto –si fue manifestada– y la petición de familiares o allegados, dentro de un clima sereno de oración. Naturalmente, se ha de evitar todo aquello que sea escándalo público, ceremonia religiosa corrompida o acto cristiano manipulado con una intención, por ejemplo, política. Los funerales cristianos rondan, a veces, estos tres peligros.

El clima en la celebración de un funeral es de esperanza en el amor de Dios, más fuerte que la muerte. No debe acentuarse el castigo, ya que los funerales son gestos de compasión de la Iglesia en función de una profunda esperanza, sean cuales sean las debilidades y faltas del difunto. Naturalmente, cuando el difunto no frecuentó la eucaristía, las exequias deben hacerse sin misa, quizá con una liturgia de la palabra seguida de la oración y el responso.

b) Presencia familiar

Los funerales son básicamente un acto familiar. En muchos casos de defunción, la familia pide un rito funerario religioso o incluso un entierro cristiano, ya que todo *rito de paso* es en el fondo rito familiar. Se debe examinar con tacto la relación del difunto con la Iglesia, pues no es lo mismo si fue no creyente, creyente no practicante, creyente de práctica irregular, practicante asiduo a la misa dominical o miembro activo de la comunidad cristiana. Desde una sencilla oración a la eucaristía, pasando por la liturgia de la palabra con responso, la respuesta de la Iglesia a la petición del rito funerario puede ser muy variada.

c) Piedad popular en el culto a los difuntos

El pueblo cristiano ha honrado piadosamente a sus difuntos por medio de funerales, velatorios, misas de sufragio, aniversarios, visitas al cementerio, etc. Desde que muere una persona hasta que es enterrada, la familia del difunto entra en un cierto clima religioso de tipo popular. El difunto es amortajado en actitud orante, sobre el féretro hay una

[20] *Ritual de exequias,* Praenotanda, 16.

cruz, se respira en el entorno un silencio recogido y al contemplar al difunto muchas personas musitan alguna oración [21].

Recordemos, con todo, que la oración por los difuntos no se limita a lo que se hace en el templo, y que los funerales no son asunto exclusivo de los sacerdotes. Deben colaborar los parientes y amigos del difunto. Entre el momento de la muerte y el entierro en el cementerio están las visitas a la familia, la oración delante del cadáver, el velatorio, quizá una eucaristía más doméstica, etc. Cabe organizar un servicio adecuado de la palabra en la capilla del tanatorio o en casa del difunto. La *velada familiar* ayuda a la oración por el difunto en un clima fraterno mediante una lectura bíblica, un salmo, unas preces y un padrenuestro. Momentos particularmente importantes son el cierre de la caja del féretro y la salida hacia el cementerio.

d) Evangelización e inculturación de los funerales

Debido a la dimensión transcendental que tiene la muerte, en un funeral se congrega mucha gente cercana a la familia del difunto por parentesco, amistad, trabajo, etc. A pesar de que la práctica religiosa ha disminuido, hay en los funerales creyentes no practicantes y bautizados no creyentes. Se da la paradoja de que muchos de los presentes no creen en la resurrección o dudan de la vida eterna, cuestiones centrales en un funeral cristiano.

Las exequias tienen siempre una dimensión social. El recuerdo del sufrimiento acumulado en la historia y la esperanza de que un día brillarán la justicia y la paz es una cuestión aceptada por muchos, aunque sea de modo vago. En la paz y el descanso definitivo entran los difuntos. También hay presentes en los funerales personas, creyentes o no, sensibles a la justicia y conscientes de la injusticia que reina en este mundo; quizá el difunto fue una víctima de la historia. Estas perspectivas deben ser tenidas en cuenta a la hora de la homilía y en los momentos del canto y de la oración. «En las exequias –escribe P. Llabrés– se debe predicar nítidamente el mensaje cristiano a todos: a los creyentes, para su confirmación en la fe; a los no creyentes, agnósticos y dudosos, para que escuchen claramente la llamada a la fe en la resurrección...; a los hombres naturalmente religiosos, para que superen incertidumbres y ambigüedades, actitudes cerradas y ritualistas en la celebración funeraria» [22]. En una palabra, los funerales son un momento privilegiado de evangelización.

Según el Código de derecho canónico de 1917 se excluían de los funerales cristianos y no podían ser enterrados en tierra sagrada los no bautizados, apóstatas notorios, herejes, cismáticos, masones o miembros de otras sectas y suicidados con premeditación. Hoy es discutible la distinción y separación entre cementerio sagrado y cementerio civil. La Iglesia no es ya, ni debe ser, propietaria de tierras sagradas; el cementerio es hoy un asunto enteramente civil. El binomio central cristiano no es el de sagrado-profano, sino el de santidad-pecado o el de justicia-injusticia respecto del reino de Dios. La tierra en la que descansan los restos mortales es secundaria frente a la actitud que las personas tienen en vida respecto de la caridad con los hermanos, que es caridad con Dios.

---

[21] R. González, *La piedad popular en el culto a los difuntos*, en Secretariado Nacional de Liturgia, *Comentarios al Ritual...*, o. c., 47-57.

[22] P. Llabrés, *Teología y pastoral de la celebración cristiana de la muerte*, en Secretariado Nacional de Liturgia, *Comentarios al Ritual...*, o. c.

Bibliografía

1. Historia de la parroquia

M. Aubrun, *La paroisse en France des origines au XVe siècle,* París 1986; J. Gaudemet, *Le gouvernement de l'Église à l'époque classique,* II parte, *Le gouvernement local,* t. VII, vol. II de *L'histoire du droit et des institutions de l'Église en Occident,* París 1979, 217-327; E. Gatz (ed.), *Die Bistümer und ihre Pfarreien,* Herder, Friburgo 1991; P. Imbart de la Tour, *Les paroisses rurales du IVe au XIe siècles,* París 1900, reimpresión 1980; L. Nanni, *L'evoluzione storica della parrocchia:* «La Scuola Cattolica» 81 (1953) 475-544; A. Schrott, *Seelsorge im Wandel der Zeiten. Formen und Organisation seit der Begründung des Pfarrinstitutes bis zur Gegenwart. Ein Beitrag zur Pastoralgeschichte,* Styria, Graz-Viena 1949; Varios, *Actes du 109e Congrès National des Sociétés Savantes,* Dijon 1984, vol. I, *L'encadrement religieux des fidèles au Moyen-Age et jusqu'au Concile de Trente. La paroisse-le clergé-la pastorale-la dévotion,* París 1985, 11-279; G. Th. Maas-Ewerd, *Liturgie und Pfarrei. Einfluss der Liturgischen Erneuerung auf Leben und Verständnis der Pfarrei,* Bonifacius, Paderborn 1969.

2. Visión general de la parroquia

a) Obras teológicas y pastorales

F. X. Arnold, *Hacia una teología de la parroquia,* en *Mensaje de fe y comunidad cristiana,* Verbo Divino, Estella 1962, 107-139; V. Bo, *La parroquia. Pasado y futuro,* Paulinas, Madrid 1978; Y. Congar, *Misión de la parroquia,* en *Sacerdocio y laicado,* Estela, Barcelona 1964, 155-182; F. Connan y C. Barreau, *La parroquia de mañana,* Studium, Madrid 1970; C. Dillenschneider, *La parroquia y su párroco,* Sígueme, Salamanca 1966; C. Floristán, *La parroquia, comunidad eucarística,* Marova, Madrid [2]1964; P. Guérin, *La paroisse, pour quoi faire?,* Cerf, París 1981; A. Houssiau, *Paroisse,* en *Catholicisme. Hier, aujourd'hui, demain,* Letouzey et Ané, París 1985, vol. 10, col. 672-688; S. J. Kilian, *Theological Models for the Parish,* Alba House, Nueva York 1977; J. M. Murgui, *Parroquia y comunidad en la Iglesia española del posconcilio,* Edicep, Valencia 1983.

b) Obras sociológicas y descripciones de parroquias

H. Carrier y E. Pin, *Ensayos de sociología religiosa,* Razón y Fe, Madrid 1969, 285-298; 299-324; A. Deslestre, *Trente-cinq ans de mission au Petit-Colombes (1939-1974),* Cerf, París 1977; R. Duocastella, *Cómo estudiar una parroquia,* Nova Terra, Barcelona 1965; J. H. Fichter, *Las relaciones sociales en una parroquia urbana,* Nova Terra, Barcelona 1966; J. Grand' Maison, *La paroisse en concile. Coordonnées sociologiques et théologiques,* Fides, Ottawa 1966; J. Masaut, *Reflexiones y experiencias de un cura sobre su parroquia,* Marova, Madrid 1966; Oficina General de Sociología Religiosa y Estadística de la Iglesia, *La parroquia a examen,* Madrid 1972; R. Pannet, *La paroisse de l'avenir. L'avenir de la paroisse,* Fayard, París 1979.

c) Congresos sobre la parroquia y obras colectivas

Coloquio Europeo de Parroquias, *Paroisses en question,* Turín 1969; id., *Parrocchia e strutture* (VI Coloquio, Estrasburgo 1971), Dehoniane, Bolonia 1973; id., *Paroisse et évangélisation* (Coloquios de 1963 a 1975), OSA, Augsburgo 1988; Comisión Episcopal de Pastoral, *Parroquia urbana, presente y futuro* (V Semana Nacional de la Parroquia),

Madrid 1975; id., *Parroquia evangelizadora,* Edice, Madrid 1989; *La parrocchia. Aspetti pastorali e missionari,* Milán 1955; *Parrocchia, communità adulta,* Dehoniane, Nápoles 1977; *Parrocchia e pastorale parrocchiale,* Dehoniane, Bolonia 1986; *La parrocchia e le sue strutture,* Dehoniane, Bolonia 1987; *Scommessa sulla parrocchia,* Milán 1988; *Chiesa e parrocchia,* Elle di Ci, Turín 1989; *Les paroisses dans l'Église d'aujourd'hui,* Lovaina 1981; *1º Colóquio Nacional de Paróquias* (Fátima, 7-10 julio 1986), Coimbra 1987; H. Rahner (ed.), *La parroquia. De la teoría a la práctica,* Dinor, San Sebastián 1961.

d) Números especiales de revistas

Las parroquias. Perspectivas de renovación, Marova, Madrid 1979 (trad. del n. 123 de «Lumière et Vie» de 1975); *Paroisses à venir:* «La Foi et le Temps» 10 (1980/3); *La parrocchia a venti anni dal Concilio Vaticano II:* «Orientamenti Pastorali» 33 (1985/9-10); *La parroquia a examen. Propuestas:* «Sal Terrae» 73 (1985/4); *Parròquia i educació de la fe:* «Quaderns de Pastoral» 93 (1985); *La parroquia en la encrucijada:* «Pastoral Misionera» 159 (1988); *Parroquia a evangelizar:* «Teología y Catequesis» 28 (1988); *A parroquia, comunidade posible:* «Lumieira» 11-12 (1989).

3. Dimensiones pastorales de la parroquia

a) Dimensión comunitaria

A. Blöchlinger, *Die heutige Pfarrei als Gemeinschaft,* Benziger, Einsiedeln 1962; C. Floristán, *Crisis de la parroquia y comunidades de base:* «Phase» 52 (1969) 333-349 y en *Comunidades de base y expresión de la fe,* Barcelona 1970, 7-27; F. Klostermann, *Wie wird unsere Pfarrei eine Gemeinde? Für alle Mitarbeiter in der Pfarrgemeinde,* Herder, Viena 1979; A. Mazzoleni, *Le strutture comunitarie della nuova parrocchia,* Paoline, Roma ²1973; H. Wieh, *Konzil und Gemeinde. Eine systematisch-theologische Untersuchung zum Gemeindeverständnis des Zweiten Vatikanischen Konzils,* Knecht, Francfort 1978.

b) Dimensión evangelizadora

G. Michonneau, *Parroquia, comunidad misionera,* DDB, Buenos Aires 1951; A. Aubry y otros, *La acción misionera y la parroquia,* Edicep, Valencia 1967; B. Caballero, *Misión, pastoral de conjunto y parroquia:* «Pentecostés» 5 (1967) 196-226; F. Ferrero, *Significación histórica de la misión parroquial:* «Pentecostés» 9 (1971) 236-261 y C. Floristán, *Misión, liturgia y parroquia:* «Pastoral Misionera» 1 (1965) 22-38; id., *La parroquia y su liturgia misionera:* «Sal Terrae» 73 (1985) 293-301; M. Goison, *Pastoral obrera y parroquia moderna,* Zyx, Madrid 1966; M. Payá, *La parroquia, comunidad evangelizadora,* PPC, Madrid 1989.

c) Dimensión social

R. Belda, *La comunidad parroquial y el compromiso cívico,* en Comisión Episcopal de Pastoral, *Parroquia urbana, presente y futuro* (V Semana Nacional de la Parroquia), Madrid 1975, 215-233; id., *Los cristianos en la vida pública,* Desclée, Bilbao 1987; S. Dianich, *Iglesia en misión,* Sígueme, Salamanca 1988; id., *Iglesia extrovertida,* Sígueme, Salamanca 1991; J. Lois, *Identidad cristiana y compromiso socio-político,* HOAC, Madrid 1989; *El compromiso político de la parroquia cristiana:* «Concilium» 84 (1973).

d) Dimensión canónica

F. Coccopalmerio, *De paroecia,* Universidad Gregoriana, Roma 1991; J. Manzanares (ed.), *La parroquia desde el nuevo Derecho Canónico* (X Jornadas de la Asociación Española de Canonistas, Madrid, 18-20 abril 1991), Universidad Pontificia, Salamanca 1991; J. Manzanares, A. Mostaza, J. L. Santos, *Nuevo derecho parroquial,* Ed. Católica, Madrid 1988; H. Paarhammer y G. Fahrnberger, *Pfarrei und Pfarrer im neuen Codex,* Viena 1983; J. C. Périsset, *La paroisse. Commentaire des Canons 515-572,* Tardy, París 1989.

e) El consejo parroquial

J. Bestard, *El consejo pastoral parroquial,* PPC, Madrid 1988; *Consejos pastorales,* Valladolid 1982; Diócesis de Bilbao, *Orientaciones en torno a los consejos pastorales parroquiales,* Bilbao 1984; T. I. Jiménez Urresti, *Justificación y naturaleza del Consejo pastoral,* en AA. VV., *Curia Episcopal: reforma y actualización,* Universidad Pontificia, Salamanca 1979, 173-208.

4. La liturgia parroquial

a) El bautismo

J. J. von Allmen, *Pastorale du baptême,* Ed. Universitaires-Cerf, Friburgo-París 1978; P. Aubin, *El bautismo, ¿iniciativa de Dios o compromiso del hombre?,* Sal Terrae, Santander 1987; D. Boureau, *El futuro del bautismo,* Herder, Barcelona 1973; H. Denis, Ch. Paliard y P. G. Trebossen, *Le baptême des petits enfants. Histoire, doctrine, pastorale,* Centurion, París 1980; V. M. Goedert, *Teología del bautismo,* Paulinas, Caracas 1991; D. Lamarche, *Le baptême, une initiation?,* Paulinas-Cerf, Montreal-París 1984; H. L. Martensen, *Baptême et vie chrétienne,* Cerf, París 1982; B. Neunheuser, *Bautismo y confirmación,* en *Historia de los dogmas,* IV/2, Ed. Católica, Madrid 1974; P. Pas y Ph. Muralle, *Le baptême aujourd'hui,* Casterman, París 1971; P. Thomas, *Baptiser. Diverses manières de baptiser aujourd'hui,* Ed. Ouvrières, París 1986.

b) La confirmación

G. H. Baudry, *Le sacrement de la confirmation,* Office Général du Livre, Lille 1981; G. Biemer, *Firmung. Theologie und Praxis,* Würzburgo 1973; H. Bourgeois, *El futuro de la confirmación,* Marova-Paulinas, Madrid 1973; J. P. Bouhot, *La confirmation, sacrement de la communion ecclésiale,* Chalet, París 1968; D. Borobio, *Confirmar hoy. De la teología a la praxis,* Desclée, Bilbao 1980; id., *Bautismo de niños y confirmación: problemas teológico-pastorales,* Fundación Santa María, Madrid 1987; L. Ligier, *La confirmation. Sens et conjuncture oecuménique hier et aujourd'hui,* Beauchesne, París 1973.

c) La eucaristía

J. Aldazábal, *La eucaristía,* en *La celebración en la Iglesia,* Sígueme, Salamanca 1988, II, 181-436; X. Basurko, *Compartir el pan. De la misa a la eucaristía,* Idatz, San Sebastián 1987; L. Bouyer, *Eucaristía. Teología y espiritualidad de la oración eucarística,* Herder, Barcelona 1969; L. Deiss, *La Cena del Señor,* DDB, Bilbao 1989; F. X. Durwell, *La eucaristía, sacramento pascual,* Sígueme, Salamanca [2]1986; A. Fermet, *La eucaristía. Teología y praxis de la memoria de Jesús,* Sal Terrae, Santander 1980; M. Gesteira, *La eucaristía, misterio de comunión,* Cristiandad, Madrid 1983; J. Jeremias, *La última cena. Palabras de Jesús,* Cristiandad, Madrid 1980; J. A. Jungmann, *El sacrificio de la misa. Tratado histórico-litúrgico,* Ed. Católica, Madrid [4]1965; X. Léon-Dufour, *La fracción del pan. Culto y experiencia en el NT,* Cristiandad, Madrid 1983; L. Maldonado, *La plegaria eucarística. Estudio de teología bíblica y litúrgica sobre la misa,* Ed. Católica, Madrid 1967.

d) La penitencia

E. Aliaga, *Penitencia,* en D. Borobio (ed.), *La celebración en la Iglesia,* Sígueme, Salamanca 1988, II, 437-496; D. Borobio, *Reconciliación penitencial. Tratado actual sobre el sacramento de la penitencia,* Desclée, Bilbao 1988; D. Fernández, *Dios ama y perdona sin condiciones,* DDB, Bilbao 1989; G. Flórez García, *La reconciliación con Dios. Estudio teológico-pastoral sobre el sacramento de la penitencia,* Ed. Católica, Madrid 1971; J. Ramos-Regidor, *El sacramento de la penitencia. Reflexión teológica a la luz de la Biblia, la historia y la pastoral,* Sígueme, Salamanca [4]1985.

e) El matrimonio

F. Alarcón, *El matrimonio celebrado sin fe,* Almería 1988; J. M. Artadi, *Historia y teología del sacramento del matrimonio,* Fundación Santa María, Madrid 1987; J. P. Bagot, *Pour vivre le mariage,* Cerf, París 1986; R. Béraudy, *Sacrement de mariage et culture contemporaine,* Desclée, París 1985; H. Denis (ed.), *Le mariage, un sacrement pour les croyants?,* Cerf, París 1990; D. Borobio, *Matrimonio,* en *La celebración en la Iglesia,* Sígueme, Salamanca 1988, II, 497-592; id., *Inculturación del matrimonio,* San Pablo, Madrid 1993; F. Deniau, *Mariage. Approches pastorales,* Chalet, París 1984; J. Duss-Von Werdt, *El matrimonio como sacramento,* en *Mysterium Salutis,* IV/2, 410-437; R. Grimm, *L'institution du mariage,* París 1984; W. Kasper, *Teología del matrimonio cristiano,* Sal Terrae, Santander 1980; J. M. Lahidalga y Aguirre, *El matrimonio hoy: reflexión cristiana,* Eset, Vitoria 1976; M. Legrain, *Questions autour de mariage,* Mulhouse 1983; E. Schillebeeckx, *El matrimonio, realidad terrena y misterio de salvación,* Sígueme, Salamanca 1968; J. B. Sequeira, *Tout mariage entre baptisés est-il nécessairement sacramentel?,* Cerf, París 1985; M. Vidal, *Crisis de la institución matrimonial,* Fundación Santa María, Madrid 1987.

f) La unción de enfermos

D. Borobio, *Unción de enfermos,* en *La celebración en la Iglesia,* Sígueme, Salamanca 1988, II, 653-743; Bureau de

Pastoral de Enfermos de Bruselas, *La comunidad cristiana y los enfermos,* Marova, Madrid 1980; Comisión Episcopal de Pastoral, *La pastoral de la salud en la parroquia,* Madrid 1992; R. Delgado, *La unción de enfermos en la comunidad cristiana, hoy,* Fundación Santa María, Madrid 1988; J. Feiner, *La enfermedad y el sacramento de la unción de enfermos,* en *Mysterium Salutis,* Cristiandad, Madrid 1983, V, 467-523; Cl. Ortemann, *El sacramento de los enfermos. Historia y significación,* Marova, Madrid 1972; Varios, *La unción de enfermos,* CPL, Barcelona 1988 (Cuadernos Phase 3); Varios, *Pastoral sacramental con los enfermos,* CPL, Barcelona 1990 (Cuadernos Phase 16); Varios, *Pastoral de la salud. Acompañamiento humano y sacramental,* CPL, Barcelona 1993 (Dossiers CPL 60); *Celebra la vida:* «Labor Hospitalaria» 25 (1993/4) n. 230.

g) Las exequias

M. Amigues, *Le chrétien devant le refus de la mort,* Cerf, París 1981; L. Boros, *El hombre y su última opción. Mysterium mortis,* Madrid [4]1977; F. Brovelli, *Exequias,* en D. Sartore y A. M. Triacca (eds.), *Nuevo Diccionario de Liturgia,* Paulinas, Madrid 1987, 777-793; Conférences St Serge, *La maladie et la mort du chrétien dans la liturgie,* Ed. Liturgiche, Roma 1975; G. Greshake, *Más fuerte que la muerte. Lectura esperanzada de los «Novísimos»,* Sal Terrae, Santander 1981; H. Küng, *¿Vida eterna? Respuesta al gran interrogante de la vida humana,* Cristiandad, Madrid 1983; J. B. Libânio y M. C. Bingemer, *Escatología cristiana,* Paulinas, Madrid 1985; J. Llopis, *Exequias,* en D. Borobio (ed.), *La celebración en la Iglesia,* Sígueme, Salamanca 1988, II, 745-760; K. Rahner, *Sentido teológico de la muerte,* Herder, Barcelona 1965; id., *La muerte del cristiano,* en *Mysterium Salutis,* V, 338-466; J. L. Ruiz de la Peña, *El último sentido,* Marova, Madrid 1980; id., *La otra dimensión. Escatología cristiana,* Sal Terrae, Santander [3]1987; Secretariado Nacional de Liturgia, *Celebración cristiana de la muerte,* Edice, Madrid 1973; id., *Comentarios al Ritual de Exequias renovado,* Coeditores Litúrgicos, Madrid 1989; D. Sicard, *La muerte del cristiano,* en A. G. Martimort (ed.) *La Iglesia en oración,* Herder, Barcelona 1987, 792-811.

Indice general

II

LA PARROQUIA COMUNITARIA

III

TAREAS BASICAS PARROQUIALES

IV

EL MINISTERIO SACRAMENTAL DE LA PARROQUIA

TÍTULOS DE LA MISMA COLECCIÓN

Para leer
EL ANTIGUO TESTAMENTO
Etienne Charpentier

Para leer
EL NUEVO TESTAMENTO
Etienne Charpentier

Para leer
LA HISTORIA DE LA IGLESIA, 1.
De los orígenes al s. XV.
Jean Comby

Para leer
LA HISTORIA DE LA IGLESIA, 2.
Del s. XV al s. XX
Jean Comby

Para leer
UNA CRISTOLOGÍA ELEMENTAL.
Del aula a la comunidad de fe
A. Calvo - A. Ruiz

Para leer
UNA ECLESIOLOGÍA ELEMENTAL.
Del aula a la comunidad de fe
A. Calvo - A. Ruiz

Para comprender
LA ANTROPOLOGÍA, 1 - HISTORIA
Jesús Azcona

Para comprender
LA FILOSOFÍA
Simonne Nicolas

Para comprender
LA TEOLOGÍA DE LA LIBERACIÓN
Juan José Tamayo Acosta

Para comprender
LA PSICOLOGÍA
Jesús Beltrán

Para comprender
LA ANTROPOLOGÍA, 2 - CULTURA
Jesús Azcona

Para comprender
LA SEXUALIDAD
F. López - A. Fuertes

Para comprender
EL CATECUMENADO
Casiano Floristán

Para conocer
LA ÉTICA CRISTIANA
Marciano Vidal

Para comprender
LAS RELIGIONES EN NUESTRO TIEMPO
Albert Samuel

Para comprender
LOS SACRAMENTOS
Jesús Espeja

Para comprender
LA SOCIOLOGÍA
Juan González-Anleo

Para comprender
EL ECUMENISMO
Juan Bosch Navarro

Para comprender
LA TEOLOGÍA
Evangelista Vilanova

Para conocer
LA FILOSOFÍA DEL HOMBRE.
O el ser inacabado
José Lorite Mena

Para comprender
LA ESCATOLOGÍA CRISTIANA
Juan José Tamayo Acosta

Para comprender
LOS MINISTERIOS DE LA IGLESIA
José María Castillo

Para leer
EL APOCALIPSIS
Jean-Pierre Prévost

Para comprender
LA PARROQUIA
Casiano Floristán

Para comprender
LAS NUEVAS FORMAS DE LA RELIGIÓN
José María Mardones

Para comprender
LA HISTORIA
José Sánchez Jiménez

Para comprender
LOS SALMOS
Hilari Raguer

Para comprender
LA EUCARISTÍA
Xabier Basurko

Para comprender
LAS ESTRUCTURAS SOCIALES
Teodoro Hernández de Frutos

Para vivir
EL AÑO LITÚRGICO
José Manuel Bernal

Para comprender
LA CRISIS DE DIOS HOY
Juan José Tamayo Acosta

Para comprender
LA TEORÍA SOCIOLÓGICA
J. Beriain - J. L. Iturrate

Para comprender
EL OCIO
Fernando Gil (coord.)

Para descubrir
EL CAMINO DEL PADRE
Xabier Pikaza

Para comprender
LA VIDA SEXUAL DEL ADOLESCENTE
F. López - Á. Oroz

Para comprender
CÓMO SURGIÓ LA IGLESIA
Juan Antonio Estrada Díaz

Para comprender
EL LIBRO DEL GÉNESIS
Andrés Ibáñez Arana

Para comprender
QUÉ ES LA CIUDAD
Víctor Urrutia

Para celebrar
LA FIESTA DEL PAN, FIESTA DEL VINO
Xabier Pikaza

Para vivir
LA ÉTICA EN LA VIDA PÚBLICA
Francisco José Alarcos

Para vivir
EL SACRAMENTO DE LA PENITENCIA
Jesús Equiza y otros

Para comprender
LA CREACIÓN EN CLAVE CRISTIANA
Raul Berzosa

Para orientar
LA FAMILIA POSMODERNA
Marciano Vidal